EL QUINTO SUYO

TRANSNACIONALIDAD Y FORMACIONES DIASPÓRICAS EN LA MIGRACIÓN PERUANA

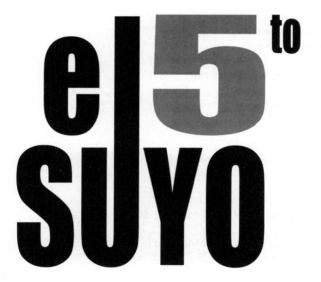

EDITADO POR ULLA D. BERG Y KARSTEN PÆRREGAARD

IEP *Instituto de Estudios Peruanos*

Serie: Urbanización, migraciones y cambios en la sociedad peruana, 20

© IEP EDICIONES
Horacio Urteaga 694, Lima 11
Telf. 332-6194 / 424-4856
E-mail: publicaciones@iep.org.pe
www.iep.org.pe

ISBN: 9972-51-136-7
ISSN: 0586-5913

Impreso en el Perú
Primera edición, noviembre del 2005
800 ejemplares

Hecho el depósito legal en la
Biblioteca Nacional del Perú: 2005-8444

Registro del Proyecto Editorial en la
Biblioteca Nacional N.° 11501130500644

BERG, Ulla D.

El Quinto Suyo, transnacionalidad y formaciones diaspóricas en la migración
peruana / Ulla D. Berg y Karstern Paerragad. Lima: IEP, 2005.— (Urbanización, Migraciones y Cambios en la Sociedad Peruana, 20)

MIGRACIÓN TRANSNACIONAL / EMIGRANTES / ARGENTINA /
CHILE / ESPAÑA / ITALIA / JAPÓN / USA / PERÚ

W/14.07.00/U/20

CONTENIDO

Agradecimientos

Este libro recoge artículos de investigadores de distintas disciplinas sobre la migración transnacional peruana. Todos los autores son miembros de la Red de Estudios sobre la Migración Peruana (Peruvian Migration Network), que reúne a investigadores nacionales y extranjeros que han estado realizando estudios en esta área durante más de una década. Este libro es la primera publicación de la Red.

Queremos agradecer de manera especial a Carolina Trivelli, Martín Tanaka, Carlos Contreras y Víctor Vich por el generoso apoyo brindado en nombre del Instituto de Estudios Peruanos para la realización de este proyecto. Asimismo, queremos agradecer a todos los miembros de la Red, en las personas de Ángeles Escrivá, Ayumi Takenaka, Carla Tamagno, Carolina Stefoni, Javier Ávila Molero, Loreña Núñez y Paul Gelles, por su entusiasmo y colaboración en el proceso de redacción y revisión de los artículos del presente libro. Debemos mencionar también los importantes comentarios de Sarah Mahler, nuestra comentarista en el panel de Latin American Studies Association (LASA) 2003, y quien nos motivó a continuar en el proceso de consolidación de nuestra Red, profundizar enfoques de análisis y fortalecer una perspectiva comparativa en cada uno de nuestros trabajos. También agradecemos el apoyo a la consolidación de nuestra organización brindado por la Fundación Mellon mediante una beca institucional otorgada al Population Studies Center de la Universidad de Pennsylvania.

Por otro lado, debemos destacar el esmerado trabajo de traducción del inglés al español a cargo de Renata Millones, Luis Millones y Javier

10

Flores Espinoza. Ellos tradujeron cuidadosamente seis de los artículos aquí presentados. En el Instituto de Estudios Peruanos, Rossy Castro se encargó de revisar minuciosamente el manuscrito, puliendo las versiones finales y adecuando el libro a las normas de estilo del IEP.

Agradecemos también a todas las personas que han ayudado en el proceso de colección de datos para los diferentes trabajos aquí reunidos. Finalmente, quisiéramos dedicar este trabajo a las generaciones de peruanos e hijos de peruanos que viven fuera del Perú y que día a día reinventan, cuestionan y reivindican la peruanidad desde las latitudes más diversas.

Los editores

Introducción

Ulla D. Berg y Karsten Pærregaard

El término "Quinto Suyo" ha sido usado recientemente por políticos e intelectuales para remarcar el hecho de que cada vez más peruanos abandonan su país de origen con el propósito de reconstruir sus vidas en el exterior. El término se deriva de la palabra quechua *Tawantinsuyu* que significa 'las cuatro regiones unidas entre sí'.[1] Recientemente, el Quinto Suyo ha sido evocado en la retórica política en el Perú como metáfora de la "nación peruana" —que ahora es vista por los políticos, y en general por muchos peruanos, como extendiéndose más allá de sus fronteras— y ha sido usado para comprometer a la población nacional migrante y atarla moralmente a su patria, asegurándose así un continuo flujo de envíos de dinero y de votos en el exterior. Al contrario de tal manera de comprender este concepto, que encontramos problemático, usaremos la expresión "Quinto Suyo" como título de este libro simplemente para indicar la importancia actual de discutir el papel de los emigrantes peruanos en el presente y futuro del país. Sin tratar de atribuir significados específicos (económicos o políticos) al fenómeno de la migración, tampoco nos interesa indagar sobre la responsabilidad moral de la población migrante. Nos interesa, en cambio, que este libro describa, desde la sociología y la antropología, los flujos migratorios transnacionales con la esperanza de contribuir al mejor entendimiento académico de las causas y efectos de la migración peruana, y al necesario debate para desarrollar políticas públicas más consistentes con respecto a este tema.

---

1. Rostworowski 1988: 16.

El *éxodo peruano*

Por varios siglos, el Perú fue el destino final de conquistadores, refugiados y colonos de Europa, África y Norteamérica que vinieron al Nuevo Mundo en busca de oro, vida mejor y oportunidades nuevas.[2] En contraste con solo unas décadas atrás, el Perú de hoy se ha convertido en un país de emigrantes, enviando fuera de él más de lo que recibe. En la segunda mitad del siglo XX, los peruanos se han esparcido por todo el mundo; sin embargo, los destinos más buscados han sido los países de los cuales el Perú ha recibido inmigrantes desde siglos atrás, incluyendo España, Italia, Norteamérica, Japón y Argentina.[3]

A pesar de que la migración peruana se parece a la de otros países latinoamericanos en razón de los factores de repulsión y atracción, resulta ser diferente no solo porque en los migrantes están representadas varias clases sociales, grupos étnicos y grupos de edades, sino también porque mujeres y hombres migran en igual cantidad. En contraste con mexicanos, cubanos, puertorriqueños, dominicanos y otros grupos de migrantes latinoamericanos, que se han concentrado en uno o dos países o incluso en ciudades de manera específica, los peruanos tienden a dispersarse en varios continentes, y crear redes y lazos entre los muchos países y ciudades que habitan. Como resultado, la emigración peruana toma la forma de una telaraña, pero una muy estructurada, en el sentido de que la gente de regiones específicas tiende a migrar a lugares precisos.[4] España, por ejemplo, se ha convertido en la meta preferida de la migración peruana del centro y norte de la costa del Pacífico. Mientras que Madrid atrae sobre todo a migrantes de Lima, casi la mitad de los peruanos que viven en Barcelona vienen de Trujillo, la tercera ciudad

---

2.   Mientras algunos autores incluyen el tráfico transatlántico de esclavos como uno de los movimientos poblacionales que define la colonización del Nuevo Mundo, nosotros no lo consideramos como una forma de "migración", dado que no hubo nada voluntario en esta tragedia humana.

3.   La correlación entre la inmigración en el Perú es evidente a partir de la lista que presentamos de los seis grupos de inmigrantes de mayor volumen hasta 1981: norteamericanos, chilenos, argentinos, españoles, japoneses e italianos (Altamirano 1996: 29). Son precisamente esto seis países adonde se dirige la migración peruana durante los últimos veinte años.

4.   Altamirano 1990, 1992, 1996, 2000.

peruana de mayor población.[5] De la misma forma, migrantes de Chimbote, Trujillo, Chiclayo y Piura conforman la mayoría de la población peruana de Buenos Aires y Santiago de Chile;[6] mientras que las ciudades norteamericanas como Nueva York, Paterson (Nueva Jersey) y Los Angeles (California) junto con Japón se han convertido en el destino favorito de los peruanos de otras ciudades de la costa central, como Huacho, Ica e incluso de la propia capital.[7] De la misma forma, Milán, Roma, Turín (en Italia) y Miami (Florida), y en menor grado Washington, Nueva York, Dallas y Houston (Texas) en los Estados Unidos han sido por mucho tiempo el lugar preferido de los migrantes peruanos del centro y sur de la sierra.[8] A pesar de que este "mapa" de la región de los migrantes y su itinerancia global no puede expresar los detalles de la dinámica cultural y geográfica que empuja estas migraciones, indica en términos generales sus tendencias, de las que podemos inferir conclusiones importantes.

Durante muchos años, Estados Unidos fue el destino más importante de la migración peruana.[9] La primera oleada importante, por más que su número fue relativamente pequeño, ocurrió a inicios de los años treinta cuando un número no muy grande de refugiados políticos, sobre todo pertenecientes al APRA, se exilió y asentó en ciudades americanas como Chicago y Nueva York.[10] Después de la Segunda Guerra Mundial, el Perú experimentó una bonanza económica y, en los años cincuenta y sesenta, se hizo frecuente que las familias de clase media y media alta enviasen a sus hijos a España y Argentina a estudiar medicina, derecho y otras profesiones académicas. Muchos de esos hombres jóvenes formaron asociaciones de migrantes en las ciudades donde se establecieron y no fueron pocos los que se casaron con mujeres de la localidad, formaron familias y terminaron quedándose en el lugar. En la misma época, mujeres de las zonas rurales del Perú, generalmente quechuahablantes,

---

5. Merino 2002; Tornos y otros 1997; Escrivá 1997, 1999, 2000, 2003 y en este libro; Pærregaard 2002.
6. Bernasconi 1999, Núñez 2002.
7. Julca 2001, Ruiz 1999, Takenaka 1999, Torales 1993.
8. Gelles, en este libro; Tamagno 2002a, 2002b, 2003a, 2003b; Pærregaard 2002.
9. Altamirano 2000: 31.
10. La emigración fue desatada a partir del fallido golpe de Estado del partido aprista de 1931.

comenzaron a migrar desde las regiones andinas al sur de Florida y a otras partes de EEUU; mientras que los varones de la clase trabajadora limeña (especialmente los del barrio de Surquillo, La Victoria y Callao) empezaron a viajar a Paterson y otras ciudades de Nueva Jersey para trabajar en la industria textil.[11] Simultáneamente, Nueva York y Chicago emergen como destinos preferidos para un creciente número de peruanos;[12] y, cuando los trabajadores de las fábricas fueron despedidos en los años setenta, Los Angeles y otras ciudades de California también se convirtieron atractivos para la migración peruana. Asimismo, en los años setenta, la primera migración especializada de pastores peruanos, especialmente del departamento de Junín, comenzó a migrar con contratos temporales de trabajo al oeste norteamericano a los estados de California, Colorado, Idaho, Nevada, Oregon, Wyoming y Washington.[13] De la misma forma, a lo largo de los años setenta y ochenta, Miami recibió una buena cantidad de peruanos provenientes de zonas rurales, en especial de los departamentos de Ancash, Junín y Ayacucho; y, hacia fines de los ochenta, Miami emerge como la preferida para el destino de la clase media y media alta de limeños que huyen de la crisis económica y política del Perú.[14] El éxodo hacia EEUU continuó bajo el gobierno de Fujimori entre 1990 y 2001, extendiéndose a otras ciudades como Dallas, Houston, Washington y San Francisco. De acuerdo con Altamirano, el número total de peruanos en EEUU llega al medio millón en 1992.[15] Si siguiéramos la línea de estos estimados, actualmente es posible que la cantidad haya alcanzado la cifra de un millón, lo que marca la mayor concentración de peruanos fuera del Perú.

Desde fines de los años ochenta y principios de los noventa la emigración peruana ha cambiado de dirección y en los últimos quince años han surgido nuevos destinos. Un estudio llevado a cabo por el Proyecto de Migración Latinoamericana en el 2001 ha identificado 25

---

11. Altamirano 1990; Berg, en este libro. Teófilo Altamirano (2000:31) afirma que Paterson y otras ciudades de Nueva Jersey se convierten en la meta de los trabajadores de fábrica peruanos tan pronto como en los años veinte, pero no provee la documentación que lo compruebe.

12. Walker 1998.

13. León 2001: 149; Pærregaard, en este libro.

14. Sabogal 2005.

15. Altamirano 2000: 26.

países a los que se dirige la migración peruana.[16] Este súbito nuevo curso ha sido consecuencia de dos factores. En primer lugar, el Perú ha experimentado una violenta caída en el promedio de empleos durante el gobierno de Alan García (1985-1990), debido a la crisis económica y política, que continuó con la orientación neoliberal introducida por el gobierno de Fujimori (1990-2001) causando un mayor empobrecimiento en el sector de la población que tenía el más alto porcentaje de crecimiento poblacional. Por otro lado, en el mismo período, EEUU reajustó su política de inmigración y el control de su fronteras sobre la implementación de la ley de amnistía de 1986 (IRCA), haciendo más difícil el ingreso a los peruanos y a los otros grupos de migrantes nuevos; por tanto, se hizo inaccesible conseguir trabajo o permanecer en EEUU. En adelante, las dificultades para los migrantes crecieron luego del 11 de setiembre, fecha en que se puso en vigencia una serie de medidas restrictivas generales para la nueva población inmigrante, que incluye el funcionamiento de agencias de control con medidas muy severas en las que se encuentra la nueva Homeland Security.

Casi al mismo tiempo los gobiernos de España, Italia y Japón aprobaron nuevas leyes de inmigración[17] que alentaron la importación de trabajadores extranjeros no calificados para satisfacer la creciente necesidad de mano de obra en el servicio doméstico y la industria manufacturera en esos países.[18] España y Japón habían favorecido la migración peruana desde los años noventa. Es así como desde 1990 a los latinoamericanos se les había permitido solicitar permisos de trabajo en ocupaciones específicas en España. De igual manera, en Japón se

---

16. Takenaka 2003. El Proyecto de Migración Latinoamericana (LAMP) nació como un esfuerzo de colaboración entre investigadores de México y Estados Unidos que buscan expandir los conocimientos sobre los procesos de migración desde Latinoamérica hacia los Estados Unidos. El proyecto es dirigido por el sociólogo americano Douglas S. Massey de la Oficina de Investigación en Población de la Universidad de Princeton y el antropólogo peruano Jorge Durand, investigador del Centro de Estudios sobre Movimientos Sociales de la Universidad de Guadalajara. En el 2001, se incluyó al Perú como parte del proyecto y se realizó una encuesta a 3.600 unidades domésticas de cuatro comunidades ubicadas en el departamento de Lima. Los resultados de esta investigación están disponibles en una base de datos en la siguiente página web: http://lamp.opr.princeton.edu.

17. Escrivá 1997; Tamagno 2003a, 2003b; Takenaka, en este libro.

18. Pærregaard 2003.

permitió a los descendientes de japoneses que vivían en el Perú (y Brasil), tomar ocupaciones temporales en el país[19] para satisfacer la demanda industrial de mano de obra. En consecuencia, un gran número de varones del Perú migró a Japón para trabajar en las fábricas, mientras que las mujeres peruanas viajaban a España (y posteriormente a Italia) para trabajar como empleadas domésticas. No obstante, si bien el número de migrantes a Japón ha permanecido relativamente estable desde que su gobierno empezó a requerir visa de turistas a los peruanos en 1993, España e Italia continúan atrayendo a un buen número de peruanos que viajan para reunirse con sus familiares, obteniendo permisos de trabajo anuales que Italia y España ofrecen a extranjeros, o bien se benefician con las amnistías que esos gobiernos otorgan recurrentemente a los inmigrantes indocumentados.[20]

De manera similar, Argentina (desde 1994) y Chile (desde 1997) se van convirtiendo en puntos de atracción para los migrantes peruanos desde la segunda mitad de los años noventa, en parte como respuesta a la demanda de labor no calificada en esos dos países y en parte porque los nuevos migrantes peruanos se enfrentaban a barreras administrativas de reciente aparición en los mercados de trabajo de España, Italia y Japón. Esto tuvo que ver con el carácter de las nuevas leyes de amnistía de Italia y España: si bien se otorgaba la residencia a los inmigrantes indocumentados por cierto tiempo, esas mismas leyes proponían endurecer el paso de las fronteras y aplicar severas medidas sobre los empleadores que acogían a los migrantes indocumentados. El resultado es que se hizo mucho más difícil para ellos encontrar trabajo. Desde una perspectiva de género, este flujo reciente a Argentina y Chile se parece al súbito movimiento migratorio de peruanos a España e Italia que ocurrió a principios de los años noventa. Ambas oleadas tuvieron como punta de lanza a mujeres que fueron como empleadas domésticas para familias argentinas, chilenas, españolas e italianas. Sin embargo, desde una perspectiva de clase, tales oleadas se diferencian de varias

---

19.   Takenaka 2004.

20.   En febrero del 2005, cuando escribíamos las páginas finales de esta introducción, el gobierno socialista de Rodríguez Zapatero en España aprobó una ley de amnistía ofreciendo la posibilidad de solicitar residencia legal a los miles de migrantes indocumentados, que se calcula que llegaban al millón de personas, esperando alcanzar la demanda urgente de trabajadores industriales para la construcción y la agricultura (*New York Times*, 8 de febrero del 2005, p. A3).

maneras. Dado que las peruanas pueden llegar a Chile y Argentina por vía terrestre en dos o tres días y se les permite ingresar con visa de turistas, estos países atraen gente que proviene de las empobrecidas barriadas o pueblos jóvenes y que, por lo tanto, no pueden pagar su viaje a España o Italia (o a otros destinos más lejos y caros). De hecho, para este tipo de migrantes, Argentina y Chile representan una última posibilidad, una vez que han descartado todas las otras opciones.[21] En resumen, en los últimos quince años, la emigración peruana ha cambiado constantemente de dirección hacia nuevos destinos en Europa, Asia y las Américas, de acuerdo con las vicisitudes de las políticas de migración, y las cambiantes demandas por trabajadores calificados y no calificados en esos lugares.

Migración transnacional y diáspora

Este libro es un intento por reunir los recientes trabajos acerca de la migración transnacional peruana a distintos lugares de destino. El propósito de hacer este libro surgió cuando los autores presentaron sus ponencias en el panel de LASA en Texas (2003), que fue organizado por los editores del libro. Dicho panel, titulado "El Quinto Suyo: repensando los estudios de área a través de la diáspora peruana", fue un primer intento de congregar a estudiosos de diferentes países que estaban trabajando sobre la migración peruana transnacional. La idea fue compartir sus estudios por encima de su especialidad o esquema de análisis y pensar de manera crítica acerca de los movimientos migratorios de la población peruana. La discusión se centró en si la migración peruana de las décadas pasadas podría ser conceptualizada como transnacional o como una diáspora.

Dado que el significado de los dos conceptos es tan resbaloso, los estudiosos de la migración tienden a usar tales conceptos de manera indiscriminada y este libro no es diferente en su intento por trazar un mapa de la dispersión de los peruanos en otras ciudades, países y con-

---

21. De hecho, en los últimos cinco años, aparecieron incluso destinos más cercanos. Es así como ha crecido el número de migrantes peruanos a Bolivia, donde pueden encontrar trabajo en las ciudades; y también al Ecuador, donde han ocupado las casas y terrenos que abandonaron los ecuatorianos que migraron al exterior.

tinentes. Los autores que han contribuido en este volumen usan los dos esquemas analíticos de la forma que les parece más útil de acuerdo con sus datos empíricos. Por eso, en lugar de empezar con una definición estática de "transnacionalismo" o de "diáspora" y luego determinar si cierto segmento de los migrantes peruanos es transnacional o diaspórico, o si los peruanos son más transnacionales o diaspóricos que, por ejemplo, los ecuatorianos, sostenemos que ambos términos puede ser aplicables como perspectivas analíticas sobre todas las poblaciones móviles. Con ello queremos decir —tal como lo afirma Kim Butler (2001) con respecto al término "diáspora"— que ciertas dimensiones del proceso de migración pueden ser enmarcadas como diaspóricas o transnacionales, sin que eso implique que todas las experiencias de esta población migrante puedan ser calificadas como "diaspóricas" o "transnacionales". Este libro, más bien, toma como punto de partida el minucioso examen de los datos etnográficos, lo que hace posible entender la vida social transnacional y las formas diaspóricas culturales que tienen los peruanos, y que pueden surgir o desaparecer y cambiar o reproducirse a lo largo del tiempo. Antes de tratar sobre la discusión de cada uno de los capítulos, subrayaremos brevemente las dos teorías, de tal forma que el lector esté familiarizado con los debates que han generado.

El concepto de "migración transnacional" surgió en el contexto académico de Norteamérica como un rechazo al punto de vista de que los inmigrantes se habían desarraigado de sí mismos en sus países de origen y se habían asimilado a la corriente dominante de la sociedad y cultura de EEUU. Por el contrario, se ha propuesto hablar de "espacios sociales transnacionales" como un esquema apropiado para examinar la migración a través de la frontera, donde los migrantes (llamados "transmigrantes") han sido vistos como si sostuvieran activamente múltiples relaciones sociales y económicas en más de una nación o Estado, mientras que ellos también reclaman y les son atribuidos dos o más naciones-Estado.[22] Posteriormente, en el influyente libro *Transnationalism from Below* (1998), los sociólogos Luis Guarnizo y Michael Smith expresaron la necesidad de ser más precisos acerca de los tipos de procesos transnacionales que deben ser analizados y propusieron distinguir entre lo que ellos definen como "transnacionalismo desde arriba"

---

22.   Basch y otros 1992, 1994; Glick Schiller 1999.

y "transnacionalismo desde abajo". Lo primero se refiere al proceso transnacional generado por fuerzas macroeconómicas y políticas; mientras que lo segundo alude a los múltiples compromisos sociales, culturales, económicos y políticos generados por los propios migrantes. Cuando la teoría de la migración transnacional alcanzó su punto más alto de popularidad, a mediados de los años noventa, salió a relucir la preocupación de que el término hubiera alcanzado una circulación tan vasta que habría terminado por vaciar de contenido al concepto. La teoría fue criticada desde varios ángulos. Sociólogos como Alejandro Portes, Luis Guarnizo y Patricia Landolt han sostenido que "si todas o muchas de las cosas que hacen los migrantes son definidas como 'transnacionalismo' entonces ninguna de ellas lo es porque el concepto se convierte en sinónimo del total de las experiencias de esta población".[23] Otros criticaron el esquema por su tendencia a mirar por encima de la función del Estado en acoger o dificultar la emergencia de la vida transnacional; y lo criticaron también por su presunción general de que los migrantes que no son ciudadanos puedan crear libremente sus identidades y estilos de vida.[24] Los estudiosos también han argumentado que la base de la teoría de la migración transnacional reposa exclusivamente sobre procesos migratorios entre América Central, el Caribe y EEUU, o entre México y EEUU (estudios de frontera, como también se les llama a estos últimos); y que las generalizaciones que surgen de estas experiencias no pueden ser aplicadas de manera automática para comprender los procesos de migración entre otros continentes como Europa y África. Solo recientemente los estudios que examinan los procesos de migración transnacional originados en Sudamérica o entre países sudamericanos han comenzado a tomar cuerpo,[25] tal es el caso de aquellos que se enfocan en el Perú,[26] Ecuador,[27] Argentina,[28] Chile[29]

---

23. Portes y otros 1999: 219.

24. Al-Ali y Koser 2002, DeGenova 2002, Cordero-Guzmán y otros 2001.

25. Oboler 2005.

26. Altamirano 2000; Ávila 2003; Berg, en este libro; Pærregaard 2002, 2005; Takenaka 1999, 2003; Tamagno 2003a, 2003b.

27. Colloredo-Mansfeld 1999; Herrera 2004a, 2004b, 2004c; Kyle 2000; Meisch 2002; Miles 2004.

28. Grimson 1999, Caggiano 2003.

29. Núñez y Stefoni 2004.

y Brasil.[30] Finalmente, el estudio transnacional, definido de manera estrecha, con frecuencia omite ver la incorporación de los migrantes en los contextos que los reciben —incluyendo las luchas por la participación en instituciones políticas locales como los sindicatos de trabajadores, iglesias, asociaciones de vecinos, municipalidades y las directivas de las escuelas—, porque los especialistas en migración transnacional ven estos procesos como pertenecientes a las indagaciones de sociólogos o estudiosos del urbanismo.

A diferencia del transnacionalismo, el concepto de diáspora tiene raíces profundas en la literatura europea, referida originalmente al exilio de los judíos de su patria de origen.[31] El término refleja el espacio ambivalente que ocupan todos los desplazados como minorías culturales, y cuyas lealtades nacionales están divididas entre su país de origen (mítico o real) y su país de residencia, una posición que implica una tensión potencial entre pertenecer o viajar o, como lo ha propuesto James Clifford, entre "raíces" o "rutas".[32] A inicios de los años noventa, el término "diáspora" comienza a resonar entre los estudiosos de migraciones globales, refugiados y temas relacionados, y en quienes cobra fuerza la imagen de personas que están mudándose o se han localizado en lugares distintos de su lugar de origen.[33] Al mismo tiempo que el incremento de la globalización, James Clifford afirma que "a fines del siglo XX, todas o la mayoría de las comunidades tienen dimensiones diaspóricas (momentos, tácticas, prácticas, articulaciones)".[34] Clifford argumenta que comunidades diaspóricas y transnacionales "crecen y decrecen en diasporismo" dependiendo de las posibilidades, aperturas y obstáculos que encuentren en los países de los que salen y a los que llegan.[35]

El mismo autor se pregunta si las comunidades de la diáspora son consistentemente antinacionalistas y si tienen sus propias aspiraciones

---

30.   Beserra 2005, Linger 2001, Tsuda 2003. La tendencia está reflejada en el reciente volumen de la revista *Latino Studies*, dedicado a la migración sudamericana y editado por Suzanne Oboler (vol. 3, no. 1, marzo del 2005).

31.   Safran 1991.

32.   Clifford 1997: 251.

33.   Malkki 1992, Axel 2001.

34.   Cliford 1997: 254.

35.   Ob. cit.: 249.

nacionales.[36] Por una parte, Clifford sugiere que las comunidades diaspóricas nunca pueden ser exclusivamente nacionalistas, dado que ellas mismas están articuladas en redes transnacionales, basadas en múltiples compromisos y alianzas, y simultáneamente se acomodan y resisten a las normas de los países anfitriones. Sin embargo, el término "diáspora" es, por otra parte, no solamente el que denota la transnacionalidad, sino también la lucha histórica concreta para definir comunidades específicas en contextos históricos de desplazamiento.[37] Los discursos diaspóricos son usados frecuentemente por minorías étnicas en oposición a un Estado-nación dominante en el que ellos se encuentran "atrapados" o por grupos que residen fuera de un lugar al que no pueden retornar ya sea por razones políticas, económicas o sociales. También se da el caso en que el lugar imaginado no existe legalmente (Khalistan)[38] o está ocupado por otros (Palestina).

Como en el caso de la migración transnacional, la amplísima referencia que hacen los estudiosos de la migración ha creado alguna confusión acerca de su significado.[39] Steven Vertovec, del ahora concluido Programa de las Comunidades Transnacionales de la Universidad de Oxford, reclama que "el corriente sobreuso y la pobre teorización de la noción 'diáspora' entre académicos, intelectuales transnacionales y líderes comunales [...] amenaza con acabar con la utilidad de este término".[40] En contraste con el concepto de migración transnacional, que no ha sido en sí mismo politizado por los oficiales del Estado, el concepto de diáspora es frecuentemente evocado por el presidente Alejandro Toledo, en el caso peruano, y cuyo uso sirve para hacer reclamos morales a la población emigrante, con la intención de movilizar sus votos y alentar la continuación del envío de dinero de remesas.[41] Por eso, cuan-

---

36. Ob. cit.: 251.

37. Ibíd.

38. Khalistan es un ejemplo de un proyecto para la creación de un Estado independiente del pueblo Sikh, desarrollado por la diáspora Sikh fuera de la India (Axel 2001).

39. Brubaker 2005.

40. Vertovec 1997: 300.

41. Berg y Tamagno 2004. Haití es una de las primeras naciones latinoamericanas en evocar a la diáspora como parte de la conformación haitiana. En 1991, el recientemente elegido Jan Bertrand Aristide se dirigió a los haitianos residentes

do usamos el término "diáspora" como parte del lenguaje del análisis, se debe tener en cuenta que no se trata de un término exclusivo de uso académico. Es compartido y usado por otras audiencias y, en consecuencia, se debe utilizar con mucha cautela para identificar el lugar de donde proviene el discurso diaspórico enunciado.

Las prácticas sociales y culturales, transnacionales y diaspóricas pueden o no pueden surgir en contextos particulares, dependiendo de las especificaciones empíricas de cada caso, e incluyendo el género, la etnicidad, las dinámicas generacionales o las políticas de Estado específicas, es decir, todo lo que inhibe o hace posible la emergencia de la vida transnacional y las formas culturales diaspóricas. Sugerimos que los intelectuales que trabajan con poblaciones móviles necesitan considerar las coyunturas que cambian a lo largo del tiempo de la vida transnacional. Para hacerlo, deben mirar cercanamente las prácticas cotidianas en su propio terreno. Al discutir y comparar las diferentes experiencias peruanas, los capítulos de este libro muestran la emergencia, transformación, declive o duración de la vida transnacional y las formas culturales diaspóricas que pueden variar de manera significativa a partir de los contextos que las envían o las reciben en diferentes momentos históricos.

Acerca de este libro

El libro reúne diez estudios sobre migración peruana a diferentes partes del mundo (Estados Unidos, España, Italia, Japón, Argentina y Chile). El texto ha sido organizado de manera cronológica, reflejando las oleadas mayores de la migración peruana transnacional.

En la primera parte, se estudia la migración peruana a Estados Unidos y se comienza con un capítulo escrito por Ulla Dalum Berg que examina las Fiestas Patrias que organizan los migrantes peruanos en Paterson (Nueva Jersey) como espacio de mediación política y cultural. Al analizar los temas correspondientes a la organización social, el patronazgo, los límites y las implicaciones más amplias del evento, Berg

---

en el exterior como miembros del décimo departamento de la nación haitiana. Declaró, por tanto, que todos los descendientes de haitianos que viven en el exterior sin importar su situación legal y lugar de nacimiento, son parte de la nación-Estado Haití (Glick Schiller y Fouron 1999: 354).

explora cómo este espectáculo en particular sirve de intermediario no solo como lazo entre subjetividad y naciones (Perú y Estados Unidos), sino también entre una serie de otras instancias políticas nacionales y transnacionales. Berg propone que, además de actualizar la "identidad colectiva", los peruanos de Nueva Jersey, en tales ocasiones, usan las Fiestas Patrias para reinterpretar relaciones sociales, fijar límites sociales, desafiar relaciones sociales desiguales y establecer nuevas hegemonías localizadas en la comunidad diaspórica.

En el capítulo dos, Paul Gelles usa la comunidad de Cabanaconde en el valle del Colca como estudio de caso para discutir cómo los esquemas culturales de larga duración que son de naturaleza sincrética contribuyen a dar forma a las prácticas de migración transnacional desde esta comunidad. Más aun, Gelles explora el uso de las nuevas tecnologías de comunicación por los migrantes en el exterior y los parientes que dejaron atrás. Tales acciones se alimentan en las prácticas existentes que refuerzan el sentimiento de localidad y comunidad, al lado de otra clase de prácticas tales como la fiesta en honor a la Virgen del Carmen, evento clave en la reproducción de la comunidad transnacional. El artículo se dirige luego hacia los cambios recientes en la comunidad de Cabanaconde, incluyendo la introducción de nuevas tecnologías de comunicación, así como procesos internos de diferenciación y cambio. Gelles concluye que mientras los cabaneños y otros serranos transitan crecientemente a través de las fronteras regionales, nacionales e internacionales no sacrifican sus propias orientaciones culturales y costumbres sociales. Al contrario, como Gelles argumenta en este capítulo, los cabaneños están demostrando que su dirección cultural es enteramente compatible con la "modernidad", los espacios urbanos, la migración transnacional y la movilidad social.

En el capítulo tres, Karsten Pærregaard explora el desarrollo y la organización de las redes de migración global de los peruanos que viajan a Estados Unidos con las visas H-2A para trabajar como pastores de oveja en los ranchos del suroeste de Estados Unidos con contratos de tres años de duración. El capítulo traza la historia de esta práctica desde la reforma agraria de 1969 y estudia la forma en que este evento generó los lazos que permiten la presente migración de pastores de ovejas. El capítulo se centra en la importancia de los envíos de dinero y los ahorros de los pastores en las economías rurales de la sierra central del Perú, y examina las implicaciones de la labor de los migrantes en

los Estados Unidos, no solo en sus estrategias de sostenimiento, sino
también en la conceptualización de la población emigrante peruana
en la política doméstica y los medios de comunicación en el Perú. Pærregaard concluye discutiendo sobre las perspectivas sociales y políticas
más amplias de esta práctica migratoria en función de la lucha contra
la pobreza en el Perú y en otros países del Tercer Mundo.

En la segunda parte, el libro se concentra en la migración peruana
a España, Italia y Japón en la primera mitad de los años noventa. Esta
sección empieza con un capítulo escrito por Ángeles Escrivá en el que
se analizan los desarrollos de la migración peruana a España durante
los últimos quince años. Escrivá describe el contexto español y peruano
en el que ha ocurrido esta migración y a continuación analiza las características sociodemográficas del grupo de migrantes peruanos planteán-
do preguntas sobre su desarrollo y comportamiento futuro. La rapidez
de los procesos de nacionalización y reagrupación familiar son los elementos mas destacables en el análisis. Para culminar el diagnóstico de
la condición ciudadana de los peruanos en España, Escrivá reflexiona
sobre el retorno y las formas de vinculación intensa que mantienen los
peruanos en España con el lugar de origen. El capítulo de Escrivá nos
ofrece algunas respuestas y abre puertas para próximas investigaciones
que contemplen las implicaciones de la rápida nacionalización y reagrupación familiar en España, y específicamente su conexión con los
modos de vida transnacionales.

Los estudiosos de la migración transnacional han documentado,
desde inicios de los años noventa, procesos de cambio social en las comunidades de origen como resultado de los movimientos migratorios.
Sin embargo, se ha dado poca atención a las prácticas de comunicación
a través de las cuales se han instalado dichos procesos. En el capítulo
cinco, Carla Tamagno examina los procesos de comunicación en el
contexto de la migración peruana a Italia. Tamagno analiza el uso de
teléfonos móviles por los migrantes y los asentamientos rurales en la
sierra central del Perú y la manera como esta tecnología particular facilita no solo la comunicación entre parientes peruanos, sino también su
inserción en el mercado de trabajo italiano. Antes que preocuparse por
la tecnología en sí misma, Tamagno se interesa por el significado que
los migrantes atribuyen a este objeto que facilita las prácticas de comunicación entre "acá y allá".

En el sexto capítulo, Ayumi Takenaka trata la migración peruana al Japón, que alcanzó su mejor momento luego de que el gobierno de ese país introdujo una nueva legislación al respecto. La oportunidad estuvo en un principio limitada a los descendientes de japoneses. La decisión política se justificaba por la premisa de que dichos descendientes estarían en mejores condiciones de asimilarse más fácilmente que otros foráneos, debido a que compartían la raza y mayor familiaridad con la cultura japonesa. En este capítulo, Takenaka argumenta que tales descendientes, a pesar del tratamiento preferencial recibido, han encontrado obstáculos socioculturales de magnitud, luego de su llegada a Japón. Dado que los propios japoneses se ven a si mismos como racial y culturalmente homogéneos, los peruano-japoneses se encuentran más aislados en Japón que en el Perú en comparación con los que no son descendientes, debido al fracaso de ser aceptados como plenamente japoneses. Consecuentemente, arguye Takenaka, muchos de ellos aspiran a migrar a Estados Unidos usando al Japón como un paso intermedio. Este capítulo analiza las consecuencias de esta migración inducida bajo el nombre de lazos étnicos comunes tanto para la adaptación de los peruanos como para las relaciones en el interior de los distintos grupos de la sociedad japonesa. Takenaka concluye que la clave para entender esta paradoja está en la forma en que la categoría etnicidad es imaginada y definida en la política y en la vida social.

La tercera y última parte del libro contiene tres capítulos acerca de los recientes movimientos migratorios entre el Perú y los países del Cono Sur. En el capítulo sétimo, Karsten Pærregaard explora la migración peruana a la Argentina. Muchos peruanos la consideran (junto con Chile) como el destino más fácil en el panorama contemporáneo de la emigración. Geográficamente, el país está más cerca que EEUU, Europa del sur y Japón, lo que hace fácil su acceso sin necesidad de recurrir a intermediarios legales o delictuosos. Además, migrar a Argentina requiere solo un capital pequeño que es accesible a muchos peruanos con pocos recursos, que no podrían alcanzar a viajar a lugares más lejanos, donde tampoco tendrían familiares que los puedan invitar o prestar dinero para el viaje. Como resultado, desde 1994 Argentina se ha convertido en el mejor destino para los migrantes peruanos de la clase trabajadora y para quienes viven en las empobrecidas barriadas y pueblos jóvenes, que viajan para poder sostener económicamente a los miembros de su familia en sus hogares peruanos o para trabajar y ahorrar dinero para volver a emigrar a otros lugares. Sin embargo, como Pærregaard señala, la crisis argentina del año 2001 ha empujado a un gran número de esos migrantes a regresar al Perú o reemigrar a Chile. En el capítulo octavo, luego de presentar la caracterización de la inmigración peruana en Chile a partir de datos del censo nacional del 2002 en este país, Carolina Stefoni examina la conformación de una comunidad peruana en el centro de Santiago que se caracteriza por fundarse en un elemento de transnacionalidad. Analizando el surgimiento de nuevos ciudadanos vinculados a estas comunidades transnacionales, la autora plantea una importantísima pregunta: ¿si la transnacionalidad es un modelo alternativo a los tradicionales modelos de integración, es posible pensar que este proceso transforma a su vez las concepciones de ciudadanía en Chile? Concluye constatando que, si bien el Estado chileno consagra una serie de derechos para los inmigrantes una vez que obtienen sus permisos de visas, estos no son debidamente respetados por la sociedad en su conjunto, la que los relega a una condición de ciudadanos de segunda clase.

En el capítulo nueve, el segundo sobre Chile, Lorena Núñez y Dany Holper analizan las prácticas alimenticias entre las trabajadoras domésticas peruanas de Santiago de Chile como un lente de aproximación para estudiar las relaciones entre el mercado de trabajo y la sociedad. En el primer espacio de análisis —el lugar de trabajo—, las autoras muestran las prácticas de alimentación como el espacio crítico de la interacción social en que las domésticas enfrentan las relaciones patrón-sirviente, incluyendo las de la clase social, pero es allí donde las jerarquías en última instancia se ven reforzadas y reproducidas. Núñez y Holper analizan la pérdida de peso que se convierte en un tema central en las domésticas peruanas. Ellas perciben el control de la comida de sus empleadores como actos simbólicos de violencia, con los que limitan su autonomía en la reproducción social de sus propios cuerpos y que, en última instancia, resulta en pérdida de peso y enfermedad. En un segundo espacio de análisis —la localidad donde las domésticas pasan sus días libres— las autoras nos muestran que el cocinar y compartir la comida peruana se convierte en la estrategia central de las domésticas para retomar el control sobre su autonomía y la reproducción social de sus propios cuerpos. De acuerdo con este argumento, las domésticas construyen dos espacios sociales separados en los cuales la "buena comida" (comida peruana) es asociada a la autonomía personal y al derecho a la reproducción social y cultural, mientras que la "mala comida" (comida chilena) está asociada al abuso por parte de los empleadores y a la falta de control sobre su propia vida. Este capítulo muestra que la comida se convierte en un marcador de diferencia social y cultural válida entre los peruanos para distinguirse de los chilenos.

Nueva York y Copenhague, julio del 2005

Bibliografía

LEÓN, Jorge
    2003   *La política y los indígenas en América Latina: la redefinición de las relaciones entre el Estado y los pueblos indígenas.* Documento de Trabajo. Quito: Oxfam-Fundación Ford.

AL-ALI, Nadje y Khalid KOSER
    2002   "Transnationalism, International Migration, and Home". En Al-Ali, N. y K. Koser (eds.), *New Approaches to Migration? Transnational Communitites and the Transformation of Home.* Londres y Nueva York: Routledge.

ALTAMIRANO, Teófilo
    1990   *Los que se fueron. Peruanos en Estados Unidos.* Lima: Pontificia Universidad Católica del Perú.
    1992   *Éxodo. Peruanos en el exterior.* Lima: Pontificia Universidad Católica del Perú.
    1996   *Migración, el fenómeno del siglo. Peruanos en Europa, Japón y Australia.* Lima: Pontificia Universidad Católica del Perú.
    2000   *Liderazgo y organización de peruanos en el exterior. Culturas transnacionales e imaginarios sobre el desarrollo.* Vol. 1. Lima: Pontificia Universidad Católica del Perú.

ÁVILA MOLERO, Javier
    2003   "Lo que el viento de los Andes se llevó: diásporas campesinas en Lima y los Estados Unidos". En *Comunidades locales y transnacionales: cinco estudios de caso en el Perú.* Lima: Instituto de Estudios Peruanos.

AXEL, Brian
   2001   *The Nations' Tortured Body. Violence, Representation and the Formation of a «Sikh» Diaspora*. Durham: Duke University Press.

BASCH, Linda, Nina GLICK SCHILLER y Cristina SZANTON BLANC
   1994   *Nations Unbound. Transnational Projects, Postcolonial Predicaments, and Deterritorialized Nation-States*. Langhorne, Pennsylvania: Gordon and Breach.

BASCH, Linda, Nina GLICK SCHILLER y Cristina SZANTON BLANC (eds.)
   1992   *Toward a Transnational Perspective on Migration: Race, Class, Ethnicity, and Nationalism Reconsidered*. Nueva York: New York Academy of Sciences.

BERG, Ulla Dalum y Carla TAMAGNO
   2004   "El Quinto Suyo: conceptualizando la 'diáspora' peruana desde arriba y desde abajo". Ponencia presentada para el XL Aniversario del Instituto de Estudios Peruanos. Lima, julio.

BERNASCONI, Alicia
   1999   "Peruanos en Mendoza: apuntes para un ¿nuevo? modelo migratorio". En *Estudios Migratorios Latinoamericanos* 13/14: 40/41, pp. 639-58.

BESERRA, Bernadete
   2005   "Latinidad in the Making of Brazilian Carnival in Los Angeles". En *Latino Studies* III: 1, marzo.

BRUBAKER, Rogers
   2005   "The 'diaspora' diaspora". En *Ethnic and Racial Studies* 28: 1, pp. 1-19.

BUTLER, Kim
   2001   "Defining Diaspora, Refining a Discourse". En *Diaspora* 10: 2, pp. 189-220.

CAGGIANO, Sergio
2003   "Fronteras múltiples: reconfiguración de ejes identitarios en migraciones contemporáneas a la Argentina". En *Estudios Migratorios Latinoamericanos* 17: 52.

CASTELLS, Manuel
1996   *La era de la información: economía, sociedad y cultura.* Vol. 1: *La sociedad red.* Madrid: Alianza Editorial.

CLIFFORD, James
1997   *Routes. Travel and Translation in the Late Twentieth Century.* Cambridge: Harvard University Press.

COLLOREDO-MANSFELD, Rudy
1999   *The Native Leisure Class: Consumption and Cultural Creativity in the Andes.* Chicago: University of Chicago Press.

CORDERO-GUZMÁN, Héctor R., Robert C. SMITH y Ramón GROSFOGUEL (eds.).
2001   "Introduction". En *Migration, Transnationalization, and Race in a Changing New York*, pp. 239-57. Filadelfia: Temple University Press.

DE GENOVA, Nicholas P.
2002   "Migrant 'Illegality' and Deportability in Everyday Life". En *Annual Review of Anthropology* 31, pp. 419-47.

ESCRIVÁ, Ángeles
1997   "Control, Composition and Character of New Migration to Southwest Europe: The Case of Peruvian Women in Barcelona". En *New Community* 23: 1, pp. 43-57.
1999   *Mujeres peruanas del servicio doméstico en Barcelona: trayectorias sociolaborales.* Tesis doctoral. Barcelona: Universidad Autónoma de Barcelona, Departamento de Sociología, Facultad de Ciencias Políticas y Sociología.
2000   "The Position and Status of Migrant Women in Spain". En Anthias, Floya y Gabriella Lazaridis (eds.), *Gender and Migration in Southern Europe. Women on the Move*, pp. 199-226. Oxford: Berg.

2003   "Conquistando el espacio laboral extradoméstico. Peruanas en España". En *Revista Internacional de Sociología* 36, setiembre-diciembre, pp. 7-31.

GLICK SCHILLER, Nina y Georges FOURON
1999   "Terrains of Blood and Nation: Hatian Transnational Social Fields". En *Ethnic and Racial Studies* 22: 2, pp. 340-67.

GRIMSON, Alejandro
1999   *Relatos de la diferencia y de la igualdad. Los bolivianos en Buenos Aires*. Buenos Aires: Eudeba y Felafacs.

GUARNIZO, Luis Eduardo y Michael Peter SMITH (eds.)
1998   *Transnationalism from Below. Comparative Urban and Community Research*. New Brunswick: Transaction Publishers.

HERRERA, Gioconda
2004a   "Elementos para una comprensión de las familias trasnacionales a partir de la experiencia migratoria del sur del Ecuador". En Hidalgo, Francisco (ed.), *Migraciones. Un juego de cartas marcadas*. Quito: Abya-Yala e Instituto Latinoamericano de Investigaciones Sociales.
2004b   "Lo viejo y lo nuevo en los estudios sobre género y migración". En Fuller, Norma (ed.), *Jerarquías en jaque: los estudios de género en la región andina*. Lima: Consejo Latinoamericano de Ciencias Sociales y Pontificia Universidad Católica del Perú.
2004c   "Remesas y estatus social: una mirada de la migración desde la sociedad de origen". En Zúñiga, Nieves (ed.), *Migración, desarrollo social e interculturalidad*. Madrid: Instituto de Investigaciones por la Paz.

JULCA, Alex
2001   "Peruvian Networks for Migration in New York City's Labor Market, 1970-1996". En Cordero-Guzmán, Héctor R.; Robert C. Smith; y Ramón Grosfoguel (eds.), *Migration, Transnationalization, and Race in a Changing New York*. Filadelfia: Temple University Press, pp. 239-57.

KYLE, David
2000   *Transnational Peasants: Migrations, Networks, and Ethnicity in Andean Ecuador.* Baltimore: Johns Hopkins University.

LEÓN, Pericles
2001   "Peruvian Sheepherders in the Western United States". En *Nevada Historical Society Quaterly* 44: 2, pp. 147-65.

LINGER, Daniel Touro
2001   *No None Home. Brazilian Selves Remade in Japan.* Stanford: Stanford University Press.

MAHLER, Sarah
1998   "Theoretical and Empirical Contributions toward a Research Agenda for Transnationalism". En Guarnizo y Smith (eds.), 1998, pp. 64-100.

MALKKI, Liisa
1992   "National Geographic: The Rooting of Peoples and the Territorialization of National Identity among Scholars and Refugees". En *Cultural Anthropology* 6: 4, pp. 466-503.

MEISCH, Lynn A.
2002   *Andean Entrepreneurs. Otavalo Merchants and Musicians in the Global Arena.* Austin: University of Texas Press.

MERINO HERNANDO, María Asunción
2002   *Historia de los inmigrantes peruanos en España. Dinámicas de exclusión e inclusión en una Europa globalizada.* Madrid: Centro de Estudios Históricos y Consejo Superior de Investigaciones Científicas.

MILES, Ann
2004   *From Cuenca to Queens. An Anthropological Story of Transnational Migration.* Austin. University of Texas Press.

NÚÑEZ, Lorena
2002   "Peruvian Migrants in Chile". En Salman y Zoomers (eds.), 2002, pp. 61-72.

NÚÑEZ, Lorena y Carolina STEFONI
    2004   "Migrantes andinos en Chile: ¿transnacionales o sobre-
              vivientes?". En *Los nuevos escenarios (inter)nacionales.
              Chile 2003-2004*. Santiago de Chile: Facultad Latinoa-
              mericana de Ciencias Sociales-Chile, pp. 267-87.

OBOLER, Suzanne
    2005   "Introduction. Los que llegaron: 50 Years of South Ame-
              rican Immigration (1950-2000) - An Overview". En *Lati-
              no Studies* III: 1, marzo.

OLWIG, Karen Fog y Ninna NYBERG SØRENSEN
    2002   "Mobile Livelihoods: Making a Living in the World".
              En Olwig, F. y N. Sørensen (eds.), *Work and Migration:
              Life and Livelihoods in a Globalizing World*. Londres y
              Nueva York: Routledge.

ONG, Aihwa
    1996   "Cultural Citizenship as Subject Making: Immigrants
              Negotiate Racial and Cultural Boundaries in the Uni-
              ted States". En Torres, Rodolfo D.; Louis F. Mirón; y Jo-
              nathan Xavier Inda (eds.), *Race, Identity, and Citizenship*.
              Nueva York: Blackwell.

PÆRREGAARD, Karsten
    2002   "Business as Usual: Livelihood Strategies and Migra-
              tion Practice in the Peruvian Diaspora". En Olwig y
              Sørensen (eds.), 2002, pp. 126-44.
    2003   "Migrant Networks and Immigration Policy: Shifting
              Gender and Migration Patterns in the Peruvian Dias-
              pora". En Mutsuo, Yamada (ed.). *Emigración latinoa-
              mericana: comparación interregional entre América del Nor-
              te, Europa y Japón*. JCAS Symposium Series 19. Osaka:
              The Japan Center for Area Studies, National Museum
              of Ethnology, pp. 1-18.
    2005   "Inside the Hispanic Melting Pot. Negotiating Natio-
              nal and Multicultural Identities among Peruvians in
              the United States". En *Journal of Latino Studies* 3: 1.

PORTES, Alejandro; Luis GUARNIZO; y Patricia LANDOLT
 1999   "Introduction: Pitfalls and Promise of an Emergent Re-
          search Field". En *Transnational Communities. Ethnic and
          Racial Studies* 22: 2, pp. 217-37.

ROSTWOROWSKI DE DIEZ CANSECO, María
 1988   *Historia del Tahuantinsuyu.* Lima: Instituto de Estudios
          Peruanos.

RUIZ BAIA, Larissa
 1999   "Rethinking Transnationalism: Reconstructing Natio-
          nal Identities among Peruvian Catholics in New Jer-
          sey". En *Journal of Interamerican Studies and World Affairs*
          41: 4, pp. 93-109.

SABOGAL, Elena
 2005   "Viviendo en la sombra: The Immigration of Peruvian
          Professionals to South Florida". En *Latino Studies* III:
          1, marzo.

SAFRAN, William
 1991   "Diasporas in Modern Societies: Myths of Homeland
          and Return". En *Diaspora* 1: 1, pp. 83-99.

SALMAN, Ton y Annelies ZOOMERS (eds.)
 2002   *Transnational Identities. A Concept Explored: The Andes
          and Beyond.* Vol. II. Antropologische Bijdragen 16.
          Ámsterdam: Centro de Estudios y Documentación para
          América Latina.

TAKENAKA, Ayumi
 1999   "Transnational Community and Its Ethnic Consequen-
          ces: The Return Migration and the Transformation of
          Ethnicity of Japanese Peruvians". En *The American Be-
          havioral Scientist* 42: 9, pp. 1459-74.
 2003   "The Mechanisms of Ethnic Retention: Later-genera-
          tion Japanese Immigrants in Lima, Peru". En *Journal of
          Ethnic and Migration Studies.* Mayo, pp. 467-83.
 2004   "The Japanese in Peru: History of Immigration, Settle-
          ment, and Racialization". En *Latin American Perspecti-
          ves* 32: 3, pp. 77-98.

TAMAGNO, Carla
2002a   «La Plaza del Duomo. Políticas de identidad y producción de localidad: el caso de los peruanos en Milán». En Salman y Zoomers (eds.), 2002, pp. 9-60.
2002b   «You Must Win Their Affection... Migrants' Social and Cultural Practice between Peru and Italy». En Olwig y Sørensen (eds.), pp. 106-25.
2003a   «'Entre acá y allá'. Vidas transnacionales y desarrollo: peruanos entre Italia y Perú». Tesis doctoral. Wageningen, Holanda: Wageningen University, Department of Sociology of Rural Development.
2003b   «Los peruanos en Milán». En Degregori, Carlos Iván (ed.), *Comunidades locales y transnacionales: cinco estudios de caso en el Perú*, pp. 319-98. Lima: Instituto de Estudios Peruanos.

TORALES, Ponciano
1993   *Diagnóstico sobre la inmigración reciente de peruanos en la Argentina*. Buenos Aires: Organización Internacional para las Migraciones.

TORNOS, Andrés y otros
1997   *Los peruanos que vienen. Quiénes son y como entienden típicamente la inmigración los inmigrantes peruanos*. Madrid: Universidad Pontificia Comillas.

TSUDA, Takeyuki
2003   *Stranger is the Ethnic Homeland. Japanese Brazilian Return Migration in Transnational Perspective*. Nueva York: Columbia University Press.

VERTOVEC, Steven
1997   «Three Meanings of 'Diaspora' Exemplified among South Asian Religions». En *Diaspora* 6: 3, pp. 277-300.

WALKER, Charles
1998   «Los peruanos en Estados Unidos». En *QueHacer*, mayo-junio, pp. 76-92. Lima.

Parte I
PERUANOS EN ESTADOS UNIDOS

CAPÍTULO 1

¿Enmarcando la "peruanidad"?
La poética y la pragmática de un espectáculo público entre los migrantes peruanos en Nueva Jersey*

ULLA D. BERG

Introducción

Las ciencias sociales a menudo han visto a los eventos públicos ritualizados en comunidades de migrantes o de diáspora como espectáculos miméticos o reescenificaciones que copian, reproducen, recontextualizan o se apropian de prácticas culturales a las que se considera originales de otros contextos. En el Perú, las Fiestas Patrias —la fiesta nacional que conmemora el día de la independencia peruana en 1821— han sido celebradas desde el siglo XIX como un evento militar y cívico. Sin embargo, fue solo en las últimas décadas que surgió como un evento público importante en las comunidades de migrantes peruanos en todo el mundo. Mientras que en el Perú este es un evento predominantemente

---

* Los materiales presentados en este capítulo se derivan de un estudio piloto llevado a cabo en Paterson en el verano del 2002, y del trabajo de campo realizado a lo largo del 2004 con el generoso apoyo del Consejo de Ciencias Sociales de Dinamarca y la Wenner Gren Foundation for Anthropological Research. Los datos aquí presentados forman parte de mi investigación doctoral que trata sobre las prácticas comunicativas en el contexto de la migración peruana a los Estados Unidos. Agradezco de manera especial a todos los peruanos en Paterson que han contribuido a la elaboración de este capítulo. También agradezco a Arlene Dávila, Thomas Abercrombie, Tobias Reu, Alex Huerta-Mercado, Sarah Mahler, Karsten Pærregaard, Roberto Bustamante y Rebio Díaz por sus comentarios precisos efectuados a versiones anteriores de este capítulo, y a Javier Flores Espinoza por la traducción.

militar y cívico, en el cual el presidente se dirige a la nación peruana,[1] el Peruvian Parade (Desfile Peruano) de Paterson, organizado por migrantes peruanos en Nueva Jersey, adopta el marco de los desfiles étnicos usados por múltiples grupos de migrantes en los Estados Unidos para proclamar su "orgullo" y ciudadanía cultural.[2]

Este capítulo examinará el Peruvian Parade de Paterson, Nueva Jersey, como un lugar de mediación cultural y política. ¿Qué sucede cuando un evento históricamente asociado a un Estado (el peruano) y un momento histórico (la Independencia) específicos es lanzado a la circulación transnacional? ¿Cómo se mantiene o altera el significado de este evento cultural y cívico al ser resignificado en un nuevo contexto social, nacional y transnacional? ¿Cuáles son las políticas transnacionales más amplias que caracterizan e informan semejante evento en este momento particular de la historia contemporánea del Perú? Para contestar estas interrogantes, tendré en cuenta tanto la prominencia del nacionalismo peruano y estadounidense como la de la política cultural latina en los EEUU que la celebración involucra. Esto requiere que dejemos de ver la cultura únicamente como "etnicidad" (por ejemplo, la "peruanidad" o la "identidad peruana") para examinar los campos sociales más amplios en los cuales la "cultura" se produce y circula para su consumo.[3] Mediante una detallada etnografía del desfile y de las actividades que la rodean, el capítulo plantea las siguientes preguntas: ¿de qué modo este tipo de evento influye en lo que significa ser peruano en entornos globales y multiculturales como la zona metropolitana de Nueva York y Nueva Jersey?; ¿qué procesos de política nacional y transnacional funcionan aquí?; ¿en qué medida este espectácu-

---

1. Degregori 2000: 281.

2. La Puerto Rican Day Parade en la Quinta Avenida de Nueva York probablemente es (junto con el desfile del Día de San Patricio) el más conocido de los desfiles étnicos y es un modelo al cual los peruanos de Paterson aluden cuando narran la historia organizativa del Peruvian Parade de su ciudad. El antecedente histórico inmediato del Puerto Rican Day Parade en Nueva York fue el Hispanic Day Parade, fundado en 1956 por la Federación de Sociedades Hispanas, un grupo panhispano. Sin embargo, esta unidad panhispana solo duró dos años, hasta que el desfile puertorriqueño formó su propio grupo independiente en 1958 (Kasinitz y Freidenberg-Herbstein 1987).

3. Para un marco teórico del consumo como producción cultural, véase Appadurai 1996, Dávila 2001 y Miller 1995.

lo público que anima el paisaje urbano provee un espacio para la lucha
cultural en torno a los parámetros de la ciudadanía y de la política cultural en los EEUU? Estas son algunas de las interrogantes que buscaré
responder aquí. Sin embargo, antes de seguir con el análisis, presentaré
un panorama general de la migración peruana a los EEUU, para así
dar contexto a las afirmaciones efectuadas en este capítulo.

La migración peruana a los Estados Unidos

Teófilo Altamirano, el investigador pionero del estudio de la migración
peruana, rastrea los inicios de la migración de trabajadores del Perú al
área triestatal desde la década de 1920, cuando la industria textil florecía
en el noreste de los Estados Unidos.[4] Los peruanos se afincaron entre
otros grupos de migrantes (fundamentalmente europeos) como trabajadores en la industria textil, a menudo en ocupaciones manuales no
calificadas de baja remuneración.[5] Esta migración laboral continuó a
lo largo del período posterior a la Segunda Guerra Mundial, se incrementó en los años cincuenta y sesenta, y nuevamente a partir de los años
ochenta, ante la creciente inestabilidad económica y política en el Perú.
En el censo nacional de 1990, el US Census Bureau reportó un total de
175.035 peruanos en los EEUU, en tanto que en las cifras del censo del
2000 esta cantidad se incrementó a 233.926 personas, indicando así
un alza de 34 % en un lapso de diez años.[6] Altamirano estima que un
total de 500.000 peruanos vivían en los EEUU en 1992.[7] Sin embargo,
los estimados son siempre difíciles de hacer porque un gran número de
peruanos que residen en los EEUU son trabajadores indocumentados
y no se registran en sus consulados peruanos locales, ni tampoco en

---

4.   Altamirano 1990, 1998. "Triestatal" se refiere a los estados de Nueva York,
     Nueva Jersey y Connecticut.

5.   Altamirano 1990. Para un análisis histórico de la contribución hecha por los
     trabajadores al desarrollo de la economía y la industria nacional del Estado
     de Nueva Jersey, véase el estudio de Joseph Gowaskie, *Workers in New Jersey
     History* (1996).

6.   De los 233.926 peruanos con residencia legal o ciudadanía en 2000, la Census
     Bureau reportó 37.340 de ellos en el Estado de Nueva York, 6.616 en el de Co-
     nnecticut y 37.672 en el de Nueva Jersey. Otros estados con un gran número
     de peruanos son Florida (44.026) y California (44.200) (US Census Bureau 2000).

7.   Altamirano 2000: 26.

agencias gubernamentales estadounidenses, incluyendo el Census Bureau. En general, los estimados varían considerablemente y en años recientes las cifras han sido infladas políticamente, ya que la importancia de las remesas económicas y del voto ausente convirtió el debate sobre la cantidad de migrantes peruanos en el exterior en un tema político.[8]

Los peruanos que llegaron a Paterson en los años cincuenta y sesenta provenían principalmente de barrios urbanos de clase obrera tales como Surquillo, La Victoria y Callao. En ese entonces el gobierno estadounidense tenía una política de inmigración más liberal y esta primera ola de migrantes ingresó con visas y permisos de trabajo, lo que le permitió vivir y trabajar legalmente en los Estados Unidos. A comienzos de los años ochenta, la gran mayoría de los peruanos, junto con otros latinoamericanos, llegaba a los EEUU como *mojados*, es decir, cruzando la frontera entre este país y México de manera ilegal. Muchos de ellos son ahora residentes permanentes y hasta ciudadanos estadounidenses, algunos gracias a la amnistía dada bajo la Immigration Reform and Control Act (IRCA) de 1986, que otorgó derecho de residencia a todos los migrantes indocumentados que hubiesen residido en los Estados Unidos desde el 1 de enero de 1982.[9]

Sin embargo, la Ley de Reforma Migratoria de 1986 hizo que para los nuevos migrantes resultara más difícil ingresar legalmente a los EEUU y, desde entonces, sus estrategias de entrada han proliferado. Una estrategia común en los años noventa era llegar por avión desde Latinoamérica a cualquiera de los principales puertos de entrada (Mia-

---

8. Berg y Tamagno 2004. Altamirano estima que para 1980 había 500.000 peruanos en el exterior; en 1996 esta cifra ascendía a 1.480.000 (Altamirano 1996: 50); para diciembre del 2002 llegó a 2.148.606; y finalmente en el 2003 la cifra proyectada alcanzó 2.300.000 personas (Altamirano 2003). En el 2004, la cancillería peruana estimaba que había un total de 2.000.000 de peruanos en el extranjero (Berg y Tamagno 2004).

9. Magaña 2003: 77. Hasta la fecha, la IRCA ha sido la política inmigratoria que más ha disminuido la inmigración indocumentada a los EEUU. Su lógica fundamental era hacer que para los nuevos inmigrantes resultara más difícil ingresar y encontrar trabajo en los EEUU a través de un mayor control en las fronteras y sanciones a los empleadores que contrataran a trabajadores indocumentados, buscando al mismo tiempo legalizar a aquellos inmigrantes que ya residiesen en los EEUU desde el 1 de enero de 1982. De los 3,1 millones de inmigrantes que se acogieron a la amnistía, 1,1 millón residía en Los Angeles y de los cuales la inmensa mayoría era mexicana (Magaña 2003: 37-40).

mi, Houston o Atlanta) con una visa de turista y luego quedarse una
vez vencida esta visa. Esta estrategia específica todavía se utiliza, pero
ahora requiere mucha más preparación que antes. Dado que después
del 11 de setiembre del 2001 las visas de turista para los Estados Unidos
son cada vez más difíciles de obtener, para personas de países emisores
de migrantes como Perú, dicha estrategia ahora involucra una serie de
pasos antes de la partida, con el propósito de crear un perfil de clase
media peruana de alguien que realmente podría ser un turista. Sin embargo, varios de los peruanos recién llegados a los cuales entrevisté
tanto en Paterson como en Nueva York sostuvieron que incluso dicha
estrategia se había vuelto cada vez más difícil debido a la represión general de los migrantes luego del 11 de setiembre, con la aparición de
agencias políticas y policiales tales como la Homeland Security y la
Patriot Act. Varios peruanos a los que entrevisté en Lima en el 2004 reportaron haber sido deportados de Atlanta mientras se encontraban
en camino a Nueva York y Chicago, a pesar de haber obtenido una visa
de turista en la embajada estadounidense en Lima. La paradoja de la
creciente vigilancia de las fronteras de los EEUU es que las nuevas políticas tuvieron el efecto opuesto de lo que supuestamente se buscaba.
El resultado no ha sido que menos inmigrantes intenten cruzar la frontera ilegalmente,[10] sino más bien que estos intentan cruzar en lugares
más desolados, lo que ha tenido como resultado un número mayor de
desapariciones y muertes en la frontera.[11] La creciente demanda global
de mano de obra barata, combinada con las políticas migratorias restrictivas de los EEUU y Europa, incrementan la vulnerabilidad de los migrantes al hacer que sean víctimas de la economía global de la migración
ilegal, con lo cual terminan pagando enormes sumas para ser "tra fica-
dos" a los EEUU y a Europa.

Peruanos en Paterson, Nueva Jersey

Paterson, la cuna de la revolución industrial en los Estados Unidos en
el siglo XVIII, es desde hace mucho tiempo la primera parada para muchos migrantes en busca de una mejor vida. Lo que alguna vez fue un

---

10. Durand y Massey 2003, Chávez 2003.
11. El *New York Times* informa que 300 migrantes murieron en la frontera en el año
2004 (*New York Times*, 9 de febrero del 2005, p. A16).

próspero centro para el empresariado industrial —el primer parque industrial planificado de los EEUU— es ahora una desolada ciudad económicamente deprimida, desorganizada por el caos industrial y las desigualdades sociales.[12] Paterson es la capital del condado de Passaic, que comprende 16 municipios y cuenta con una población total de 490.377 personas. La ciudad de Paterson específicamente tiene una población total de 149.222 personas, de las cuales exactamente el 50% (74.774) se identifica a sí mismo como hispano o latino, según los datos del censo.[13]

Los puertorriqueños fueron el primer grupo latino en establecerse en la Ciudad de la Seda (Silk City), como también se conoce a Paterson. Asimismo, los peruanos son uno de los grupos más antiguos de migrantes latinoamericanos y a menudo se enorgullecen de que Paterson sea la "ciudad peruana más grande en los Estados Unidos".[14] Altamirano calcula que 30.000 peruanos viven en esta ciudad;[15] sin embargo, probablemente esta cifra está un poco sobreestimada. Actualmente, el espacio de la ciudad es compartido con árabes, afroamericanos y otros migrantes latinos de países que incluyen a Cuba, República Dominicana, Colombia, Ecuador, entre otros.

Los peruanos en el Estado de Nueva Jersey provienen de distintos lugares y clases sociales en su país. El cuadro general está dividido claramente en zonas: los condados de Hudson (Union City, por ejemplo) y North Bergen tienen grandes concentraciones de migrantes de Lima y otras ciudades costeñas como Huacho y Barranca, en tanto que el condado de Morris tiene una mayor cantidad de migrantes de la sierra

---

12. Alexander Hamilton, en ese entonces Secretario del Tesoro de los EEUU, fundó en Paterson la Society for Establishing Useful Manufactures que propulsó la creación del primer parque industrial de los Estados Unidos.

13. Passaic County Business Directory 2003. Esto en realidad es aun más predominante en la vecina ciudad de Passaic, que cuenta con una población total de 67.861 personas, de las cuales el 62% (42.387) es hispano o latino (Passaic County Business Directory 2003).

14. El proceso migratorio obviamente es diferente para los puertorriqueños, quienes tienen la ciudadanía estadounidense. Sin embargo, aun así deben hacer frente a muchos de los mismos problemas sociales y económicos que los restantes grupos migrantes de latinos.

15. Altamirano 2000: 24.

central y sur (principalmente Junín y Ayacucho).[16] La mayoría de los peruanos de primera generación que entrevisté en Paterson había migrado desde Lima, en especial de los distritos de Surquillo, La Victoria, Barrios Altos y Callao. Algunos nacieron y crecieron en estos viejos distritos limeños, en tanto que otros habían vivido allí por períodos más largos o cortos, viajando luego a Paterson como una continuación de la migración rural-urbana que habían iniciado de lugares como Ayacucho, Cajamarca, Trujillo y Piura. Como afirma una mujer del departamento de Piura al comentar los antecedentes regionales y étnicos de sus compatriotas en Paterson: "La mayoría de las personas que vienen a Paterson son personas que vienen de *afuera* [por ejemplo, de las provincias], pero que vivieron en Lima antes de venir aquí". Los peruanos se han fusionado con el paisaje urbano y suburbano de varias ciudades del noreste de los EEUU, pero probablemente en ningún lugar conforman una comunidad tan visible y marcada como en Paterson, Nueva Jersey. Estos poseen una serie de pequeños y prósperos negocios en el centro de Paterson y el Peruvian Parade que examinaremos luego con mayor detenimiento constituye uno de los más grandes desfiles étnicos de dicha ciudad.

Los eventos públicos como un lente analítico para estudiar la política cultural nacional y transnacional

El interés de la antropología por los eventos públicos tiene una larga tradición, a menudo bajo términos tan diversos como rituales, procesiones, desfiles, carnavales, festivales o espectáculos masivos. Los primeros estudios de rituales públicos fueron influidos por la tradición durkheimiana, que los veía como representaciones colectivas, y por el estructuralismo lévi-straussiano, que interpretaba dichas prácticas como reflejos de una estructura normativa y universal subyacente.[17] Las críticas pos-

---

16. La diversidad de las procedencias regionales se refleja en la presencia de asociaciones regionales en Paterson y en las ciudades circundantes. Varias de ellas se han registrado en el consulado peruano de esta ciudad: Asociación Paterson-Surquillo, Club Social San Antonio de Cocha Ayacucho, Club Cajamarca, Asociación Barranca USA, Inc. y Sport Social Club Chalacos Perú (Callao). Para una lista más larga de las asociaciones peruanas en Nueva Jersey y en los EEUU en general véase Altamirano 2000 y Ávila 2003.

17. Handelman 1998: 9-10.

testructuralistas y materialistas posteriormente desmantelaron las premisas de los estudios que daban la primacía analítica a los sistemas de mitos y creencias por encima del ritual como práctica, argumentando que dichos estudios eran ahistóricos y que erradamente veían al ritual como una simple reproducción de un patrón social preexistente, sin espacio para el cambio y la transformación social. Otros antropólogos, fundamentalmente los británicos Max Gluckman, Clyde Mitchell y Victor Turner, resaltaron que los eventos rituales y públicos tratan, muestran y a menudo cuestionan y retrabajan las discontinuidades sociales de contextos y relaciones sociales más amplios.[18]

En los últimos años, el estudio de las prácticas sociales y culturales ritualizadas ha experimentado un renacimiento en la antropología latinoamericanista, habiendo un interés renovado por las esferas públicas y los aspectos performativos de los espectáculos públicos. Varios de los más recientes estudios usan los eventos públicos como un lente analítico con que examinar formaciones sociales más grandes que —por así decirlo— van más allá de los eventos mismos, como por ejemplo la "sociedad",[19] la "nación",[20] la "identidad"[21] o la "cultura".[22] Sin embargo, únicamente unas pocas de estas obras consideran directamente el contexto de la migración y/o el desplazamiento como un elemento constitutivo de la experiencia de la participación en los espectáculos públicos.[23] En los estudios de la migración transnacional peruana, las

---

18. En 1940, Max Gluckman fue el primero en proponer la idea del análisis de eventos en un artículo titulado "An Analysis of a Social Situation in Modern Zululand". Gluckman inicia su análisis con una descripción de la ceremonia de apertura de un nuevo puente, efectuada por el *Chief Native Commissioner* en el imperio colonial británico. Con su descripción aisló los elementos importantes del evento y luego rastreó a cada uno de ellos hasta la sociedad mayor, para así explicar su significado en un cuadro complejo de lo que en ese entonces era la "moderna Zululandia" (Mitchell 1956: 1). Clyde Mitchell desarrolló aun más el método en su estudio de la danza kalela en el cinturón del cobre en Rhodesia del Norte, y posteriormente en sus escritos teóricos y metodológicos sobre lo que él denominó "la perspectiva situacional".

19. Mendoza 2000.

20. Abercrombie 2001, Cadena 2000, Guss 2000.

21. Cánepa 2001, 2003.

22. Rockefeller 1999.

23. Cánepa 2001, 2003.

performances públicas han sido vistas hasta ahora solo indirectamente, compilando las historias y la composición social de las instituciones voluntarias que las organizan, entre ellas asociaciones culturales, clubes deportivos o cofradías.[24] Ningún trabajo sobre la migración transnacional peruana ha considerado aún la naturaleza reflexiva de un acto público y el contexto político en el cual este tiene lugar. Aún están por hacerse los estudios que combinan estos desafíos teóricos de la perspectiva performativa con informes de las experiencias de la migración transnacional y el surgimiento de formas culturales de diásporas.

Los primeros estudios académicos acerca de los desfiles étnicos en los EEUU enfatizan que estos eventos públicos son una presentación escenificada de una minoría étnica frente a una comunidad más numerosa o a una mayoría nacional de angloamericanos. Las identidades actuadas o escenificadas eran vistas en estos estudios como importantes para mostrar una unidad étnica simbólica capaz de atravesar las diferencias políticas y sociales internas de una comunidad dada, incluso cuando los grupos minoritarios en cuestión no siempre estaban en control de su propia representación.[25] Recientes estudios han enfatizado cómo los diferentes intereses en la escenificación de dichos eventos son influidos no solo por la política cultural y las estrategias nacionalistas por contraposición a las transnacionales de distintos grupos y activistas migrantes, sino también por la política neoliberal transnacional (tanto gubernamental como corporativa) que liga las luchas comunales locales en el contexto receptor a los procesos económicos y globales más grandes. En su estudio de los activistas puertorriqueños y mexicanos en El Barrio —un tradicional barrio puertorriqueño en Manhattan, Nueva York, que se hace mexicano cada vez más— y sus respectivos intereses en dicho lugar como un "espacio latino", la antropóloga Arlene Dávila analiza las formas en que la cultura y la identidad figuran de modo diferente en la fijación de los derechos, la visibilidad y el reconocimiento político de estos dos grupos de migrantes.[26] Aunque las demandas políticas de estos dos grupos latinos tal vez vayan en paralelo en términos de los derechos sociales y económicos que reclaman, las

---

24.   Altamirano 1998, 2000; Ávila 2003; Ruiz 1999.
25.   Kasinitz y Freidenberg-Herbstein 1987, Schneider 1990.
26.   Dávila 2004: 155.

estrategias nacionalistas o transnacionales que han adoptado son sumamente distintas y pueden enfrentarlos entre sí.[27] En tanto conforman la población histórica de El Barrio, los puertorriqueños están más inclinados a optar por el discurso de latinidad surgido en los EEUU; mientras que los mexicanos, un grupo migrante nuevo y principalmente indocumentado, y por ello vulnerable, siguen fuertemente inclinados a la formulación de demandas, impulsados por la nacionalidad, al mismo tiempo que continúan intentando establecerse y alcanzar el reconocimiento como migrantes dignos y diligentes.[28] Esta dinámica de la diferenciación puede ser cierta incluso *dentro* del mismo grupo nacional, como espero mostrar más adelante al examinar detenidamente la dinámica interna de la comunidad local de peruanos en Paterson. Los diversos participantes en la construcción de la imagen pública de los peruanos de Nueva Jersey tienen ideas sumamente distintas sobre lo que el desfile realmente puede *hacer* por sus bases, en comparación con otros tipos de participación política.

El *Peruvian Parade*

Era una cálida mañana de verano en julio del 2002 cuando me reuní en la Calle 41 y la 8va. Avenida de Manhattan con mi amigo antropólogo Alex Huerta y el videógrafo Tom Piper, mi camarógrafo en ese día, para tomar una de las pequeñas *combis* de propiedad peruana y dirigirnos hacia Paterson. La *combi* estaba repleta de peruanos, algunos de ellos vendedores ambulantes de Queens y otros barrios de la ciudad de Nueva York que llevaban bolsas de banderas, brazaletes, gorras de béisbol, polos y otros artículos que lucían inscripciones tales como "Te amo Perú" o "Soy Peruano carajo y qué?". A pesar de nuestras distintas agendas, todos los que estábamos sentados en la *combi* nos dirigíamos a Paterson para ver, participar o ganarse la vida con las Fiestas Patrias del Perú. Como llegamos temprano a Passaic, nadie había llegado, pero sí captamos una buena vista de María[29] —la diligente presidenta del Peruvian Parade en el 2002— dando instrucciones sobre cómo distribuir

---

27. Ob. cit.: 178-80.

28. Ob. cit.: 178.

29. Todos los nombres usados en la siguiente descripción etnográfica son seudónimos, a menos que la persona hable en capacidad pública.

a las autoridades invitadas en el "escenario" (un camión con una plataforma encima).[30] También estaban por ahí las "Misses" que participan en el concurso de belleza anual y algunos niños vestidos como versiones algo eclécticas de jóvenes princesas incaicas. La música criolla salía de la fachada de varias tiendas de recuerdos en la Calle Principal de Passaic, que vendían banderas peruanas, entre otras cosas. El camión-escenario había sido colocado aleatoriamente al frente de una pizzería local que anunciaba una pizza de tamaño familiar y Coca-Cola por apenas nueve dólares.

El Peruvian Parade fue organizado por primera vez en 1985 por un grupo de peruanos residentes en Paterson, en conmemoración a las Fiestas Patrias peruanas el 28 de julio. Según la presidenta de este año, el objetivo del desfile es:

> Seguir prevaleciendo y mostrando al mundo exterior y a las otras comunidades la cultura de nosotros los peruanos, "nuestra cultura", y también a la juventud peruana que vea que acá en tierras lejanas [que] nosotros seguimos manteniendo nuestra raza, nuestra raza india, nuestra lengua que es el español y dejándole saber a la comunidad peruana y latinoamericana que debemos preservar esa cultura que es el español que nos han dejado nuestros antepasados.[31]

Evidentemente y como exploraré más adelante, el Peruvian Parade es un espacio de disputa en torno a lo que puede considerarse "peruano", tanto interna como externamente al grupo migrante procedente del Perú. A diferencia de muchas otras instituciones voluntarias y religiosas, el Peruvian Parade no tiene una organización equivalente o hermana en el Perú. Más allá del hecho de que celebra la independencia peruana, el evento es más una iniciativa "local" con base en los EEUU, surgida de los problemas de la representación y la visibilidad de los migrantes peruanos en el contexto receptor. Sin embargo, esto no significa que el evento esté aislado del contexto más amplio de las políticas culturales y la economía tanto nacional (estadounidense y peruana) como transnacional. Asimismo, examinaré la política transnacional mayor que invo-

---

30. La directiva del Peruvian Parade se elige para un período de dos años. En el año 2002, se realizó el primer evento con María como presidenta de la organización.

31. Entrevista de la autora, julio del 2002.

lucra a esta comunidad particular de peruanos en Nueva Jersey y consideraré la prominencia de la formación de estrategias con que formular demandas impulsadas por el nacionalismo, por oposición a la política cultural panlatina.

Una mezcla de organizaciones, compañías e instituciones participan en el Peruvian Parade, acompañados por un público general que incluye no solo a peruanos sino también a otras comunidades latinas de la zona como ecuatorianos, colombianos, puertorriqueños, cubanos y dominicanos. Todos los años, el desfile parte de la Calle Principal en Passaic, pasa por el pueblo vecino de Clifton y culmina frente al Municipio en el centro de Paterson. El recorrido cubre alrededor de unas cinco millas en total. Los participantes provienen de Paterson y de otras ciudades vecinas como Elizabeth, Union City, Irvington, Newark y Nueva York. Según una guía de turistas de Nueva Jersey, más de 80.000 personas usualmente participan en este evento.[32]

Alrededor de las once de la mañana, la Calle Principal, que siempre está cerrada para esta ocasión, estaba llena de gente y la atención se dirigía hacia el escenario principal sobre el camión. El maestro de ceremonias comenzó a animar a la multitud y dio la bienvenida a los distinguidos huéspedes del desfile de este año: el Gran Mariscal —el Caballero de la Canción Criolla— Rafael Matallana;[33] el nuevo cónsul en Nueva Jersey; el miembro demócrata del Congreso por el Estado de Nueva Jersey, Bill Pascrell; el periodista local del año; la mujer del año; y otras categorías honrosas.[34] Esta ceremonia evidentemente era una exhibición

---

32. En *Latinos: guía del visitante* (New Jersey Commerce and Economic Growth Commision), el Peruvian Parade aparece entre los eventos culturales de julio. Aunque María se hace eco de esta cifra —en una entrevista posterior, ella sostuvo que 75.000 personas participaron en el evento—, para mí resulta un poco sobreestimado. Después del evento, los periodistas locales calcularon que alrededor de 5.000 personas habían participado en él.

33. El primer Gran Mariscal del Desfile Peruano en 1985 fue el futbolista Teófilo "Nene" Cubillas, jugador que ha integrado la selección peruana de fútbol para después jugar en varios equipos en los EEUU. En el 2000, el Gran Mariscal fue el astronauta y científico Carlos Noriega, nacido en el Perú y nacionalizado estadounidense, aunque conserva aún la nacionalidad peruana gracias al convenio que permite la doble nacionalidad de peruano-americanos.

34. Una tarea central en la planificación del desfile es decidir quién debe ser invitado como el Gran Mariscal del evento. La directiva prepara una lista "rankea-

en vivo de los peruanos y peruano-americanos que habían alcanzado el sueño americano, habían conseguido títulos importantes tanto en el gobierno local como estatal y, de algún modo, habían logrado ingresar en la corriente principal de clase media de los EEUU. Lo que está en juego aquí tal vez queda mejor ilustrado con las palabras de Felipe Reinoso, un dirigente educativo e integrante de la asamblea estatal de Connecticut. Reinoso se dirigió al público peruano y latino enfatizando que la educación es el insumo más importante que los padres migrantes pueden dar a sus hijos para que así la comunidad peruano-americana crezca, y para que ellos se conviertan en participantes y agentes activos en los procesos políticos e históricos de la nación estadounidense, y dejen de ser simples observadores de la política nacional en este país.

Prosiguiendo con la política nacional, el miembro demócrata del Congreso, Bill Pascrell, alabó la vigorosa relación entre el Perú y los Estados Unidos, y "saludó a los esforzados trabajadores peruanos y peruano-americanos". Entre tanto, los miembros del partido demócrata se mezclaban con la multitud entregando información sobre cómo unirse a la sección local del partido. Una vez terminados todos los discursos de los políticos locales, los dirigentes comunales y las "celebridades" invitadas, llegó la hora de cantar el himno nacional. Más banderas fueron agitadas y el desfile fue declarado inaugurado. Una gigantesca bandera peruana fue desplegada y llevada delante de las autoridades locales; y, después de una breve actuación por parte de un grupo de marinera, comenzaron a desfilar a lo largo de la Calle Principal de Passaic. Una persona del público gritó: "¿Y un huainito?".

La mayoría de los 30 a 35 carros alegóricos que participaron en el evento representaban los negocios locales privados tales como las agencias de bienes raíces; un centro de salud privada; varios banqueros hipotecarios (uno de ellos con el lema "La puerta al sueño estadouni-

---

da" de diversas personas que les parece han realizado algo importante por el Perú. En el 2002, tenían tres candidatos principales: el cantante pop Gianmarco, la conductora de televisión Laura Bozzo, y el compositor y músico Óscar Avilés. Gianmarco no aceptó la invitación y Laura Bozzo, quien estuvo presente en el Puerto Rican Day Parade de Nueva York el año anterior como "madrina internacional", se excusó con un compromiso ya programado en Argentina (esto fue antes de su arresto y encarcelamiento por múltiples cargos de corrupción durante el gobierno de Fujimori). Se desconoce por qué razón Óscar Avilés no pudo participar y cómo entró Rafael Matallana como primera opción.

dense"), Inca Kola (ahora propiedad de la Coca-Cola Company y co-
mercializada en los EEUU como Golden Cola); la compañía local de
combis llamada Paterson-New York Express Service; varias compañías
importadoras de comida peruana; restaurantes locales; una panadería
peruana; el sindicato local de trabajadores postales; los medios locales;
y unas cuantas compañías que ofrecen servicios relacionados con los
eventos del ciclo vital, tales como bodas y funerales. Apenas unas cuantas organizaciones cívicas participaron en el desfile, entre ellas Mujeres
Latinas en Acción NJ (un grupo latino mixto) y la Peruvian American
Teachers' Association con sede en Paterson.

   Otra entidad importante con una presencia apenas mínima eran
las instituciones culturales. La mayoría de los autodenominados "grupos culturales", como la Asociación Latinoamericana de Cultura (fundada en 1999) o la Escuela de Folclore Peruano, no tenían carros alegóricos ni llevaban trajes folklóricos, pero marchaban o danzaban en medio
de los carros. Los únicos que sí llevaban disfraces, además de los danzantes de marinera y la sección especialmente invitada del grupo boliviano "Caporales de San Simón", con base en Washington y Virginia
(que, dicho sea de paso, no se identifica a sí misma como una "institución
cultural"), eran los representantes de algunas empresas peruanas a
quienes el comité organizador persuadió de que así lo hicieran. En una
reunión de la directiva, me dijo María, se decidió que debía alentarse a
los participantes a que "representen y demuestren la vestimenta tradicional del Perú, tanto de la sierra como de la costa y selva, para que
los demás latinos y el público en general puedan ver la ropa tradicional
que representa la diversidad peruana".[35] Desde una perspectiva performativa, aquí es importante no quedar atrapado en el determinar si
dicho uso es "auténtico" o no, sino concentrarse más bien en el proceso
y en la creación autorreflexiva del evento performativo mismo, que a su
vez constituye el contexto de su ejecución.[36] Aquí había, en efecto, la intención de representar lo que se imaginaba era la principal imagen estadounidense de la "cultura peruana", aun cuando dichas prácticas

---

35. Entrevista, julio del 2002.
36. Cánepa 2001: 16.

incluían el uso de vestimentas indígenas "tradicionales" que no forman parte de la vida cotidiana de la mayoría de los peruanos de Paterson.[37] La coordinación con las autoridades locales de Nueva Jersey es de importancia central para la producción del evento. El desfile tiene puntos de partida y llegada designados, y un cronograma estricto. Está sumamente regulado y vigilado no solo en términos del espacio, sino también del tiempo. En otras palabras, la participación en el desfile requiere un aspecto público "decente" como "buenos ciudadanos", de lo que se hizo eco el saludo de Bill Pascrell a "los diligentes peruanos y peruano-americanos". La primera vez que María fue presidente de la organización, se quedó sorprendida de que la comunidad peruana pudiera realmente obtener permiso para ocupar y cerrar las calles casi todo un día, y que encima los políticos locales mostraran interés y una actitud positiva hacia el desfile. En una entrevista que recapitulaba la experiencia del desfile, nos dijo lo siguiente:

> Cuando nos fuimos a Passaic la primera vez no nos negaron nada, el alcalde muy amablemente nos dio toda la atención que como institución nos acreditaba. Lo mismo sucedió con Clifton, el alcalde allí también muy amable, nos dio lo mismo que nos dio Passaic e igual el alcalde de Paterson nos dio todo.[38]

Según María, el apoyo que el Peruvian Parade recibe de los alcaldes locales se debe a que ellos respaldan la visibilidad latina en la zona (dos de ellos son puertorriqueños). En sus propias palabras: "Se está logrando

---

37. Lo que más me llamó la atención fue la participación de un grupo escolar extracurricular local llamado Military Scout Troop 9-11. Usando el lenguaje y la estética de los desfiles militares, esto era lo más parecido (hablando en términos estrictamente estéticos) a las Fiestas Patrias en el Perú. Muchachos de 11 a 17 años y muchachas de 10 a 15 marchaban con uniformes militares y paso de ganso al ritmo de marchas militares, llevando las banderas de muchos países y no solo la peruana. En medio de este grupo, se hallaba un niño muy joven sentado y relajado que manejaba un tanque en miniatura a medida que el desfile avanzaba. Ciertamente se veía como una versión en miniatura de un estereotípico dictador militar, aunque esa podría no haber sido la intención. Varias personas entre los espectadores comentaron esta actitud y sonrieron, algunos de ellos con cierta intranquilidad, al igual que yo.

38. Al ser elegido el demócrata puertorriqueño José "Joey" Torres, Paterson tuvo a un alcalde latino por primera vez en su historia. Passaic también tuvo un alcalde puertorriqueño en el año 2002.

que el *latino* sobresalga cada día, cada año". Para María, aparentemente
no importa qué nacionalidad "latina" tengan los políticos locales, siempre y cuando asuman una posición de solidaridad con la comunidad
y la causa peruana: un punto de vista que en este contexto enuncia la
importancia de que la identificación panlatina figure como tanto o más
importante que la del propio grupo nacional.

El desfile llegó al municipio de Paterson a comienzos de la tarde, y
todos los participantes y espectadores se alinearon frente a él. El himno
nacional peruano fue interpretado por segunda vez, seguido por el de
los Estados Unidos. María pronunció su discurso final, en el cual se hizo eco de las palabras de San Martín:

> El 28 de julio es la fecha de nuestra libertad, fecha en la cual, repitiendo
> las estrofas de nuestro himno, los peruanos rompimos las cadenas de la
> esclavitud después de muchos años de opresión [...]. Mis queridos compa-
> triotas, somos libres, seámoslo siempre y vamos a estar orgullosos de
> nuestro querido Perú, de nuestra raza. Aquí a miles y miles de kilómetros
> de nuestra patria, repitamos con emoción para que nos escuchen en el
> Perú y sabrán lo orgullosos que nos sentimos de nuestra patria. Gracias,
> pueblo peruano; gracias, latino. ¡Que viva el Perú!

El discurso de María puso fin a la parte formal del desfile y el último ca-
rro alegórico dejó la plaza frente al municipio de Paterson. Todo debía
ser empacado y limpiado rápidamente. Se invitó a todos los espectadores a que participaran en el Festival de la Cultura, organizado en la
esquina de Market Street y Madison Avenue. Se pidió, además, que no
bebieran en las calles y que no se comportaran "como en el Perú", y que
no provocaran ningún tipo de desorden o disturbio público; en otras
palabras, que se comportaran como decentes y dóciles ciudadanos-
consumidores estadounidenses.

Produciendo y consumiendo las Fiestas Patrias: la lógica de la visibilidad pública

Los académicos latinos recientemente observaron cómo el mundo cor-
porativo en los Estados Unidos se ha interesado cada vez más por el
poder comercial de la creciente población latina en este país.[39] La comi-

---

39. Dávila 2001, 2002.

da, bebida, ropa, educación, música, entretenimiento y "eventos de patrimonio cultural" —casi todo— vienen siendo comercializados como objetos de consumo para mercados étnicos específicos, entre ellos el peruano. Sin embargo, los estudiosos de la latinidad en los EEUU advirtieron que a este tipo de reconocimiento de "mercados de consumo étnicos" no le siguió ningún tipo de reconocimiento de los derechos sociales y laborales o empoderamiento real para la población latinoestadounidense, o para las minorías migrantes en general. Si bien algunos autores han visto el potencial de los mercados de consumo cultural latino como algo que empodera cultural y económicamente al "reforzar culturalmente" las comunidades locales o simplemente hacerlas visibles, otros son escépticos ante la idea de que la "visibilidad cultural" en sí misma presente desafío alguno a los ideales normativos dominantes de la ciudadanía "blanca" estadounidense, ni tampoco creen que ella equivalga a ganancias sociales y una ciudadanía política más sustancial para la población latina de los EEUU.[40]

El Peruvian Parade en Paterson —junto con su contraparte dominicana en esta ciudad y la puertorriqueña en Nueva York— forma parte de un conjunto mayor de celebraciones culturales regularizadas en el área triestatal, que figuran como una atracción anual en los calendarios turísticos tales como *Latinos: guía del visitante*, publicación y auspiciada por el Estado de Nueva Jersey, y la Comisión de Comercio y Crecimiento Económico de dicho Estado.[41] En este contexto, los peruanos forman parte del "inventario de diversidad" de la estrategia comercializadora de esta comisión, la cual tiene como objetivo ampliar el ámbito del consumo cultural y hacer que Nueva Jersey sea un itinerario más atractivo y "diverso" para el turismo doméstico tanto latino como no

---

40. Flores y Yúdice 1993; Dávila 2001, 2004; Rosaldo 1994, 1997. En *Consumidores y ciudadanos* (1995), García Canclini presenta una lectura más optimista de la ciudadanía de consumo y se hace la siguiente pregunta: ¿es posible combinar las formas tradicionales de hacer política con otras formas de ejercer la ciudadanía en el ámbito de las comunidades consumidoras?

41. Según una comunicación personal con Roberto Bustamante, Presidente de la US National Association of Journalists of Peru (la filial del Colegio de Periodistas del Perú en los Estados Unidos), el Desfile Peruano apareció por primera vez en la Guía Latina en el 2002 como una actividad de atracción para el turismo y para personas que gustan de los bailes y los platos típicos peruanos.

latino.[42] El Peruvian Parade, tal como ha sido comercializado por esta
Comisión, ha pasado a ser una actividad de esparcimiento "consumi-
ble" no solo por la fuerza laboral migrante peruana, sino también por
el resto de la población del área circundante.

En el centro de mi análisis de este desfile está el debate entre los
académicos y activistas latinos, y de otras minorías étnicas radicadas
en los EEUU en torno a la ciudadanía cultural. La antropóloga Aihwa
Ong define a esta última como,

> [...] las prácticas y creencias culturales producidas al negociar las relaciones
> a menudo ambivalentes y disputadas con el estado y sus formas hegemó-
> nicas, que establecen el criterio de pertenencia dentro de una población
> y territorio nacional.[43]

Ong es crítica de la noción de ciudadanía cultural, en la forma del aparente reconocimiento cultural y democracia del lenguaje, tal como hoy
se los entiende comúnmente en los EEUU. Ella sostiene que, si bien estas dimensiones de la ciudadanía cultural son suscritas fácilmente por
las instituciones estatales, que entonces se sienten libres para desenten-
derse de cualquier otra obligación más en cuanto a la inclusión social
y política "real" de las minorías, ellas actúan para contener a las comunidades de migrantes e impedir que avancen hacia una ciudadanía plena,
a pesar de las diferencias culturales con respecto al grueso de la sociedad
angloestadounidense.[44] El antropólogo y activista chicano Renato Rosaldo (1994, 1997), así como William Flores y Rina Benmayor (1997) toman una postura diferente en este debate. Tanto Rosaldo como Flores y

---

42. Esto también es cierto en relación con otros eventos organizados por/para co-
    munidades peruanas en los EEUU conmemorando las Fiestas Patrias. En
    Miami, por ejemplo, más de 4.000 peruanos fueron al hipódromo de Hialeah
    el 28 de julio del 2002 para asistir al evento de Fiestas Patrias producido cor-
    porativamente por un consorcio de productores culturales. Aquí, Gisela Valcár-
    cel, la conductora de *talk show*, se presentó como la madrina de este gigantesco
    evento comercial que tuvo como su principal atracción a la orquesta puertorri-
    queña de salsa La Sonora Ponceña. Este evidentemente es un evento diseñado
    exclusivamente para el consumo y no como una ocasión en la cual efectuar al-
    gún tipo de demanda con respecto a los derechos laborales de los emigrantes
    peruanos en los EEUU.
43. Ong 1996: 738.
44. Ob. cit.: 737-8.

Benmayor han sostenido que, si bien es posible que en última instancia no altere el status social de los ciudadanos pertenecientes a minorías, la demanda de ciudadanía cultural es una afirmación de derechos que puede contribuir a la construcción de espacios culturales de empoderamiento en la sociedad en general, desde donde podrán reclamarse los derechos políticos y sociales en una etapa posterior.[45]

Si bien las cuestiones referidas a la ciudadanía cultural son discutidas fundamentalmente en debates académicos y en cierta medida entre grupos estadounidenses minoritarios, como los activistas puertorriqueños o chicanos, ellas resuenan en algunos de los puntos que se discuten en la vida comunal local de los peruanos de Paterson. La pregunta fundamental es si a los peruanos les va mejor cultivando fuertes vínculos transnacionales con su tierra natal, con la esperanza de ejercer una posible influencia en ella, o si sus esfuerzos deberían concentrarse más bien en temas pertinentes para los peruano-americanos y para los migrantes que no tienen ninguna intención manifiesta de regresar a su patria. Mientras escuchaba los discursos políticos al inicio del desfile en el año 2002, me fue quedando en claro que este evento tenía más que ver con un interés que giraba en torno a la forma en que los peruanos podrían insertarse en la vida estadounidense que con la celebración de las Fiestas Patrias en cuanto tales. Entonces, ¿están los peruanos y peruano-americanos más interesados en hacer demandas impulsadas por la nacionalidad en la política transnacional o en la política cultural latina en los EEUU?

La descripción anterior del Peruvian Parade indica que, para comprender qué significan las Fiestas Patrias en el contexto de la migración peruana en Nueva Jersey, no basta con entender este evento público ritualizado como una reproducción, una copia o una recontextualización de las Fiestas Patrias peruanas. Sostengo incluso que, si bien este evento implica momentos de euforia nacionalista, el desfile no se refiere tanto a la conmemoración de la independencia peruana como al lugar de los peruanos dentro de un contexto más amplio de política cultural latina con base en los EEUU. En otras palabras, el evento como práctica comunicativa no se refiere fundamentalmente a la *reproducción* de la "peruanidad", la "identidad" o la "cultura peruana" en el extranjero, sino más

---

45. Rosaldo 1997, Rosaldo y Flores 1997, Flores 1997, Flores y Benmayor 1997.

bien a cómo estos repertorios, articulados bajo una lógica completamente distinta, a saber, el multiculturalismo neoliberal estadounidense, son aprovechados por los migrantes peruanos para avanzar agendas propias. Más que ser un referente de "peruanidad" o de la "identidad nacional" del Perú, la participación en el desfile se refiere principalmente a la condición de "migrante" como tal, con todo lo que esta implica, incluyendo las luchas locales por el reconocimiento social y económico, y la participación política en instituciones locales. En este tipo de evento, los participantes ponen en juego sus propios proyectos y agendas —tanto personales como colectivas— y los usan para transmitir preocupaciones, y trazar fronteras sociales a lo largo de líneas de edad y género dentro y más allá del grupo de peruanos de Paterson.

Para María, la magnitud y el aparente éxito del desfile fue tanto una victoria personal como colectiva. Ella sentía que ciertos sectores de la comunidad local inicialmente dudaban de su liderazgo, porque ella fue la primera mujer que presidió el Peruvian Parade. En una entrevista acerca del papel de las mujeres en la organización del evento, dijo lo siguiente:

> Había mucha expectativa y querían saber cómo salía el desfile porque al frente estaba una mujer. Parece que las expectativas eran de que no podíamos sacar el desfile de la magnitud que sacamos. Pero sí quiero dejarle saber al pueblo de afuera que sí, que las mujeres podemos sacar un desfile y llegar a la luna. Porque yo sé y creo que si la mujer se lo propone está capacitada para hacerlo. Yo sé de muchas mujeres ahorita en grandes profesiones y en grandes cargos, como tenemos también a una mexicana en el gobierno americano, que es tesorera, ¿no? Yo creo que podemos hacer eso y muchas cosas más.

Para María, organizar el evento no era una cuestión únicamente de "sentirse peruano" o de mostrar sentimientos patrióticos por el Perú que la expulsó a finales de los años ochenta, cuando era una joven mujer sin empleo y sin ningún futuro en la industria textil de Lima. Para ella, era importante mostrar que las mujeres pueden ser excelentes dirigentes comunales no solo en la vida local de Paterson, sino también en la política nacional de los EEUU. Cuando alaba el hecho de que una mexicana haya alcanzado un cargo público en el gobierno estadounidense, ella sitúa al género por encima de la nacionalidad (peruana) como algo que asegura a los latinos una voz en todo tipo de espacios, y oportunidades locales y nacionales en los EEUU. Cuando le pregunté a María si para el Peruvian Parade era central el participar en actividades relacionadas con el desarrollo de su tierra natal, respondió así:

> Hasta el momento la Peruvian Parade es una organización que hace actividades para sacar los fondos para sacar el desfile, pero sí ha participado en algunos eventos como cuando han habido problemas en el Perú, por ejemplo, cuando hubo el terremoto desde hace ya dos años, las inundaciones, inclusive hace poco también participamos junto a otras instituciones en un maratón para los quemados de la Mesa Redonda en Lima. Pero de por sí de tener un enfoque [...] no lo tiene la Peruvian Parade. Sería de nuestra agrado hacerlo, ojalá que se logre, pero tenemos todavía un período de un año [de su directiva], podemos dejar algo sembrado. No quiero decir que lo vamos a hacer porque en realidad no sabemos si se puede lograr. Para cosas como estas se necesita de tiempo. Y el tiempo que tiene una directiva es corta.

Es claro que dentro del ámbito de esta organización, las actividades en respaldo de luchas sociales y políticas concretas en el Perú están limitadas. Cuando sus integrantes participan en ellas, es sobre todo en eventos sumamente específicos, relacionados con desastres naturales o grandes accidentes públicos, fundamentalmente basados en una ideología de la caridad y no como una estrategia de desarrollo sostenida. Otro aspecto que se debe señalar aquí es que la exigencia de una obligación moral de asistir a la patria era mucho más pronunciada entre las generaciones más antiguas de migrantes peruanos a Paterson, los cuales también criticaban a los dirigentes más jóvenes por no "hacer nada por el Perú". Estos últimos, como María, efectivamente estaban mucho más enfocados en ganarse un espacio en la administración pública de Paterson y en el Estado de Nueva Jersey, para así promover los derechos latinos estadounidenses en función de la lógica de los derechos de las minorías en los EEUU.

Podemos ilustrar la brecha generacional y de género entre los activistas de la comunidad local peruana de Paterson, y dentro de la organización del Peruvian Parade en particular, con la siguiente anécdota. Cuando María asumió la presidencia de la organización, una serie de irregularidades cometidas en años anteriores estorbaron su tarea, ya

que las declaraciones de impuestos no habían sido presentadas correctamente y faltaban otros trámites. Ella y los integrantes de su directiva
decidieron no perder demasiado tiempo lidiando con los muchos años
de informes deficientes y balances financieros faltantes, y decidieron
reincorporar la institución bajo otro nombre. Unos cuantos meses después del desfile del 2002, presentaron la solicitud de incorporación de
una nueva organización sin fines de lucro llamada Desfile Peruano.
María, quien sostiene que únicamente deseaba simplificar los trámites
de la institución, no tenía ni idea de las consecuencias que esta medida
habría de tener. El conflicto abierto entre un grupo de los viejos miembros fundadores del Peruvian Parade (todos ellos varones, salvo por
una mujer) y el grupo de María, conformado fundamentalmente por
una generación más joven de dirigentes, estalló cuando aquel se enteró
del cambio. Ellos sostenían que, dado que la directiva de María había
abandonado el Peruvian Parade para fundar una nueva institución, la
única cosa correcta que podía hacerse era convocar a una nueva asamblea general para reelegir una nueva directiva de la institución.

El 3 de noviembre del 2002, se eligió una nueva directiva cuyos
asistentes realizaron una asamblea general, a la cual María afirma no
se le invitó a participar. Sin embargo, ella estaba decidida a recuperar
el liderazgo y sostuvo que lo que había hecho era por el bien de la institución. Las dos partes en conflicto decidieron acudir a los medios de
comunicación locales. La facción de María publicó su posición en el
semanario local *Sin Fronteras*, en tanto que la "nueva directiva" de los
miembros fundadores tuvo el respaldo del bisemanario *El Amauta*. El
conflicto se incrementó en el transcurso de mi trabajo de campo en Paterson en el 2004 y terminó en un juzgado en Trenton. Gracias al juicio,
la destitución de María fue considerada ilegal, pero a su directiva se le
ordenó que volviera a adoptar el nombre original de la institución y
que pusiera un poco de orden en sus archivos.[46]

El papel de las instituciones locales es materia de debate en todos
los sectores de la comunidad. Juan —un periodista local e incansable
observador de la vida comunitaria y la política local de Paterson— ha-

---

46.   Este mismo año se eligió un nuevo presidente para el período 2004-2005, pero
      el incidente seguía siendo un problema en la asamblea general a la que asistí
      en la primavera del 2004.

ce su análisis de los aspectos performativos del Peruvian Parade. Citaré *in extenso* una entrevista que sostuve con él en marzo del 2003:

> Aquí en Paterson debe haber como unos [sic] 20 organizaciones, pero que no son nada más que el producto de una voluntad inicial entusiasta, sin dinero, sin mayores causas, pasó el año, no hicieron nada, no incorporaban nada, quedó en nada, pero parece una organización hacia fuera. Son organizaciones sin cuerpo. E inclusive algunas sin espíritu. No pueden empezar el desarrollo del proyecto que de alguna manera los motivó a organizarse, es como un casco nada más. Sin embargo después aparecen como supuestos líderes de la comunidad porque presiden tal organización, pero no lideran nada. Son instituciones que tienen papel de nacimiento clandestino porque ni siquiera se ha hecho dentro de lo que es el marco legal del sistema americano que les exige requisitos mínimos para calificar como *non-profit*. Se organizan y se fundan pero sin personería jurídica. Pero así siguen existiendo. Un caso típico de esto es la Peruvian Parade. La Peruvian Parade es una institución que tiene 17 años, se fundó en 1986 y hizo su primer desfile de la comunidad peruana. Ninguna directiva ha cumplido con los requisitos mínimos de la ley de instituciones *non-profit*. No registran anualmente sus miembros de la directiva. Ninguna directiva ha presentado balances legalmente aceptados. Sus asambleas no llegan a 100 personas, como mucho, o sea, ¿cómo es que la institución supuestamente más representativa es la menos representativa? Pero esa es la realidad [...]. Si uno va al desfile se nota que hay como unas 5.000 personas que van al desfile —muchas ni son peruanos. Hay una respuesta de la comunidad de manera espontánea. Es la ley física de la inercia, es el momento que se da porque se da. Pero ellos [los dirigentes] alimentan una falsa estima. Son en el fondo instituciones fantasmas sin capacidad de convocatoria, sin proyectos reales de servicios a la comunidad. Son entes figurativos sin ningún mérito. En el fondo es una exhibición de una imagen peruana, pero inútil. No es útil, pero está allí. Es una presencia estéril. Por ejemplo, un hombre que no tiene capacidad de procreación es un estéril, ¿verdad? O una mujer estéril puede tener presencia y belleza, pero es estéril, entonces no está sirviendo a ninguna causa... Existe pero no produce. Esas instituciones son figuras decorativas, que consuelan, dicen "estuvimos allí", pero no están produciendo ni reproduciendo nada.

Lo que vemos en las perspectivas que María y Juan tienen del Peruvian Parade y del evento mismo son ideas rivales de qué significa trabajar a favor del progreso de la comunidad peruana. Para María, la visibilidad pública tiene un efecto en sí misma. Ella considera que el evento brinda a los peruanos un espacio desde donde luchar por definir los términos de su incorporación en el mercado laboral y la sociedad estadounidense, y tratar cuestiones de representación en la política local y estatal, no solo para la comunidad de migrantes peruanos y peruano-americanos de Paterson y Nueva Jersey, sino más en general para la población latina de los EEUU. Asimismo, su discurso está organizado siguiendo líneas de género y generación; y mejorar la participación política femenina es una parte central de su estrategia. En suma, María no ve al evento en sí como algo que contiene a los peruanos como grupo nacional, sino más bien como una posibilidad de trascender de un grupo migrante minoritario (el peruano) a otro grupo con base panlatina. Sin embargo, hay cierta ambivalencia en esta demanda política. María sabe y teme que los peruanos que participan en el evento puedan mostrar formas de comportamiento que la ley estadounidense no permite en los espacios públicos, tales como beber licor en las calles, quedarse más tiempo del permitido o efectuar cualquier tipo de escándalo público. Al pedir a la gente que se comporte correctamente, ella asume también la responsabilidad de imponer la imagen pública de los peruanos como migrantes trabajadores y suficientemente socializados, como ciudadanos-consumidores dóciles y que saben cómo "comportarse correctamente" en los espacios públicos.

Para críticos como Juan, el desfile no hace absolutamente nada por beneficiar a la comunidad local peruana. Su analogía de una persona estéril que no puede procrear y que, por lo tanto, no puede participar en la reproducción social de su propia comunidad es una fuerte crítica al argumento sobre la importancia intrínseca de la "visibilidad cultural" al que nos referimos antes. Según Juan, al aparente reconocimiento simbólico no le sigue ningún otro tipo de promoción social y cultural capaz de empoderar a la población latina estadounidense ni simbólica ni materialmente. Lo que Juan sostiene esencialmente es que el Peruvian Parade —y cualquier otro evento público masivo como este— actúa como una suerte de falsa conciencia que insufla a los participantes con la ilusión de que la visibilidad promueve el reconocimiento, el progreso y la prosperidad, pero sin traducirse en una demanda social o política fundamental en beneficio de la comunidad.

Conclusiones

A través de mi análisis de algunas de los temas centrales que están en juego en la *mise-en-scène* del Peruvian Parade de Paterson, he buscado mostrar que el significado de este espectáculo público ritualizado se extiende más allá del momento de "efervescencia colectiva" o "euforia nacionalista", y que el evento puede usarse como un lente analítico con que examinar un conjunto más amplio de preguntas referidas a la vida de los migrantes peruanos y de los peruano-americanos de Nueva Jersey y de los Estados Unidos en general.

Lo que está en juego en la escenificación del Peruvian Parade está signado no solo por las estrategias individuales y colectivas de los grupos y activistas migrantes que participan, o por las preocupaciones que ellos llevan al evento, sino también por la política cultural nacional y transnacional en los EEUU. Sin embargo, y como el análisis presentado en este capítulo muestra, el Peruvian Parade de Paterson no es el típico espacio de política transnacional en el cual los funcionarios del gobierno peruano interpelan —en términos althusserianos (1971)— a las comunidades peruanas en el exterior y las persuaden de participar activamente en la política peruana votando y consolidando la economía de remesas.[47] El Peruvian Parade es más un espacio para las luchas locales en el contexto receptor que un lugar donde promover demandas políticas relacionadas con la patria distante, incluso para los participantes en el evento, en especial para aquellos involucrados en su organización. Siendo una de las comunidades peruanas más antiguas en los EEUU, los peruanos de Paterson ya se han insertado bastante en la economía y el mercado laboral de Nueva Jersey, y en la sociedad estadounidense en general; y muchos ya han redefinido su proyecto migratorio de uno con un posible retorno al Perú a otro de reunificación familiar y residencia legal en los EEUU. Aunque muchos espectadores a los que entrevisté brevemente durante los desfiles de los años 2002 y 2003 sí aludieron a los discursos nacionalistas de diáspora que romantizan la patria y expresan su nostalgia y anhelo de la "Patria querida", la principal preocupación de los participantes activos, y del comité organizador en particular, era mostrar y transmitir la imagen del trabajador migrante peruano bueno y exitoso, en camino a realizar el sueño americano.

---

47. Berg y Tamagno 2004.

Al adoptar una perspectiva que ve al Peruvian Parade como una *performance* ritualizada, y en última instancia como una forma de producción cultural, intenté evitar esencializarla simplemente como la expresión de una "auténtica peruanidad", de la "cultura" o de la "identidad peruana" con un supuesto significado fijo y preestablecido. Me concentré, más bien, en cómo la cultura y la identidad son redefinidas y disputadas en los niveles local, nacional y transnacional. De este modo, la escenificación del Peruvian Parade en Paterson no puede ser entendida como una mera reproducción o una copia de un evento originario de algún otro contexto (Perú), sino más bien como un evento performativo que brinda un espacio donde evaluar los términos de la inserción de los peruanos, en tanto minoría cultural, en las estructuras nacionales más amplias de los Estados Unidos, incluyendo el discurso de la latinidad. Por un lado, y como lo muestran las declaraciones de María, a los dirigentes locales les preocupa no solo la visibilidad inmediata de la comunidad peruana en Paterson, sino también cómo ella podría ganar más terreno y participación política en las estructuras políticas locales y nacionales de los EEUU como parte del electorado latino. Por otro lado, la incorporación del Peruvian Parade en los materiales publicitarios hechos por la Comisión de Comercio y Crecimiento Económico de Nueva Jersey para fomentar el consumo cultural en dicho Estado es un ejemplo de cómo esta comunidad particular viene siendo absorbida por las instituciones establecidas en los contextos receptores, como parte de un paisaje de consumo latino mayor. Además, como Arlene Dávila sostuviera en el caso de la industria publicitaria de los EEUU, cuando ciertos tropos sobre los latinos, dominantes pero formulados positivamente, aparecen en la esfera pública de este país, no se debe tanto a que dichas instituciones necesariamente promuevan el derecho político a la diferencia. El uso de comunidades migrantes y étnicas como la peruana de Nueva Jersey en forma de "inventario de diversidad" constituye más bien una oportunidad para interpelarlas como consumidores dóciles ya no amenazantes como base política, lo que después de todo, según Dávila, es un rasgo constitutivo de la ciudadanía de consumo estadounidense y de la lógica dominante del multiculturalismo neoliberal de dicho país.[48]

---

48. Dávila 2001: 240.

Lo que aquí concluimos para el caso del Peruvian Parade de Paterson podría muy bien ser diferente para otros grupos de migrantes peruanos más recientes en otras partes de los EEUU, donde los peruanos recién llegados aún tienen que definir sus proyectos individuales y colectivos. Aunque después del 11 de setiembre se le ha hecho más difícil ingresar y permanecer en los EEUU, la población peruana en este país sigue creciendo y probablemente lo seguirá haciendo mientras la economía de los EEUU siga dependiendo de una mano de obra extranjera mayoritariamente indocumentada y barata como la peruana. La tendencia general es que, cuando un flujo migratorio específico se sedimenta en el contexto receptor, la importancia del proyecto de retorno del migrante individual disminuye, y algunos comienzan a tomar parte en iniciativas relacionadas con demandas de reconocimiento social y político de la comunidad migrante en el contexto receptor. Este parece ser el caso en Paterson, el destino más antiguo de la migración peruana. Entonces, cabe preguntarse si en otros destinos más recientes las demandas de las comunidades migrantes peruanas serán impulsadas esencialmente sobre la base de un discurso nacionalista o si serán planteadas en el marco de discursos más amplios referidos a la latinidad en los Estados Unidos.

Bibliografía

ABERCROMBIE, Thomas A.
2001   "Mothers and Mistresses of the Urban Bolivian Public Sphere: Postcolonial Predicament and National Imaginary in Oruro's Carnival". En Thurner, Mark y Andrés Guerrero (eds.), *After Spanish Rule*. Durham: Duke University Press.

ALTAMIRANO, Teófilo
1990   *Los que se fueron: peruanos en Estados Unidos*. Lima: Pontificia Universidad Católica del Perú.
1992   *Éxodo: peruanos en el exterior*. Lima: Pontificia Universidad Católica del Perú.
1996   *Migración, el fenómeno del siglo: peruanos en Europa, Japón, Australia*. Lima: Pontificia Universidad Católica del Perú.

1998   "Transnationalization and Cultural Encounters: Catholics in Paterson, New Jersey, USA". Ponencia presentada en el Center for Latin American Studies, Cornell University.

2000   *Liderazgo y organizaciones de peruanos en el exterior: culturas transnacionales e imaginarios sobre el desarrollo*. Vol. I. Lima: Pontificia Universidad Católica del Perú y Promperú.

2003   "From Country to City". En *Harvard Review of Latin America*. Harvard University.

ALTHUSSER, Louis
1971   "Ideology and Ideological State Apparatuses". En Althusser, L., *Lenin and Philosophy*. Londres y Nueva York: Monthly Review Press, pp. 170-86.

APPADURAI, Arjun
1996   *Modernity at Large. Cultural Dimensions of Globalization*. Minneapolis: University of Minnesota Press.

ÁVILA MOLERO, Javier
2003   "Lo que el viento de los Andes se llevó: diásporas campesinas en Lima y en los Estados Unidos". En *Comunidades locales y transnacionales: cinco estudios de caso en el Perú*. Lima: Instituto de Estudios Peruanos.

BERG, Ulla Dalum y Carla TAMAGNO
2004   "El Quinto Suyo: conceptualizando la 'diáspora' peruana desde arriba y desde abajo". Ponencia presentada para el XL Aniversario del Instituto de Estudios Peruanos. Lima, julio.

CADENA, Marisol de la
2000   *Indigenous Mestizos: The Politics of Race and Culture in Cuzco, Peru, 1919-1991*. Durham y Londres: Duke University Press.

CÁNEPA KOCH, Gisela
2001   "Introducción. Formas de cultura expresiva y la etnografía de lo local". En *Identidades representadas. Performance, experiencia y memoria en los Andes*. Lima: Pontificia Universidad Católica del Perú.

2003   *Geopolitics And Geopoetics of Identity: Migration, Ethnicity and Place in the Peruvian Imaginary. Fiestas And Devotional Dances in Cuzco and Lima.* Tesis doctoral. Chicago: University of Chicago.

GARCÍA CANCLINI, Néstor
1995   *Consumidores y ciudadanos: conflictos multiculturales de la globalización.* México, D.F.: Grijalbo.

CHÁVEZ, Leo
2003   "Public discourse, Immigration, and Control of the US-Mexico Border: Reflections on Jorge Durand and Douglass S. Massey's 'The Cost of Contradiction of US Border Policy 1986-2000'". En *Latino Studies* 1: 2, pp. 253-63.

DÁVILA, Arlene
2001   *Latinos, Inc. The Marketing and Making of a People.* Berkeley y Londres: University of California Press.
2002   "Culture in the Add World: Producing the Latin Look". En Ginsburg, Lila Abu-Lughod y Brian Larkin (eds.), *Media Worlds: Anthropology on New Terrain.* Berkeley y Londres: University of California Press, pp. 264-80.
2004   *Barrio Dreams: Puerto Ricans, Latinos, and the Neoliberal City.* Berkeley y Londres: University of California Press.

DEGREGORI, Carlos Iván
2000   "Fiestas Patrias". En *La década de la antipolítica: auge y huída de Alberto Fujimori y Vladimiro Montesinos.* Lima: Instituto de Estudios Peruanos.

DURAND, Jorge y Douglas MASSEY
2003   "The Cost of Contradiction: US Border Policy 1986-2000". En *Latino Studies* 1: 2, pp. 233-52.

FLORES, Juan y George YÚDICE
1993   "Living Borders/Buscando América: Language of Latino Self-formation". En Flores Juan (ed.), *Divided Borders: Essays on Puerto Rican Identity.* Houston, Texas: Arte Público, pp. 199-224.

FLORES, William
1997 "Citizens vs. Citizenry: Undocumented Immigrants and Latino Cultural Citizenship". En Flores y Benmayor (eds.), pp. 255-77.

FLORES, William y Rina BENMAYOR
1997 "Constructing Cultural Citizenship". En Flores y Benmayor (eds.), pp. 1-23.

FLORES, William y Rina BENMAYOR (eds.)
1997 *Latino Cultural Citizenship: Claiming Identity, Space, and Rights*. Boston: Beacon Press.

GOWASKIE, Joseph
1996 *Workers in New Jersey History*. Trenton, Nueva Jersey: New Jersey Historical Commision, Department of State.

GUSS, David M.
2000 *The Festive State: Race, Ethnicity, and Nationalism as Cultural Performance*. Berkeley y Londres: University of California Press.

HANDELMAN, Don
1998 *Models and Mirrors: Towards an Anthropology of Public Events*. Nueva York y Oxford: Berghahn Books.

KASINITZ, Philip y Judith FREIDENBERG-HERBSTEIN
1987 "The Puerto Rican Parade and West Indian Carnival: Public Celebrations in New York City". En Sutton, Constance y Elsa Chaney (eds.), *Caribbean Life in New York City: Sociocultural Dimensions*. Nueva York: Center for Migration Studies, pp. 327-49.

MAGAÑA, Lisa
2003 *Straddling the Border. Immigration Policy and the INS*. Austin: University of Texas Press.

MENDOZA, Zoila S.
2000 *Shaping Society through Dance. Mestizo Ritual Performance in the Peruvian Andes*. Chicago y Londres: The University of Chicago Press.

MILLER, Daniel (ed.)
1995   "Introduction". En *Acknowledging Consumption: A Review of New Studies*. Londres y Nueva York: Routledge.

MITCHELL, J. Clyde
1956   *The Kalela Dance. Aspects of Social relationships among Urban Africans in Northern Rhodesia*. Rhodes Livingstone Papers 27. Manchester: Manchester University Press.

ONG, Aihwa
1996   "Cultural Citizenship as Subject Making: Immigrants Negotiate Racial and Cultural Boundaries in the United States". En Torres, Rodolfo D.; Louis F. Mirón, y Jonathan Xavier Inda (eds.), *Race, Identity, and Citizenship*. Nueva York: Blackwell.

ROCKEFELLER, Stuart
1999   "'There is Culture Here': Spectacle and the Inculcation of Folklore in Highland Bolivia". En *Journal of Latin American Anthropology* 3: 2, pp. 118-49.

ROSALDO, Renato
1994   "Cultural Citizenship and Educational Democracy". En *Cultural Anthropology* 9: 3, pp. 402-11.
1997   "Cultural Citizenship, Inequality, and Multiculturalism". En Flores y Benmayor (eds.), pp. 27-38.

ROSALDO, Renato y William FLORES
1997   "Identity, Conflict, and Evolving Latino Communities: Cultural Citizenship in San José, California". En Flores y Benmayor (eds.), pp. 57-96.

RUIZ BAIA, Larissa
1999   "Rethinking Transnationalism: Reconstructing National Identities among Peruvian Catholics in New Jersey". En *Journal of Interamerican Studies and World Affairs* 41: 4, pp. 93-109.

SCHNEIDER, Jo Anne
    1990   "Defining Boundaries, Creating Contacts: Puerto Rican
              and Polish Representation of Group Identity through
              Ethnic Parades". En *Journal of Ethnic Studies* 18, pp.
              33-57.

CAPÍTULO 2

Transformaciones en una
comunidad andina transnacional*

PAUL H. GELLES

Introducción

Cabanaconde, una comunidad campesina serrana ubicada en el sur del Perú, reposa a 3.200 metros sobre el nivel del mar, en un cálido valle rodeado de montañas por un lado y por el profundo Cañón del Colca por el otro. Desde lejos, Cabanaconde aparece como una pequeña y aislada villa, y esta inmediata percepción persiste cuando se entra en el pueblo. Cinco horas en un inestable ómnibus desde la ciudad de Arequipa, con gallinas, mulas y cerdos que corren cerca y los vestidos bordados de las cabaneñas refuerzan la idea de que uno está entrando en un asentamiento andino "tradicional". Los folletos turísticos y los libros de viajeros también retratan al pueblo como una comunidad remota en el tiempo y en el espacio, que unos pocos años atrás estaba "incomunicada con el resto del territorio" y que solo recientemente había sido "contaminada con el mundo moderno". Pero nada puede estar más alejado de la verdad. De hecho, los residentes de la región consideran a Cabanaconde como un centro urbano de proporciones y un lugar de paso indispensable. La gente de Cabanaconde, que es bilingüe (hablan quechua y español) y que hoy alcanza la cifra de 5.000 habitantes, se refiere a las otras comunidades del valle del Colca como "las provincias". Los documentos municipales de la primera parte del siglo XX a

---

* El autor agradece a Ulla Berg y Karsten Pærregaard por sus perspicaces y útiles comentarios a las versiones previas de este capítulo.

menudo comienzan con las palabras "En esta ciudad de Cabanaconde", lo que muestra que esta autopercepción urbana y cosmopolita ha existido desde cierto tiempo atrás. De hecho, Cabanaconde es la más grande de las doce comunidades del valle del Colca y es también una comunidad transnacional con una colonia de más de 600 migrantes en Washington. Los cabaneños y sus bienes e ideas circulan regularmente entre esta comunidad, las ciudades peruanas y la comunidad cabaneña de Norteamérica.

Las comunidades serranas y las ciudades andinas están siendo transformadas no solo por la migración transnacional, sino también por el turismo, la introducción de nueva información tecnológica y las reformas económicas neoliberales. Sin embargo, como señalo más adelante, todavía las orientaciones culturales andinas, las costumbres sociales y la política comunal condicionan estos procesos de manera importante. Desde esta perspectiva, mi argumento refleja el planteamiento "indigenización de la modernidad"/aproximación culturalista de Sahlins,[1] quien se opone al camino de ciertas aproximaciones analíticas, tales como la teoría de los sistemas mundiales y la "nueva etnografía" (es decir, "etnografía posmoderna"), que visualizan a las culturas de la periferia como incoherentes y sin organización ante la presencia del imperialismo.[2] Estas teorías subestiman la capacidad de organizar el poder, sistematicidad y la perspectiva de las culturas locales, "que son siempre de ámbito universal y por tanto capaces de englobar objetos y personas extrañas con una relación lógica y coherente".[3] En este sentido,

---

1. Véase Sahlins 1990, 1994, 1996 y 2002.

2. De acuerdo con Sahlins, los posmodernistas acusan al imperialismo "por los arrogantes proyectos de totalización etnográfica, a los formuladores de sistemas mundiales por la imposibilidad empírica de realizarlos. Aun así todos estos "tristes tropos" de la hegemonía occidental y anarquía local, del contraste entre el poderoso sistema mundial y la incoherencia cultural de la gente, ¿no imitan en un plano académico el mismo imperialismo que desprecian? Al atacar la integridad cultural y la acción histórica de la gente de la periferia, están haciendo teóricamente lo que el imperialismo hace en la práctica" (Sahlins 1994: 381). En otra parte, el mismo autor dice: "el inherente etnocentrismo, la falta de entendimiento cultural que tal esquema frecuentemente promueve, es como si los valores culturales de otros tiempos y lugares, los eventos organizados y la gente responsable por ellos, fueran colocados para responder a cualquier cosa que nos ha preocupado últimamente" (Sahlins 2002: 15).

3. Sahlins 1994: 387.

de acuerdo con Sahlins, "sincretismo no es una contradicción con su culturalismo [...] sino su condición sistemática".[4] Tales ideas nos proveen de un punto de apoyo para mirar el proceso social en una comunidad rural transnacional en la sierra sur peruana. Usando Cabanaconde como estudio de caso, este capítulo examina cómo los esquemas culturales duraderos, sincréticos en su naturaleza, contribuyen a dar forma a la experiencia migratoria transnacional, y cómo el uso de la tecnología de comunicaciones se basa en las prácticas existentes (locales y translocales) y también condiciona la cultura local y la sociedad. Empezaré con una discusión general de "cultura andina" y comunidad. Luego de observar a Cabanaconde y sus patrones migratorios, examinaré su fiesta principal, dedicada a la Virgen del Carmen, y que es el evento clave en la reproducción de esta comunidad transnacional. El capítulo, entonces, se dirige hacia los cambios recientes en la comunidad, incluyendo la introducción de nuevas tecnologías, así como procesos internos de cambio y diferenciación.

Cultura andina y comunidad

El concepto de cultura andina, "lo andino", recientemente ha estado bajo el ataque de diversos frentes, especialmente en los estudios peruanos.[5] Como lo propone Abercrombie: "sugerir la existencia de una cultura rural/indígena en los Andes, a la que se llama con frecuencia "andina", es usualmente caer víctima del estereotipo de "los indios" propuesto por los "no indios". En otras palabras, "lo andino" se estudia correctamente como una [generalmente utópica] imagen proyectada por variados grupos urbanos".[6] Cuestionar el "andinismo" ha sido saludable para la especialidad, forzando a los antropólogos a examinar el movimiento dinámico y las identidades plurales de los serranos.[7] De la misma forma, una mayor atención ha sido dirigida a las maneras en que las poblaciones indígenas de la sierra de Ecuador, Perú o Bolivia están firmemente ligadas y muy afectadas por las fuerzas políticas y económi-

---

4.   Ob. cit.: 389.

5.   Véase, por ejemplo, Poole 1990, Urbano 1992 y Starn 1991.

6.   Abercrombie 1991: 97.

7.   Véase Starn 1991.

cas internacionales. Más aun, se ha demostrado que existen grandes variaciones en cada contexto nacional: en algunas partes de cada uno de los países andinos, las orientaciones culturales indígenas y su vida ritual son vibrantes en su cotidianidad; en otras regiones, pueden estar ausentes.

Aun así, creo que la crítica y la subsiguiente devaluación de todo "lo andino" pueden también desempeñar un papel en los discursos culturales dominantes del Perú, que niegan la validez de las formas de vida andinas. Teóricamente, la crítica del andinismo presenta a la periferia serrana como culturalmente incoherente y sin representación; niega el poder y la presencia de una cultura practicada por millones de personas. Dado el relativo éxito de las movilizaciones basadas en la etnicidad, en Ecuador y Bolivia, descartar "lo andino" parece prematuro en los estudios peruanistas.[8] El hecho es que, mientras ellos participan y son afectados por diversos mundos sociales, políticos, económicos y culturales, hay millones de indígenas serranos que también tienen similares creencias y rituales, y una formación cultural particular que es claramente andina y que está ligada a nociones fundamentales de comunidad e identidad étnica. Esta formación forjada en un contexto colonial es todavía ignorada o denigrada por los discursos culturales dominantes, por los gobernantes en el Perú y en muchos escritos académicos. Como estudié en otras ocasiones,[9] la cultura andina se puede concebir como creada de una mezcla híbrida de costumbres locales con las formas políticas y las fuerzas ideológicas de los estados hegemónicos, indígenas e ibéricos. Algunas instituciones indígenas están todavía con nosotros, aunque en una forma revisada, porque fueron apropiadas y usadas como un medio de extracción de bienes y fuerza de trabajo por las autorida-

---

8. Nosotros vemos diferencias mayores en los panoramas político-culturales de estos países. Todos ellos tienen una larga historia de políticas coercitivas para tratar de asimilar a los indígenas o quebrar sus identidades y sus derechos sobre sus tierras colectivas y recursos. Sin embargo, hoy en Bolivia y Ecuador es claro que, con la movilización indígena (basada en su etnicidad) y el reconocimiento estatal en esos países como multiétnicos y pluriculturales, se han creado opciones emergentes para pensar fuera de la etiqueta de criollos y neoliberales en la construcción del Estado, como por ejemplo dar poder a los derechos culturales de los indígenas y respaldar las comunidades indígenas, sus recursos e identidades.

9. Gelles 1995, 2002.

des coloniales españolas y aquellas posteriores del Perú republicano. Otras fueron usadas para resistir los regímenes coloniales y poscoloniales. Estas instituciones, reproducidas y transformadas a través de la práctica diaria de millones de personas, actualmente varían mucho de una localidad a otra.

La base fundacional de esta producción cultural es la comunidad andina. Esto no quiere decir que la producción cultural andina no toma lugar en las ciudades del Perú, eso también sucede en los contextos urbanos. Sin embargo, las relaciones sociales y espirituales que hemos llegado a definir como andinas tienen lugar en los espacios comunales del campo. Las formas culturales y sociales generadas allí se extienden a través de gran parte de la sociedad peruana, urbana y rural. Si es cierto que solo el 25% de la población peruana vive en las 5.200 (o más) comunidades campesinas oficialmente reconocidas a través de la sierra, más del 45% del total de la población peruana puede trazar sus orígenes inmediatos en esas comunidades.[10] La comunidad andina es claramente un producto de la "matriz colonial"[11] y, durante el Virreinato, se mezclaron las formas sociales, culturales y políticas indígenas y europeas, constituyendo una nueva y única entidad. Muchas de las miles de comunidades serranas que pueblan el paisaje andino, controlando vastos territorios, fueron establecidas a fines del siglo XVI como poblaciones dispersas que fueron reubicadas por los españoles en asentamientos nucleados (reducciones) con el propósito de asegurar el tributo, control social y adoctrinamiento religioso. Desde aquella época, los gobiernos nacionales han fluctuado entre recortar las identidades comunales y

---

10.   Estamos hablando de alrededor de miles y miles de comunidades. Si nos referimos solo al Perú, hay 5.700 oficialmente reconocidas que controlan 18 millones de hectáreas de tierra y que dan hogar a 700.000 familias y varios millones de personas. De hecho, como lo ha dicho un importante estudioso, "las comunidades son un importante y creciente componente de los patrones de asentamiento rural y arreglos estables, y no, como se expresa con frecuencia, un declinante resto del tradicional y retrasado sistema rural o vacío caparazón del colonialismo que debiera ser abolida" (Mayer 2002: 37). Alternativamente llamadas comunidades indígenas, comunidades campesinas, resguardos y comunas (véase Selverston 1994 y Rappaport 1994), las comunidades oficialmente reconocidas tienen por lo general personalidad jurídica que les permite enfrentar peligros internos o externos que amenazan sus recursos.

11.   Fuenzalida 1970.

las formas colectivas de organización a las poblaciones indígenas o proveerlas de reconocimiento oficial y protección legal. En la actualidad, con las reformas neoliberales que están barriendo las naciones andinas y el resto de América Latina, vemos que el péndulo se inclina hacia las políticas pasadas del primer período republicano. Estas reformas amenazan con traer de nuevo sus antiguos males, como la concentración de la tierra y el ataque de diferentes industrias, intereses privados y agencias gubernamentales contra las comunidades serranas, sus regímenes de propiedad comunal y su identidad cultural.

Estas comunidades y la manera en que sus recursos e identidad le son negados o marginados por el presente o pasados regímenes deben también ser entendidas en los términos de orientación cultural y formación de identidad que liga gente, lugar y producción dentro de comunidades particulares. De hecho, este sentido de lugar es importante no solo para la construcción de la comunidad y de los cabaneños que viven allí, sino también para las vidas de los migrantes y la construcción de la comunidad de las colonias de cabaneños en el Perú y el extranjero. Como dice Basso, a partir de su investigación con los indígenas norteamericanos, "¿qué cosa son los lugares (espacios, territorios) para la gente? La pregunta es tan antigua como la gente y los espacios que ocupan, tan antigua quizá como la idea de hogar, de "nuestro territorio" opuesta a "su territorio". Se refiere a regiones enteras y paisajes locales donde los grupos de hombres y mujeres han invertido sus propias vidas (sus pensamientos, sus valores, su sensibilidad colectiva); es un territorio al cual sienten que pertenecen. Inevitablemente, la sensación del lugar se comparte con la de cultura; se comparte el cuerpo de conocimiento local (la frase es de Clifford Geertz) con el que personas y comunidades enteras dan significación a sus espacios y los proveen de importancia social (Basso 1996: XIII-XV).

Durante la época precolombina, y parte del período colonial, los andinos y las entidades políticas a través de los Andes centrales trazaron sus orígenes en los accidentes del paisaje, tales como montañas, lagos y manantiales. Salomon (1991), por ejemplo, muestra cómo en los inicios de la Colonia el uso del término *llaqta*, que puede ser traducido como 'pueblo', expresa un sólido lazo entre lo que él llama "lugar divino" o "deidad local", un territorio que fue visto como cuidador o guardián, y un grupo de gente que dependía de este territorio y que estaba favorecido por la deidad local. La identidad fue reconfigurada en el período colonial español a través de la fusión de creencias, prácticas e instituciones andinas e ibéricas en las "reducciones" o "pueblos indios". La manera en la que los santos católicos fueron incorporados en esta dinámica colonial es importante: actualmente, los pueblos son representados por el Santo Patrón y por otros santos menores, y todos ellos desempeñan una importante función en definir las identidades personales y comunales en la sierra. La prosperidad de cada familia, aldea o comunidad es vista principalmente como dependiendo de los frecuentes "pagos" a la deidad local o montaña, a la Madre Tierra o Pacha Mama y a una variedad de santos del panteón católico. Este es el rasgo clave de la vida en gran parte de los Andes, que define práctica ritual y vida social, así como identidad cultural y étnica. Estas creencias y rituales, y su sentido de lugar, condicionan poderosamente la identidad comunal/étnica de Cabanaconde, ejerciendo un papel significativo y afectando los ritmos de la migración transnacional.

Historia, migración transnacional y cultura local

Cuando hablamos de migración transnacional, nos estamos refiriendo al

> [...] proceso por el cual los migrantes forjan y sostienen relaciones sociales múltiples, simultáneas y aisladas, que las ligan con sus sociedades de origen y asentamiento. Al identificar un nuevo proceso de migración, los estudiosos de la migración transnacional enfatizan los caminos continuos y en movimiento en que los migrantes componen y constituyen su asimilación simultánea en más de una sociedad.[12]

Esta sección se dedica a examinar ciertos procesos culturales que "encajan" los migrantes en su "hogar", resaltando la particularidad cultural de la migración transnacional en el contexto de una comunidad andina.[13]

---

12. Basch y otros 1994: 73.

13. Miembros de grupos étnicos dominados, que constante e insistentemente cruzan las fronteras nacionales, tienden —hasta época reciente— a caer fuera de las categorías de análisis históricos, antropológicos y literarios (véase Kearny 1996). Esto parecer ser especialmente cierto, tomando una frase de Clifford (1992:110), con aquellas "etnicidades diaspóricas desigualmente asimiladas

La colonia de cabañenos asentada en Washington es la culmina-
ción de un proceso mayor y más antiguo de migración al exterior de la
gente de Cabanaconde. Ha existido un gran número de migraciones
estacionales y permanentes desde por lo menos la primera parte de
este siglo. Hacia 1930 había ya colonias de cabañeños en Arequipa y
Lima, y durante los años cuarenta una asociación de migrantes llamada
Centro Progreso de Cabanaconde fue establecida en esas ciudades. Sin
embargo, Cabanaconde ha experimentado mayores emigraciones
desde 1965, cuando el camino llegó a la comunidad. Hoy en día hay
aproximadamente 3.000 emigrantes en Lima y alrededor de 1.000 en
Arequipa. La gente de Cabanaconde estableció una primera cabeza de
playa en EEUU a principios de los años setenta. Un puñado de cabaneños creció hasta conformar una colonia de más de 250 habitantes en
el área de Washington. hacia 1992. Hoy día hay más de 600 cabañeños
en el área de Washington.

Muchos de los transmigrantes cabañeños, una vez establecidos
en su nueva nación (generalmente EEUU) y habiendo conseguido sus
documentos legales, regresan frecuentemente a su comunidad nativa
para invertir sus ganancias y renovar sus identidades personales y
culturales. Asimismo, la Asociación de la Ciudad de Cabanaconde
(Cabanaconde City Association) de Washington, y las asociaciones de
migrantes en Lima y Arequipa son parte importante en la vida de la comunidad, habiendo intervenido decisivamente en los conflictos entre
la comunidad y sus intereses externos. La fuerza de la colonia de los
cabañeños asentados en EEUU es visible cuando consideramos que la
Asociación de la Ciudad de Cabanaconde, fundada en 1983, es una de
las más poderosas asociaciones de migrantes peruanos en el área de
Washington. Al lado de muchos eventos culturales, celebraciones religiosas y actividades para reunir dinero que tienen lugar cada año,
hay campeonatos de fútbol en los que el equipo de cabañeños participa
contra asociaciones que representan a países enteros (por ejemplo, Caba-

---

a naciones-estados dominantes". Tal es el caso de los indígenas de las naciones
andinas, tal como los cabañeños, que migran a Estados Unidos (véase también
Altamirano 1990: 14). Recientemente se han publicado varios trabajos sobre
los indígenas migrantes de Otavalo, región del Ecuador, que muestran que la
identidad indígena, la globalización y la migración transnacional no son incompatibles (véanse Colloredo-Mansfeld 1999, Meisch 2002 y Kyle 2000).

naconde contra Nicaragua). La colonia transnacional de cabaneños es excepcional dado que la base para afiliarse no es un país, una región o una serie de comunidades, sino una sola comunidad. Hay razones históricas para esto, incluyendo el hecho de que Cabanaconde fue el asiento precolombino de un señorío autónomo. La comunidad actual es una comunidad numerosa, productora de maíz y relativamente próspera. Tiene un poderoso sentido de instituciones comunales que sirve como eje para la organización de las colonias. Los migrantes de Cabanaconde establecidos en Washington fueron capaces de recoger y extender sus experiencias de cincuenta años en las comunidades establecidas en Lima y Arequipa.

Asimismo, es importante contextualizar el reciente fenómeno de la trasmigración en términos de un proceso de larga duración que afecta la producción cultural y la vida comunal, examinado arriba en la sección sobre cultura andina y comunidad. Las conexiones del pueblo con fuerzas políticas y económicas de mayor alcance se ubican mucho tiempo atrás. Su actual identidad e instituciones comunales fueron forjadas en el contexto colonial. El señorío Cavana, uno de los dos mayores grupos étnicos en el valle del Colca en el tiempo de la invasión española, fue colonizado por los incas unos sesenta años antes de que llegaran los europeos. El pueblo mismo fue establecido en los años de la década de 1570 como parte de la reorganización española de la sociedad andina. Alrededor del mismo tiempo (1586), los líderes de los cavanas dijeron a los oficiales españoles de la Corona que sus ancestros habían surgido del monte Hualca Hualca, un pico de 6.000 metros que se eleva sobre el pueblo y que fue, y todavía es, la fuente de agua para el regadío. El reciente descubrimiento de la "Doncella de Ampato" y otro sacrificio humano patrocinado por el Estado incaico en la cumbre de una montaña cercana[14] demuestran que el Inca consagraba y simbólicamente se apropiaba del culto local de la montaña, tal como sucedió en Hualca Hualca, para extender y legitimizar su poder imperial. Ligado como estuvo en años pasados al poder político del Inca, hoy en día Hualca Hualca se mantiene como un importante foco de prácticas rituales y creencias religiosas del pueblo.[15] Como se describió en la sección previa, los pueblos

---

14.   Reinhard 1998.

15.   Hualca Hualca, el "cabildo" principal o montaña y deidad de los cabaneños, da vida a los campos gracias a su agua y acepta muchas ofrendas de sus

y aldeas andinas mantienen relaciones estrechas con su montaña local y deidades de la tierra, así como con ciertos santos católicos. Los campesinos serranos atribuyen a estas deidades actitudes benévolas o malignas. La identidad comunal y étnica del cabaneño de nuestros días reside en la conexión espiritual que liga a su pueblo con el cerro Hualca Hualca, así como con otras deidades que viven en el paisaje que rodea la comunidad y con el santo patrono, que en este caso es la Virgen del Carmen. Como proveedores de la fertilidad y de la vida, así como de las enfermedades, muerte y destrucción, estos diferentes espíritus protectores y emblemas de la identidad comunal deben ser aplacados con ofrendas rituales, libaciones y celebraciones religiosas. Esta ideología comunal encuentra su mayor manifestación en las grandes fiestas que celebran los pueblos a sus respectivos patrones, y esas fiestas son los pilares en la construcción de la identidad de las comunidades indígenas transnacionales.

La fiesta

La fiesta anual de la Virgen del Carmen, patrona de Cabanaconde es el evento clave para la producción y reproducción de la comunidad transnacional. La celebración, que dura cuatro días, se realiza a mitad de julio e inaugura un intenso período ritual asociado a la siembra. Durante la siembra, la población de Cabanaconde duplica su población en tanto que los migrantes de Arequipa, Lima y Washington retornan a pagar tributo a su santa patrona. En 1991, más de 35 transmigrantes regresa-

---

"hijos", pero reacciona negativamente cuando tales ofrendas son insuficientes o hechas de mala fe. Invocada en casi todos los rituales, Hualca Hualca es una montaña impresionante, con su pico cubierto de nieve en una cresta dentada y rocosa. La gente está orgullosa de esta característica geográfica y aparece en muchos relatos, mitos, dibujos de niños y en la conversación diaria. Como los cabaneños ven a Hualca Hualca como suya, también la consideran como una de las muchas e importantes montañas de la región, cada una de las cuales es también protectora y emblema de otras comunidades de Arequipa como de otras de las regiones andinas (por ejemplo, Cuzco; véanse Sallow 1987 y Allen 1988); además, tiene su propio sistema regional de adoración. Como en las reuniones políticas, de los que las montañas toman sus nombres, los sagrados "cabildos" tienen sus propias jerarquías expresadas en género y rango. El monte Hualca Hualca es "cabildo jefe" al que se debe mencionar siempre en las oraciones y libaciones.

ron para la fiesta y uno de ellos patrocinó la celebración gastando más de 20.000 dólares en ello.[16] Esta familia fue la primera de muchas de Washington que usaron sus dólares para financiar la fiesta patronal de manera extravagante. De hecho, durante varios años, por lo menos uno de los responsables de la fiesta ha sido un migrante relativamente rico. Por ejemplo, en el año 2000, otra familia con miembros en Washington sobrepasó en mucho a los responsables anteriores; contrataron a más de 80 músicos e hicieron el más notorio despliegue de fuegos artificiales que se haya visto en la región. Asistieron más de 125 transmigrantes. También en el 2001, otra familia de transmigrantes auspició la fiesta. Esa vez, el número de transmigrantes que asistieron a las celebraciones sobrepasó los 150, y el costo fue aun más elevado y la fiesta incluso más estrafalaria que las anteriores.

La importancia de la fiesta se encuentra en que también se celebra en las colonias de cabaneños. Mientras que la fiesta es objeto de un peregrinaje nacional y transnacional a su tierra de origen, desde otras partes del Perú y del exterior (hay un número creciente de cabaneños en España y algunos en Japón), la Virgen del Carmen también es celebrada con auspiciadores, procesiones y fiestas por las asociaciones de migrantes en Lima y Washington (esta última fiesta se realiza cada 28 de julio, día de la independencia del Perú, en reemplazo del día de la patrona). No obstante, estas celebraciones (que solo tienen un responsable en lugar de dos, como en la comunidad) son realmente llevadas a cabo para aquellos que no pudieron hacer el viaje de regreso a la verdadera fiesta de Cabanaconde.

Pero ¿qué cosa significa la fiesta, aparte del prestigio del responsable y del influjo de dólares para la comunidad? Es muy claro que la Virgen del Carmen es una íntima parte de lo que significa ser cabaneño; ella es el emblema de la identidad étnica, y las personas producen y reproducen sus identidades personales, culturales y colectivas en la fiesta. Sin embargo, la fiesta también tiene una potente lógica ritual: la Virgen debe ser festejada propiamente cada año para asegurar la fertilidad y el bienestar del pueblo, sus cultivos y sus ganados. Los transmigrantes que patrocinan la fiesta participan totalmente de esta lógica cultural; se sabe que la Virgen premia a aquellos de sus hijos que le hacen el ho-

---

16. Véase Gelles y Martínez 1993.

nor de financiar la fiesta. Los transmigrantes buscan que sus vidas sean bendecidas en el Perú, así como en EEUU. Pero a esta combinación de persona y lugar se suman otras conexiones espirituales que establecen lazos entre ellos. Como se verá a continuación, los responsables deberán también presentar su respeto y ofrecer rituales al monte Hualca Hualca durante la fiesta católica. De esta manera, los auspiciadores, migrantes y locales, participan en este duradero ritual dentro de los mismos esquemas culturales.

Por ejemplo, siempre hay dos patrocinadores que compiten entre sí ("devotos") y tratan de hacer uno más que el otro. Compiten a través de la fiesta: ¿quién tiene el mejor y más grande grupo de músicos?, ¿quién puede reclutar más danzantes en la plaza principal?, ¿a quién le pertenecen los toros más valientes en el coso?, ¿quién tiene los mejores fuegos artificiales?, etc. Este tipo de oposición complementaria está ligada a un número de dominios sociales y semánticos en la sociedad andina. De hecho, la idea de alternar entre posiciones opuestas es vista por la gente del pueblo como la dinámica de un proceso que empuja a la sociedad hacia adelante, y que trae importantes beneficios tales como fertilidad y prosperidad. En efecto, hasta los años cuarenta, los patrocinadores en competencia provenían de las dos mitades que componían la comunidad: la mitad superior (*anan saya*) y la mitad inferior (*urin saya*). Esta división dual puede encontrarse en épocas tan pasadas como la difusión del modelo imperial incaico para controlar los recursos y la gente a través de los Andes centrales. Este sistema de mitades que puede englobar todo fue tomado por el Estado español por razones extractivas y se convierte en un espacio localizado, en este caso en la reducción de Cabanaconde.[17] La división de la población y de todos sus recursos productivos en dos mitades permaneció sólida hasta la mitad del siglo XIX. Actualmente, son solo los recursos, no la población, lo que se clasifica en *anan saya* o *urin saya*.

La competencia entre los devotos de la fiesta de la Virgen del Carmen tiene sus bases en la reapropiación de los españoles de la división de mitades; esto se evidencia por el hecho de que los campos de las hermandades religiosas ("chacra cofradías") están divididas a lo largo de líneas de *anan saya* y *urin saya*. Casi cada santo tiene una chacra *urin sa-*

---

17. Gelles 1995.

ya y una *anan saya* en su nombre. Hasta los años cuarenta, los devotos de esas fiestas venían de los dos lados del pueblo. En cierto grado, todavía hoy los dos devotos continúan siendo conceptualizados en términos de la división de mitades; a menudo se hace referencia a ellos como "el devoto de la parte alta y el de la parte baja". Incluso antes de que la fiesta comience, cada responsable debe movilizar un grupo grande de jinetes para traer el ganado bravo; uno de los "devotos" agrupa el ganado en los pastos de "arriba" (*anaq altus*), mientras que el otro hace lo mismo con el ganado de los pastos de la parte "baja" (*uray altus*). La gente que vive en el costado bajo del pueblo todavía tiende a tener su ganado en los pastizales *uray*, mientras que los que viven en el lado alto del pueblo lo tienen en los pastizales *anaq*; tales pastizales son claramente un productivo dominio condicionado por el colonialismo incaico y español. Sin embargo, la rigidez de las divisiones impuestas se ha erosionado ahora. Aun así, la competencia permanece y se hace para ver cuánto ganado salvaje puede ser llevado al coso. Junto a la plaza principal, donde las bandas de los dos devotos compiten para atraer el mayor número de danzantes cada noche, de tal forma que el coso o plaza de toros se convierte en el centro de la competencia durante los días de fiesta. Hay dos corrales cerrados en cada lado del coso, uno por cada uno de los patrocinadores. Maestros curanderos o *paqus* (especialistas en ritual, uno por cada devoto) queman ofrendas (*q'apa*) y hacen libaciones (*tinkay*) por cada toro que entra a luchar para que puedan comportarse con valor. Maldiciones y contramaldiciones son a veces usadas para que los toros del rival caigan o hagan una pobre presentación. Ofrendas y libaciones se dirigen también a Hualca Hualca y a otros espíritus de las montañas de los pastizales para que el ganado sea fértil y esté protegido de todo peligro.

Estas son algunas de las orientaciones culturales que dan forma a las actividades de los participantes de la fiesta, y por las cuales los "devotos" migrantes y locales consolidan su nivel social y su prestigio. La música, el baile, las procesiones y las corridas de toros son el objeto de atención de todos (migrantes o locales) mientras dura la fiesta. Una mezcla explosiva de envidia y admiración que recibe a los migrantes es evidente durante esos días. Los patrocinadores transmigrantes son observados con especial cuidado y los locales muchas veces prefieren honrar o premiar al patrocinador local, a pesar de que su esfuerzo pudo no ser tan grandioso como el que lograría concretar alguien que ya vive fuera del pueblo. Cuál de los dos patrocinadores genera más energía y excitación es algo que el público general compara y comenta. Como responsables por la celebración clave de la comunidad, la que propicia e invoca las bendiciones de la Virgen patronal, la conducta de los "devotos" está en tela de juicio. Concluir exitosamente el cumplimiento de su tarea o "cargo" da la señal a todos de que tienen un manejo superior de las fuerzas sobrenaturales y sociales, y que serán bendecidos.

Lo que he tratado de enfatizar hasta aquí es que existen ciertas estructuras de significado así como procesos rituales que están detrás de la actividad e identidad cultural de locales y migrantes durante la celebración de la fiesta de la Virgen del Carmen. Formas de entendimiento basadas en el carácter comunal continúan ejerciendo una mano firme sobre los cabaneños, incluso sobre los que vienen de tan lejos como de Washington.

Televisión, teléfonos y otras transformaciones

Además de las influencias culturales y sociales traídas por la esporádica pero continua presencia de migrantes, la comunidad está continuamente ligada al mundo de afuera a través del turismo y de un número de nuevas tecnologías de comunicación que contribuyen a acelerar el proceso de transformación cultural y a complicar los lazos entre Cabanaconde, sus colonias y la economía global. Un largo número de migrantes cabaneños en Washington, así como productores de video locales usan tal tecnología para grabar las costumbres locales, así como para mostrar a los familiares y amigos en Cabanaconde cómo es la vida en EEUU. Cuatro estaciones de radio han aparecido en el pueblo en la última década, y trasmiten informaciones importantes para Cabanaconde y otros pueblos y aldeas cercanas. En julio de 1998, se instaló un teléfono público; desde entonces, otros tres han seguido y hay otros también en camino de ser instalados. Por el mismo tiempo, Cabanaconde se conectó con la red nacional de electricidad y tiene fluido eléctrico las 24 horas del día, y otros tipos de tecnologías están esperando su turno.

Algunos antropólogos han sostenido que la tecnología y las comunicaciones con frecuencia no solo producen transformaciones sociales y la quiebra de las comunidades indígenas, sino que también son empleadas de manera estratégica por las comunidades para reforzar sus identidades comunales y étnicas.[18] Las nuevas tecnologías tienen diferentes efectos en Cabanaconde: algunas han sido usadas para importar valores e ideas del exterior y de culturas dominantes; otras son usadas para reproducir la cultura indígena tradicional. Estos cambios han llegado rápido y furiosamente a Cabanaconde. A mediados de los años ochenta, llegó el primer Betamax y se convirtió en un teatro de cine en miniatura. Antes de eso, el evento mayor de comunicación masiva era una película anual de Navidad, proyectada en el local de la parroquia. Alrededor de 1985, un comerciante mestizo de una región cercana empezó a llevar Betamax al pueblo, usando un generador a gas y cobrando la admisión para ver los filmes en una tienda local. Pronto apareció un par más de esos modestos "teatros". De 1987 a 1988, cuando yo vivía en esa comunidad, como tres de esos teatros (cada uno con 20 a 75 asientos) estaban completamente llenos varias noches por semana. Los jóvenes, algunos de los cuales nunca habían estado en Arequipa, ahora podían ver a Bruce Lee, Arnold Schwarzenegger y una variedad de películas de Kung Fu. Los filmes tuvieron un fuerte impacto en la juventud de la comunidad, así como los adultos se mostraron indiferentes a esta presencia de Hollywood. Varios de los mayores calificaron esas películas como destructoras de los valores comunales e incluso pornográficas. Hasta bien entrados los años noventa, la calle principal y la plaza eran los únicos lugares con electricidad y postes de luz (y aun estos solo estaban encendidos por algunas horas desde el ocaso hasta las nueve de la noche), y eran el centro de la "modernidad" del pueblo. En realidad, el sistema era muy vulnerable, basado en el poder de un generador de gas y con un operario nombrado por el pueblo; cuando este tenía cosas que hacer fuera del pueblo o se emborrachaba, no había luz ni electricidad.

Sin embargo, estos espectáculos despertaron el interés de unos cuantos residentes que compraron aparatos de televisión con VCR y generadores para sus hogares; ahora ellos podían ver escenas de la vida fuera de la comunidad, así como la variopinta producción local como se describirá más adelante. Pero recién con la instalación de una antena parabólica en 1993 podemos decir que la televisión llega a esta comunidad. Su presencia creció rápidamente al punto de que la gran mayoría de los hogares cabaneños ahora tiene aparatos de televisión y son muchos los que también han comprado equipos VCR.

---

18. Por ejemplo, véanse Moore 1994 y Turner 1991.

Los efectos culturales y políticos de la televisión y del VCR son variados incluso dentro del mismo pueblo. Hay un gran debate entre los pobladores sobre el efecto de la televisión y los productos culturales que deben ser trasmitidos a través de la antena parabólica. La oficina del alcalde decide cuál de los canales será visto en cada caso. Esto crea conflictos porque hay diferentes preferencias en la población (por ejemplo, unos quieren ver telenovelas, mientras que otros prefieren partidos de fútbol). Ciertos programas son censurados; por ejemplo, "Laura en América", el programa de Telemundo que tiene como presentadora a la controvertida abogada Laura Bozzo, es considerado por muchos pobladores como una influencia corruptora, especialmente para la juventud. Sin embargo, de vez en cuando, escapa de la censura. Asimismo, algunos residentes piensan que las telenovelas —que son consideradas como pornográficas por algunos de los ancianos— han llevado a aumentar la promiscuidad y el adulterio en el pueblo, y la quiebra general de las costumbres y la moral de la localidad. Aun así, todos con los que hablé durante mi trabajo de campo estuvieron de acuerdo en que ver las noticias es positivo y que ellos no están ya a oscuras de los eventos nacionales e internacionales. La televisión es un tema de reacciones encontradas para la mayoría de la gente, pero su creciente influencia sobre la familia y la vida social es innegable. Quizá lo más significativo desde un punto de vista cultural o político sea la promoción de la cultura dominante sobre la sociedad rural andina, dado que la programación y avisaje están siempre en español (nunca en quechua, la lengua que también se habla en Cabanaconde); y los personajes que protagonizan las actuaciones o los comerciales de manera mayoritaria son individuos de la clase alta, "blancos" o "mistis", cuyos estilos de vida tienen muy poco en común con aquellas de la sociedad serrana.[19]

---

19. La división clave en el Perú es entre la costa y la sierra. Sin embargo, hay una constante y dinámica interacción y transferencia entre ambas regiones (véase, por ejemplo, Pærregaard 1997), que son conceptualizadas y se habla de ellas como íconos de diferentes culturas: la cultura criolla de la costa y la cultura andina de la sierra. Los habitantes de estas dos regiones frecuentemente se refieren a ellas como costeños y serranos, respectivamente. Los migrantes andinos, como los criollos urbanos en general, restringen sus movimientos a sus enclaves particulares en esas dos regiones. Su identidad plural está condicionada por culturas radicalmente diferentes asociadas a cada región. Ambos espacios geográficos y culturales son reconocidos formando parte de una comunidad

Estratificación étnica y pluralismo cultural están íntimamente ligados. La forma en que las categorías coloniales (como indio, cholo, mestizo, negro, blanco, criollo) han sido asimiladas por los campesinos de los Andes se une a un proceso por el cual sus esquemas culturales son marginados por el Estado-nación y por sus discursos populares, tal como se encuentran en la televisión y otros medios de comunicación. "Etnicidad" en las palabras de Jean y John Comoroff, mientras "es el producto de un proceso histórico específico, tiende a tomar la apariencia 'natural' de una fuerza autónoma".[20] Hoy en día la televisión es una nueva y potente fuerza en la comunidad que promueve esta "naturalización". La publicidad que se ve impresa en la televisión, en carteleras y paneles, etc. retrata casi siempre al ciudadano consumidor ideal, como un hispanohablante y blanco (a veces mestizo), mientras que los indígenas son parodiados grotescamente en los *shows* de televisión y en la prensa nacional. En general, discursos populares o nacionales presentan a los hispanohablantes blancos (a la minoría que mira a Occidente) como modelo de modernidad, que da cuerpo a la legítima cultura nacional y clave para el futuro de la nación.[21] Como afirma el antropólogo Thomas Abercrombie,

> Dadas sus ventajas, no es sorprendente que rasgos del sistema de valores del colonizador se hayan hecho hegemónicos y que ese estigma, que desde hace tiempo los europeos lo atribuyen a la "individualidad", haya tomado cuerpo también entre los indígenas.[22]

---

mayor imaginada. Sin embargo, la cultura criolla y la sociedad costeña mantiene el lugar protagonista en la construcción de la nación peruana.

20. Comoroff y Comoroff 1992: 54, 60.

21. En el Perú, el discurso cotidiano de serranos y criollos está enlazado con referencias a raza y estereotipos negativos asociados al término "indio" que ha sido internalizado por la gente andina. Esto se expresa de muchas maneras, tales como cuando algunos indígenas niegan que hablan quechua o escogen usar su apellido materno si es menos "indio" que el paterno. Las categorías coloniales y las actitudes racistas que fueron instituidas en el Perú durante el período colonial y ligadas al tributo han sobrevivido con increíble virulencia. En la actualidad, el término "indio" es parte de una expresión racial usada para designar diferencias étnicas y de clase entre individuos, y la resonancia de la condición "blanco" cuyo poder es todavía fuerte a través de las naciones andinas (véanse Weismantel 1989, y Valderrama y Escalante 1977).

22. Abercrombie 1991: 96.

La abrumadora mayoría de productos culturales que se trasmiten en la televisión peruana refuerza la duración del proceso de subordinación étnica y la marginalidad cultural.

Sin embargo, otras tecnologías han sido usadas no solo para difundir imágenes y productos culturales de la sociedad dominante, sino también para reproducir la cultura andina en casa y en el extranjero. Desde que comenzaron los rústicos teatros de videos que fueron llevados por primera vez a la comunidad a fines de los años ochenta, también llegaron las primeras videograbadoras traídas por los transmigrantes de Washington para poder grabar la fiesta de la Virgen del Carmen. Hacia 1991, varias de las familias visitantes llevaron equipos de filmación; y una industria doméstica de grabación y filmación del festival empezó a tomar cuerpo. En aquellos años un cabaneño residente en Lima comenzó a filmarlo y editarlo cada año para venderlo a las familias patrocinadoras, así como a los residentes de Cabanaconde en Lima y Washington. Más recientemente, un cabaneño que vive en Cabanaconde ha comenzado un servicio similar como videoasta contratado por diferentes familias. A veces, hay personas, sobre todo si son los "devotos", que prefieren llevar su propio videoasta y lo contratan de Lima o Arequipa. En resumen, se trata de una fiesta que ha sido filmada numerosas veces. Muchos de los cabaneños asentados en Washington tienen colecciones de videos de ese y otros rituales (como los que se dedicaron a la montaña o a la tierra), y hay varias versiones de la fiesta de la Virgen del Carmen circulando a través de los hogares de Maryland, Virginia, Washington, Lima y Arequipa, así como en el propio Cabanaconde. Actualmente, con 24 horas de electricidad y televisión en la mayoría de los hogares, y VCR en muchos de ellos, hay una voluminosa circulación de bienes culturales entre Washington y Cabanaconde que incluyen los últimos éxitos musicales de EEUU a Cabanaconde, así como videos de las últimas fiestas de este lugar a EEUU.

El teléfono ha incrementado las comunicaciones entre las diferentes colonias y la comunidad, lo que viene a ser parte del proceso de privatización de esta industria, ahora en manos de la empresa española Telefónica. Con el teléfono, una tecnología muy apreciada por la población local, es posible comunicarse con los familiares en Arequipa, Lima o EEUU con solo levantar el auricular del fono. Por menos de un dólar pueden marcar directamente a EEUU. De la misma forma en que los migrantes en Washington pueden saber dónde está pastando su ganado o coordinar los calendarios agrícolas o los preparativos festivos, la gente de Cabanaconde está informada de las diferentes ocupaciones y actividades culturales de sus parientes en EEUU. Sin embargo, la mayoría de las llamadas son para los familiares en Arequipa y Lima. Muchos de los cabaneños que viven en EEUU ahora usan internet y mantienen contacto a través del correo electrónico con sus parientes en Arequipa y Lima. Durante las conversaciones telefónicas pasan fácilmente del quechua al español (y algunas veces al inglés); el correo electrónico se usa casi exclusivamente en español. Asimismo, desde hace varios años ha existido una considerable discusión entre los educadores locales y los visitantes, al igual que entre los migrantes y los que viven en la comunidad, acerca de establecer una conexión de internet para el colegio. Con la reciente inauguración del internet en el Consejo Municipal de Cabanaconde en febrero del 2005, parece que este sueño se hará realidad en un futuro cercano.

El turismo es otra pujante fuerza de cambio que Cabanaconde ha experimentado desde mediados de los años noventa, en razón de los cientos de turistas que llegan cada mes —a veces, cada día— a la comunidad. Nuevos hoteles han surgido, dos de ellos de varios pisos; restaurantes y servicios de guías también han surgido para cubrir las nuevas demandas. Se practican diferentes clases de turismo: el que se conoce como de aventura o ecológico, llevando mochileros al valle del Colca en circuitos de caminatas; otros turistas son transportados en camionetas y ómnibus para ver los cóndores, que llegan y se van el mismo día; incluso hay otros que son invitados a participar en "auténticos" rituales de montaña y otras prácticas esotéricas por los chamanes locales. Hoy en día, tales chamanes invocan a veces al monte Hualca Hualca para atraer a los cóndores para que sean fotografiados por los turistas. En resumen, el turismo ha impactado en la comunidad en muchos niveles; sin embargo, sus beneficios económicos solo alcanzan a unos pocos individuos.

Otros procesos de diferenciación y cambio

Sería muy fácil asumir que la introducción del turismo, las nuevas tecnologías o la migración transnacional son los mayores agentes de cambio en una comunidad rural como Cabanaconde. Sin embargo, hay otros procesos determinantes que están impactando en la estructura de la sociedad local. Dos de estas fuerzas locales son la radio y la habilitación de las tierras de cultivo. En la última década, cuatro estaciones de radio surgieron en un pueblo donde antes no existía ninguna. Toda estación que se escuchaba en la comunidad se transmitía desde Arequipa. Desde allí llegaba la música chicha o huaynos, los géneros preferidos del pueblo. Además, se enviaban mensajes a la gente de Cabanaconde y los pueblos cercanos para avisarles de la llegada de un pariente o para saludar por los cumpleaños de alguno de los familiares de los migrantes; pero, con las nuevas estaciones en el pueblo, las de Arequipa no pudieron seguir enviando su señal. Irónicamente, el desarrollo de las estaciones locales significó la pérdida de conexiones radiales con el exterior, debido a la competencia sobre ondas radiales. El huayno y la chicha (o tecnocumbia) todavía suenan a través de las calles de Cabanaconde, pero ahora se emiten desde el propio pueblo. Más aun, muchas bandas de música de Cabanaconde reciben un considerable espacio radial. La programación es sobre todo en español y, a pesar de que muchos de los *discjockey* locales imitan a sus colegas arequipeños en sus estilos, algunos lo hacen en quechua. Transmitiendo al pueblo y a otras villas de la parte baja del valle del Colca, esas estaciones están conectando a la comunidad con sus productos culturales propios.

Otra fuerza que ejemplifica los procesos locales de los cambios comunales es la manera como desde 1988 el pueblo ha recobrado más de mil hectáreas de terrazas abandonadas, duplicando su terreno. Esta nueva tierra ha significado gran prosperidad para los lugareños y un creciente patrón de asentamientos diversos (dado que la gente construye residencias en sus nuevos terrenos). Esta recuperación de las tierras también ha significado que muchos cabaneños hayan optado por un retorno permanente de Arequipa y Lima y, al menos en un caso, desde EEUU. Muchos de los que se han establecido en Washington han tratado (la mayoría sin fortuna) de reclamar nuevas parcelas durante sus viajes anuales o de cada medio año a la comunidad. También se ha generado un notable flujo de gente que ha llegado de la parte superior del valle del Colca y de otras regiones sureñas de los Andes, tales como Puno y Cuzco. Muchos de los llamados "caballeritos",[23] pastores de esas

---

23. Véase Gelles 2002.

regiones que antiguamente fueron trabajadores migrantes en Cabanaconde, durante la estación de cosecha, ahora están ganando acceso a
la reciente tierra recuperada. En general, ellos son los guardianes o
aparceros de esas nuevas tierras, pero algunos están intentando com-
prarlas y reclamar su titulación. Si bien todavía ayudan a llevar la cosecha a las cabaneños, muchos de los nuevos migrantes buscan y consiguen residencia permanente dentro de la comunidad. Después de cinco
años de residencia en el pueblo, estos puneños, cuzqueños y otros foráneos son elegibles para ser comuneros con los mismos derechos y obligaciones. Algunos adoptan el estilo de vestimenta cabaneña, mientras
que otros mantienen sus propias ropas regionales. En este proceso,
nuevas formas de diferenciación de clase y etnia están surgiendo en la
comunidad.

Discusión y conclusiones

Este capítulo ha ilustrado de qué manera la gente de Cabanaconde y su
colonia de transmigrantes tienen un particular modo de transformación
y cómo "colocan los bienes foráneos al servicio de ideas domésticas".[24]
Esto es más evidente cuando consideramos que la fiesta de la Virgen
del Carmen, que es en sí misma un híbrido de formas culturales y sociales ibéricas y andinas, es también el corazón ritual de la reproducción
anual de esta comunidad transnacional. Sin embargo, al buscar la importancia de la producción cultural de la localidad en la migración y
en las comunicaciones, no pretendo negar el poder de transformación
que ejercen el capitalismo y las reformas neoliberales en la región, ni el
tremendo impacto que han causado los transmigrantes en su comunidad. Envíos (de dinero, sobre todo), el nuevo diseño local de las jerarquías y prestigio a través del patrocinio de la fiesta, y las nuevas casas
y antenas que surgen a través del pueblo son solo los signos más visibles
de este impacto.

No obstante, como he mostrado aquí, las ideas locales y la práctica
ritual contribuyen en gran medida a la forma y el contenido de este impacto, y a la experiencia migracional en general. Por una parte, el pueblo
debe ser entendido en términos de una diáspora mayor de los cabaneños,

---

24. Sahlins 1994: 388.

y de la pluralidad de identidades producidas allí, así como en la manera en que las nuevas tecnologías y los productos culturales han sido importados y están transformando la comunidad. Asimismo, los cabaneños locales y los migrantes usan muchos y diferentes esquemas culturales en su tránsito por las comunidades, pueblos y ciudades del Perú y otros países. Por otra parte, los esquemas culturales de larga duración —tales como los que se refieren al ritual de la montaña local y a la celebración de la Virgen del Carmen— mantienen todavía una fuerte influencia sobre la vida comunal, y son cuidadosamente recogidos y difundidos a través de la tecnología de punta. Cabanaconde exporta la fiesta y sus orientaciones culturales a Arequipa, Lima y Washington.

La lógica cultural del patrocinio de la fiesta —honrar a la Virgen y buscar bendiciones para propiciar la sacralidad del paisaje a través de rituales de montaña, y la competición entre opuestos y complementarios patrocinadores— es bien conocida y muy importante para los locales y los migrantes. El patrocinio de los transmigrantes y la presencia de más de cien migrantes en el pueblo durante la fiesta la convirtieron en una celebración diferente, mucho más ostentosa que la que podía verse hasta los años noventa. Los patrocinadores que tienen como base Washington ganan prestigio ateniéndose a las reglas locales que rigen la forma cultural y la alegría de la fiesta. Así, todos saben que la fiesta es el punto de partida de un prolongado período ritual asociado al sembrío de los cultivos, lo que incluye la limpieza de los canales de irrigación y los pozos de agua, festejando a la Pacha Mama el 1 de agosto y el *solay* o los rituales de sembrío propiamente dichos. Muchos de los migrantes se quedan varias semanas después de la fiesta para participar en esas diferentes actividades rituales. La orientación que reúne gente, lugar y producción trasciende los límites de la comunidad y reposa en el corazón de la cultura, lo que es recordado y reproducido en las esferas urbanas e internacionales.

Dirigiendo la atención a la producción cultural de la periferia, he mostrado que hay otros procesos (locales y translocales) que han ocurrido independientemente de la migración y que también están transformando a la sociedad cabaneña. La introducción de la televisión, los teléfonos y el turismo se desarrolló ajena a los migrantes y tuvo más relación con las reformas económicas neoliberales en el total de la región. Mientras una gran cantidad de nuevos productos culturales han encontrado su camino en la comunidad, hemos visto que el uso de la nueva

tecnología de comunicación también se alimenta de las maneras cono-
cidas por la comunidad para afirmar su identidad local y comunal. Lo
mismo es verdad en otras regiones andinas, como en Otavalo, Ecuador,
donde varios estudiosos han mostrado que la identidad indígena, la
globalización y la migración no son incompatibles, pero que interactúan
en formas complejas.[25] Desde muchas perspectivas, comunidades indígenas transnacionales como Cabanaconde y Otavalo pueden ser vistas
como poderosos y activos centros de producción cultural y económica
antes que la débil periferia de aquellos migrantes que viven en Washington.[26] Además de la función central de la fiesta en la vida transnacional
de la comunidad y de la producción cultural exportada a Washington,
vemos que en la recuperación de tierras hay procesos en funcionamiento
(de política local, sociales y culturales) que son autónomos de las consideraciones del presente sistema mundial y que tienen un importante
papel en la estructuración de la vida comunal. Al igual que los cabaneños que viven en Estados Unidos y que están migrando para buscar
mejores trabajos, obtener la residencia, negociar otra clasificación étnica
diferente y tratar de pertenecer a una nueva "comunidad imaginada",[27]
muchos pobres pastores de otras regiones andinas están haciendo lo
mismo en Cabanaconde.

En conclusión, la migración transnacional y las tecnologías mediá-
ticas pueden ser vistas como el final opuesto de un abanico antropoló-
gico que empezaría con los rituales de montaña y la fiesta de la Virgen.

---

25. Véanse, por ejemplo, Colloredo- Mansfeld 1999, Meisch 2002 y Kyle 2000.

26. Por supuesto, como sostengo aquí, la naturaleza sincrética de la cultura local
se debe al hecho de que Cabanaconde está actualmente y ha estado desde
tiempo atrás en la periferia de estados organizados con estructuras muy cen-
tralizadas. Por ejemplo, en mayo de 1996, los restos congelados de la "Doncella
de Hielo", una niña sacrificada por el Estado incaico 500 años atrás, en la
cumbre de una de las montañas sagradas de Cabanaconde (Ampato, cerro
vecino de Hualca Hualca), fueron llevados a la National Geographic Society
de Washington. En su presentación estuvieron Hillary Clinton, la primera da-
ma de EEUU; Alberto Fujimori, quien fuera el presidente peruano en esos
años; y varios de los migrantes cabaneños. El evento subrayó el hecho de que
los cabaneños y sus antepasados estuvieron siempre firmemente ligados a
procesos políticos de largo alcance: el uso que hacía el inca de la adoración de
las montañas para legitimar el poder de su Estado en el siglo XV, o la mirada
exótica de EEUU y el circuito de migrantes transnacionales del siglo XX.

27. Anderson 1983.

El otro final evoca sistemas mundiales y condición posmoderna con migrantes en la movida, con identidades plurales y límites culturales híbridos; mientras que los rituales de montaña y las fiestas conjuran la imagen de una envejecida antropología modernista preocupada por entidades sociales discretas, identidades fijas y estructuras sociales duraderas. Creo que tal división refleja más las ciencias sociales que la realidad cultural de las naciones andinas y sus comunidades indígenas. Los cabaneños y otros serranos transitan de manera creciente fronteras regionales, nacionales e internacionales, descubriendo nuevos mundos, adoptando nuevas tecnologías y prosperando. Lo hacen sin necesidad de sacrificar sus orientaciones culturales; más bien, están demostrando que su peculiaridad cultural es enteramente compatible con la "modernidad", los espacios urbanos, la migración transnacional y la movilidad social.

Bibliografía

ABERCROMBIE, Thomas A.
1991   "To Be Indian, to Be Bolivian: 'Ethnic' and 'National' Discourses of Identity". En Urban, Greg y Joel Sherzer (eds.), *Nation-States and Indians in Latin America*. Austin: University of Texas Press, pp. 95-130.

ALTAMIRANO, Teófilo
1990   *Los que se fueron: peruanos en Estados Unidos*. Lima: Pontificia Universidad Católica del Perú.

ALLEN, Catherine
1988   *The Hold Life Has*. Washington, D.C.: Smithsonian Institution Press.

ANDERSON, Benedict
1983   *Imagined Communities: Reflections on the Origin and Spread of Nationalism*. Londres: Verso.

BASCH, Linda, Nina GLICK SCHILLER y Cristina SZANTON BLANC
1994   *Nations Unbound: Transnational Projects, Postcolonial Predicaments, and Deterritorialized Nation-States*. Langhorne, Pennsylvania: Gordon and Breach.

BASSO, Keith
    1996   *Wisdom Sits in Places: Landscape and Language Among the Western Apache.* Santa Fe: University of New Mexico Press.

CLIFFORD, James
    1992   "Travelling Cultures". En Grossberg, Lawrence; Cary Nelson y Paula Treichler (eds.), *Cultural Studies.* Nueva York: Routledge.

COLLOREDO-MANSFELD, Rudy
    1999   *The Native Leisure Class: Consumption and Cultural Creativity in the Andes.* Chicago: University of Chicago Press.

COMAROFF, John y Jean COMAROFF
    1992   *Ethnography and the Historical Imagination.* Boulder: Westview Press.

FUENZALIDA, Fernando
    1970   "La matriz colonial". En *Revista del Museo Nacional* 35, pp. 91-123.

GELLES, Paul H.
    1995   "Equilibrium and Extraction: Dual Organization in the Andes". En *American Ethnologist* 22: 4, pp. 710-42.
    2002   *Agua y poder en la sierra peruana: la historia y política cultural del riego, rito, y desarrollo.* Lima: Pontificia Universidad Católica del Perú.

GELLES, Paul H. y Wilton MARTÍNEZ
    1993   *Transnational Fiesta: 1992.* Video. Berkeley: Center for Media and Independent Learning.

KEARNEY, Michael
    1996   *Reconceptualizing the Peasantry: Anthropology in Global Perspective.* Boulder: Westview Press.

KYLE, David
    2000   *Transnational Peasants: Migrations, Networks, and Ethnicity in Andean Ecuador.* Baltimore: Johns Hopkins University Press.

MAYER, Enrique
2002   *The Articulated Peasant: Household Economies in the Andes.*
        Boulder: Westview Press.

MEISCH, Lynn
2002   *Andean Entrepreneurs: Otavalo Merchants and Musicians
        in the Global Arena.* Austin: University of Texas Press.

MONTOYA, Rodrigo
1987   *La cultura quechua hoy.* Lima: Hueso Húmero.

MOORE, Rachel
1993   "Marketing Alterity". En Taylor, Lucien (ed.), *Visuali-
        zing* Theory. Nueva York: Routledge, pp. 126-39.

OSSIO, Juan M.
1992   *Los indios del Perú.* Madrid: MAPFRE.

PÆRREGAARD, Karsten
1997   *Linking Separate Worlds: Urban Migrants and Rural Lives
        in Peru.* Nueva York: Berg Publishers.

POOLE, Deborah
1990   "Ciencia, peligrosidad y represión en la criminología
        indigenista peruana". En Aguirre, Carlos y Charles
        Walker (eds.), *Bandoleros, abigeos y montoneros.* Lima:
        Instituto de Apoyo Agrario, pp. 335-68.

RAPPAPORT, Joanne
1994   *Cumbe Reborn: An Andean Ethnography of History.* Chica-
        go: The University of Chicago Press.

REINHARD, Johan
1998   *Discovering the Ice Maiden: My Adventures on Ampato.*
        Washington, D.C.: National Geographic Society.

SAHLINS, Marshall
1990   *Islands of History.* Chicago: University of Chicago Press.
1994   "Good-bye to Tristes Tropes: Ethnography in the Con-
        text of Modern World History". En Borovsky, Robert
        (ed.), *Assessing Cultural Anthropology.* Nueva York: Mc
        Graw-Hill, pp. 381-9.

1996   *How Natives Think: About Captain Cook, for Example*. Chicago: University of Chicago Press.
2002   *Waiting for Foucault, Still*. Chicago: Prickly Paradigm Press.

SALLNOW, Michael
1987   *Pilgrims of the Andes: Regional Cults in Cusco*. Washington, D.C.: Smithsonian Institution Press.

SALOMON, Frank
1991   "Introduction". En Salomon, Frank y George Urioste (eds.), *The Huarochirí Manuscript. A Testament of Ancient and Colonial Andean Religion*. Austin: University of Texas Press, pp.1-38.

SELVERSTON, Melina H.
1994   "The Politics of Culture: Indigenous Peoples and the State in Ecuador". En Van Cott, Donna Lee (ed.), *Indigenous Peoples and Democracy in Latin America*. Nueva York: St. Martin's Press, pp. 131-54.

STARN, Orin
1991   "Missing the Revolution: Anthropologists and the War in Peru". En *Cultural Anthropology* 6: 1, pp. 13-38.

TURNER, Terence
1991   "The Social Dynamics of Video Making in an Indigenous Society". En *Visual Anthropology Review* 7: 2.

ULLOA MOGOLLÓN, Juan de
1965 [1586]   "Relación de la Provincia de los Collaguas para la discrepción de las Indias que su majestad manda hacer". En Jiménez de la Espada, Marcos (ed.), *Relaciones geográficas de Indias*. Vol. I. Madrid: Biblioteca de Autores Españoles, pp.326-33.

URBANO, Henrique
1992   *Modernidad en los Andes*. Cuzco: Centro de Estudios Regionales Andinos Bartolomé de las Casas.

VALDERRAMA, Ricardo y Carmen ESCALANTE
    1977   *Gregorio Condori Mamani*. Cuzco: Centro de Estudios
             Regionales Andinos Bartolomé de las Casas.

WEISMANTEL, Mary J.
    1989   *Food, Gender, and Poverty in the Ecuadorian Andes*.
             Filadelfia: University of Pennsylvania Press.

CAPÍTULO 3

Contra viento y marea: redes y conflictos entre ovejeros peruanos en Estados Unidos

KARSTEN PÆRREGAARD

Introducción

Un creciente corpus bibliográfico dentro de las teorías del desarrollo en los países del Tercer Mundo pide que se preste más atención a la importancia y las implicaciones de los intentos efectuados por las propias poblaciones marginadas para aliviar la pobreza y mejorar las condiciones de vida.[1] Algunos de dichos estudios señalan la descentralización y el empoderamiento como la política con que responder a los cambios rápidos, y sugieren que dicho enfoque toma como punto de partida la capacidad organizadora y el conocimiento convencional de las mismas poblaciones y comunidades pobres.[2] Otros sostienen que es pertinente que los estudiosos de la pobreza comprendan cómo es que los pueblos se organizan estratégicamente en su vida diaria[3] y que presten más atención a las estrategias aplicadas por las poblaciones más pobres y marginales, para así cuestionar las categorías sociales y culturales empleadas por las instituciones gubernamentales y las ONG que promueven el desarrollo en las áreas rurales.[4] Asimismo, otros más sugieren que deberíamos concentrarnos en el papel que las conexiones transnacionales tienen en la organización de las prácticas y las estrategias se-

---

1. Long 1992.
2. Chambers 1993: 11, Gardener y Lewis 1996: 110-20.
3. Nuitjen 1992: 189.
4. Villarreal 1992: 263-7.

guidas por las comunidades rurales en el Tercer Mundo para generar el cambio y mejorar sus condiciones de vida.[5]

De este modo, muchas poblaciones rurales están hoy vinculadas a procesos económicos y políticos en un nivel extralocal a través de cadenas alimenticias y de mercancías, y de redes laborales que operan a través de las fronteras nacionales. Estas conexiones transnacionales expanden el "espacio de maniobra" a disposición de las poblaciones marginales y les brindan nuevas oportunidades para crear formas de ganarse la vida.[6] Norman Long observa que "los procesos de globalización generan toda una gama nueva de condiciones y respuestas sociopolíticas a los niveles nacional, regional y local".[7] Asimismo, señala que estas cambiantes condiciones globales son "'re-localizadas' dentro de marcos de conocimiento y organización nacionales, regionales o locales, los cuales a su vez son constantemente re-trabajados en interacción con el contexto mayor".[8] Long concluye que "estos procesos implican el surgimiento de nuevas identidades, alianzas y luchas por el espacio y el poder dentro de poblaciones específicas".[9]

Mientras que la "localización" de las fuerzas globales, señalada por Long, da nuevas opciones y oportunidades a las poblaciones campesinas antes encerradas en estructuras de poder regionales y nacionales, en el Tercer Mundo un creciente número de pobres rurales también toma parte en el proceso de globalización al emigrar al mundo industrializado. Estos movimientos de población son impulsados por redes globales de emigrantes[10] e implican un flujo constante de bienes e ideas entre las ciudades del Primer Mundo y las áreas rurales del Tercer Mundo.[11] También promueven el surgimiento de identidades bifocales y estilos de vida híbridos entre poblaciones marginales y empobrecidas en el Tercer y el Primer Mundo.[12]

---

5. Kearney 1995, Long y Villarreal 1998.
6. Kearney 1996, Long y Villarreal 1998.
7. Long 1996: 42.
8. Ibíd.
9. Ob. cit.: 43.
10. Pærregaard 2002a.
11. Gardener 1995, Georges 1990, Gmelch 1991.
12. Basch y otros 1994, Rouse 1991. Un grupo de académicos propuso el término "transnacionalismo" para el estudio de los movimientos migratorios contempo-

Aunque la mayor parte de los pobres rurales que buscan nuevas oportunidades económicas en el Primer Mundo emigran a centros metropolitanos donde las comunidades de inmigrantes ya establecidas les brindan respaldo para encontrar trabajo como sirvientes domésticos, obreros de construcción o de fábrica, o en el sector servicios, un grupo más pequeño de emigrantes del Tercer Mundo es reclutado como trabajadores agrícolas estacionales o temporales por los países industrializados.[13] Ellos, a menudo, viven dispersos y frecuentemente cambian de trabajo y residencia, lo que hace difícil que establezcan redes sociales con compañeros migrantes en el país anfitrión o que mantengan contacto con sus parientes en el país natal. De igual modo, dado que muchos emigrantes del Tercer Mundo que laboran en las granjas del Primer Mundo viven en áreas rurales aisladas y saben poco o nada de sus derechos legales, son presa fácil de la explotación económica y el maltrato. De ahí se deriva que, si bien los procesos contemporáneos de globalización permitieron a los pobres rurales y urbanos del Tercer Mundo participar en prácticas migratorias globales y así eludir los constreñimientos sociales y políticos que limitan su agencia y movilidad en el nivel local o regional en su sociedad natal, el salto en la escala geográfica

ráneos de los países del Tercer a los del Primer mundo, y para explorar la formación de redes y comunidades de emigrantes que atraviesan las fronteras nacionales (Basch y otros 1994). En un reciente libro, Guarnizo y Smith (1998) hacen una revisión crítica del uso de dicho término y sugieren que debemos distinguir entre dos formas del mismo: uno desde arriba y otro desde abajo. Con el primero se refieren a los procesos de globalización controlados por las elites económicas y políticas, en tanto que el segundo está diseñado para examinar movimientos migratorios globales de grupos de población marginales y subprivilegiados. En lugar de utilizar transnacionalismo, en el presente estudio empleo el término más descriptivo de "sistemas migratorios globales" para examinar las migraciones internacionales de trabajadores. Estos sistemas operan dentro de políticas migratorias legales, y son creados y controlados por empleadores del Primer Mundo, quienes contratan a trabajadores subpagados y desorganizados del Tercer Mundo.

13.   Tanto en los Estados Unidos como en Europa, los productores de frutas y vegetales hacen un uso extenso de mano de obra mal pagada y a menudo ilegal, procedente de países del Tercer Mundo. Mientras que los latinoamericanos, y los mexicanos en particular, son usados como jornaleros en los naranjales y tomatales de Florida y California, la agricultura española recluta trabajadores estacionales en África del norte (véanse Bodega y otros 1995, Kearney 1996 y Martínez Veiga 1997: 87-118).

del nivel nacional al global los conduce a nuevos mecanismos de control económico y relaciones de poder en los países anfitriones y transnacionalmente. Dado su limitado conocimiento de la compleja naturaleza de las relaciones internacionales y la falta de información acerca de los derechos civiles y legales en los países extranjeros, sus esfuerzos por crear nuevas formas de subsistencia y superar la pobreza viajando al extranjero fácilmente se convierten en un asunto peligroso e impredecible.

Este capítulo examina el desarrollo histórico y la organización social de una red de migración global de campesinos peruanos que viajan a los Estados Unidos con las llamadas visas H-2A para trabajar como ovejeros, contratados por tres años por los rancheros del sudoeste estadounidense.[14] También se analiza la importancia que las remesas y ahorros de estos pastores tienen para la economía rural de Usibamba y otras comunidades campesinas de la sierra central peruana. Por último, el capítulo examina las implicaciones sociales que la emigración laboral a los EEUU tiene para las estrategias de sostenimiento de los emigrantes, así como las perspectivas sociales y políticas más amplias que esta práctica migratoria tiene para atenuar la pobreza en el Perú y en el Tercer Mundo en general. Este estudio se basa en el trabajo de campo realizado en el área del Alto Cunas entre 1983 y 1985, y posteriormente en 1977 y 2000, así como en Los Angeles y Bakersfield, California, en 1998.

La emigración laboral hacia Estados Unidos

A lo largo de los últimos treinta años, la emigración laboral a los Estados Unidos proporcionó una fuente importante de ingresos a la población del Alto Cunas y de otras áreas pastoriles de la sierra central peruana.[15] Tradicionalmente, la principal actividad económica en esta región, situada entre 3.600 y 4.000 metros sobre el nivel del mar, es la agricultura, combinada con la crianza de animales. Si bien la producción agrícola está orientada fundamentalmente al propio consumo de parte de los campesinos, los productos del pastoreo tales como la carne, la leche, el

---

14. León 2001: 148.

15. Pærregaard (1987: 56) fue el primer estudioso que reportó la emigración laboral a los EEUU por parte de ovejeros de la sierra central peruana. Altamirano (1992: 136-53) y León (2001) dan información más reciente.

queso, las pieles y lana se venden en los mercados semanales, ya sea localmente en los pueblos vecinos o regionalmente en Huancayo, Jauja y otras ciudades más grandes de la sierra. Este comercio les proporciona un importante ingreso monetario y los vincula a la economía nacional. El desarrollo del comercio en la región es acicateado por su ubicación cercana a Lima y su sistema de transporte bastante bien desarrollado. Otra actividad económica importante es el trabajo asalariado temporal en la industria minera de la región. Hasta la reforma agraria de comienzos de los años setenta, la población también encontraba empleo en las haciendas y grandes propiedades especializadas en la crianza de ganado.

En la sierra central, la ganadería ha sido objeto del interés comercial de la economía hacendada por siglos. Cuando el comercio de lanas tuvo su auge en el mercado mundial a comienzos del siglo XX y la industria ovejera prosperaba,[16] los rancheros comenzaron a usurpar los pastizales de altura, provocando así grandes tensiones entre las haciendas que eran propiedad de mestizos y las comunidades de indios.[17] Los conflictos empeoraron en 1924, luego de que la compañía minera estadounidense de la Cerro de Pasco Mining Corporation le comprara grandes extensiones de pastizales en la sierra central a una compañía ovejera peruana y se dedicara a la crianza de ganado a gran escala.[18] Tras este acontecimiento, la región vio numerosas tomas de tierras por parte de comunidades campesinas que intentaban recuperar las tierras que habían sido usurpadas por las haciendas vecinas y las compañías mineras.[19] Sin embargo, no fue sino hasta que en 1969 el gobierno militar de Velasco implementó un proceso radical de reforma y expropió la tierra de las grandes haciendas y compañías de propiedad extranjera que el sistema latifundista perdió su influencia dominante en la región.[20]

La reforma agraria cambió las relaciones de poder entre haciendas y comunidades a favor de estas últimas. También incitó la actual práctica laboral de emigrar a los EEUU. De este modo, cuando la Cerro de Pasco

---

16.   Manrique 1987: 254-61.
17.   Smith 1989: 67-96.
18.   Mallon 1983: 214-43.
19.   Caycho 1977: 26-8, Vilcapoma 1984: 112-33.
20.   Roberts y Samaniego 1978.

Mining Corporation y otras haciendas de la sierra central fueron expropiadas en 1972, el personal estadounidense retornó a los EEUU y se convirtió en el vínculo entre las poblaciones campesinas de la sierra central peruana y los rancheros de ovejas en California, Oregon, Nevada, Utah, Colorado, Idaho, Montana y Wyoming.[21] La mayoría de estos últimos estaba organizada en una asociación llamada WRA (Western Ranch Association, Asociación Occidental de Ranchos), con base en Sacramento, California. Para reclutar pastores en las comunidades campesinas y en las antiguas haciendas de la sierra peruana que trabajaran en los EEUU, la WRA nombró a un ingeniero de minas peruano que vivía en Lima y que trabajó para los administradores estadounidenses en la hacienda Corpacancha antes de que esta pasara a formar parte de la Sociedad Agrícola de Interés Social (SAIS) Pachacútec, después de la reforma. Este ingeniero tuvo un papel crucial como el mediador entre los pastores peruanos y los rancheros de ovejas estadounidenses organizados en la WRA durante los años setenta y ochenta.[22] A comienzos de la siguiente década se retiró y fue reemplazado por su hijo, quien ahora tiene a su cargo el reclutamiento.[23]

Durante la primera mitad del siglo XX, las agencias estadounidenses de reclutamiento contrataban principalmente a ovejeros vascos.

---

21.   León (2001) señala que los primeros ovejeros peruanos llegaron a los EEUU en 1969.

22.   León 2001: 147. En el transcurso de una entrevista, el Ingeniero me explicó que los primeros pastores en ser enviados a los Estados Unidos provinieron de la hacienda de Corpacancha (al noroeste de Huancayo), en el departamento de Junín. Como presidente durante varios años de la Sociedad Ganadera del Perú, el Ingeniero comenzó a reclutar pastores de otras haciendas y compañías ovejeras de su país. De este modo, a comienzos de los años setenta, se enviaron a los Estados Unidos pastores de Huasicancha y otras haciendas vecinas. A comienzos de los años setenta, las redes de emigración se esparcieron a la comunidad vecina de Chongos Alto y Yanacancha, y a mediados de dicho decenio a las de Chala, Chaquicocha y Usibamba, en la zona del Alto Cunas. La mayoría de los emigrantes provenía del departamento de Junín, donde los pastores tienen la reputación de ser especialmente confiables y dedicados; la asociación también los recluta en otros departamentos, como Cerro de Pasco, Arequipa y Puno.

23.   Antes de ser reclutados, los nuevos pastores deben pasar un examen médico. También son entrevistados por el Ingeniero en Lima, quien les hace preguntas generales acerca de la crianza de ovejas (pastoreo, trasquila, nacimiento de crías, enfermedades, etc.), y sobre su familia y su comunidad de origen.

Sin embargo, estos dejaron de tener interés en trabajar para los rancheros de los EEUU a medida que la economía española comenzaba a prosperar en los años setenta. Posteriormente, se llevaron mexicanos y chilenos y, cuando los ex empleados de las grandes haciendas y ranchos de ovejas en el Perú retornaron a los EEUU luego de la reforma agraria, la WRA también comenzó a reclutar peruanos.[24] En unos cuantos años, el reclutamiento de estos últimos había superado en número al de mexicanos, chilenos y vascos, y hoy en día los migrantes de las ex haciendas y comunidades campesinas de la sierra central peruana constituyen la principal fuente de mano de obra barata para los rancheros de ovejas estadounidenses. Según datos reunidos por la WRA en Lima, en los últimos treinta años más de 3.000 peruanos han trabajado en ranchos de ovejas de los EEUU con una visa H-2A y actualmente casi 2.000 laboran para la WRA.[25]

El pastoreo de ovejas en la zona de las Rocky Mountains, donde muchos peruanos van, sigue un ciclo laboral anual de tres etapas. Los pastores son llevados al rancho de diciembre a marzo, teniendo entonces

---

24. Desde 1965, los cambios en las políticas migratorias han hecho que a los latinoamericanos y otros emigrantes del Tercer Mundo les sea más difícil ingresar a los EEUU (Calavita 1992). Sin embargo, una ley inmigratoria de este país permite la importación de trabajadores extranjeros para ocupaciones que los trabajadores estadounidenses no están dispuestos a desempeñar, con lo cual los mexicanos, chilenos y peruanos reclutados como ovejeros se topan con pocos obstáculos legales. Aunque la inmigración ha pasado a ser objeto de una creciente preocupación entre el público estadounidense, así como un tema tratado por muchos políticos para conseguir votos en las elecciones, la agricultura continúa importando trabajadores extranjeros con visas H-2A (Wernick 1997: 140).

25. El ingeniero en Lima, responsable por el reclutamiento de nuevos pastores para la WRA, sostiene que en los últimos treinta años aproximadamente 3.800 de ellos pasaron por su oficina. Aunque aproximadamente 1.000 han regresado al Perú, casi el doble viene trabajando actualmente en los EEUU. Por otro lado, más de 800 se quedaron una vez vencida su visa H-2A y se afincaron en los EEUU como residentes legales o indocumentados, o bien regresaron al Perú por su propia cuenta. Se dice que otras dos organizaciones también vienen llevando a cabo el reclutamiento. Una de ellas se llama Mountain Plains Agricultural Services y tiene su base en Colorado. La otra, Wasatch International Services, es propiedad del hijo de un ex ovejero peruano que estudió en la Universidad de Utah. Sin embargo, como ambas entidades reclutan menos del 10% del total de pastores peruanos que trabajan en los EEUU, el mercado está controlado por la WRA.

la oportunidad de conocer a otros inmigrantes. Esta, asimismo, es una
época exigente con duros trabajos físicos. Aunque la principal actividad
en este período es cuando nacen las crías, muchos rancheros también
ordenan a los pastores que levanten cercas, una labor que a menudo
provoca serios dolores de espalda. Al comenzar la primavera, alrededor
de abril, los pastores salen del rancho a los pastizales en el desierto y
los bosques para dejar pastar a las ovejas. Después de otros dos meses,
prosiguen pastándolas en las montañas hasta que nuevamente es la
época en que nacen las crías. El ciclo laboral difiere, claro está, según la
ubicación geográfica y los dueños particulares de ranchos. Algunos
pastores explican que pasan la mayor parte del año en los ranchos haciendo todo tipo de tareas, en tanto que otros reportan pasar toda la
primavera, verano y otoño en el desierto, los bosques y las montañas, a
menudo incomunicados por semanas o meses. Otros más trabajan como
camperos, entregando comida y artículos a los empleados que trabajan
afuera del rancho. En California, en la parte septentrional del Estado,
los pastores a menudo son enviados a las montañas de abril a diciembre, porque allí los pastizales son más verdes en verano y otoño que en
el sur. Por otro lado, en Oregon, Idaho, Montana y Wyoming, donde los
pastizales son más abundantes pero también más remotos, en ocasiones
los pastores pasan parte del año en tiendas, aislados del mundo externo
debido a las nevadas.

Muchos pastores se quejan de la soledad y la insolación mientras
apacientan a las ovejas en el desierto y en las montañas. Como algunos
rancheros tienen más de 30.000 ovejas, las distancias entre los pastizales donde los animales pastan a menudo son inmensas. El número
de pastores que trabajan en los ranchos varía de 10 a 20 y frecuentemente
son de distinta nacionalidad. Cada pastor supervisa y cuida entre dos
y tres mil ovejas mientras pastan en el desierto o en las montañas. El
empleador le proporciona alojamiento, comida, vehículos con que transportar agua para los animales y un pequeño televisor a pilas, que es el
único acceso que el pastor tiene a información y noticias del mundo externo. El *campero*, el capataz del dueño del rancho, pasa periódicamente
a inspeccionar las ovejas y entregar comida, y es solo en raras ocasiones
que los pastores se reúnen o van al pueblo.

Aunque la visa H-2A únicamente les permite cuidar ovejas, los
pastores afirman que se les ha ordenado cuidar vacas, construir cercas
y también que efectúen labores agrícolas. Muchos afirman que su salud

sufre un gran riesgo porque duermen en pequeños *campers* o en tiendas, a pesar del duro clima de las montañas y desiertos, donde las temperaturas fluctúan entre 30 grados centígrados por debajo y 40 por encima de cero. También reportan vivir la mayor parte del tiempo con comida enlatada y a menudo se enferman porque no cuentan con agua potable. Algunos cogen enfermedades peligrosas como la fiebre del valle (*valley fever*), debido al polvo y a los insecticidas usados por los rancheros, en tanto que otros quedan heridos al ordenárseles que trabajen con herramientas o conduzcan vehículos sin preparación previa o la licencia requerida para su manejo.[26] Los peligros de enfermedades y accidentes se agravan aun más porque los pastores rara vez reciben atención médica adecuada cuando se enferman o tienen un accidente.

Algunos se quejan de que los empleadores responden a sus quejas por las condiciones laborales con amenazas de violencia física. Si bien de los patrones *gringos* se dice que son exigentes pero justos, los de origen vasco son conocidos por su dureza.[27] Estos últimos a menudo contratan a otros vascos como capataces, a los que se teme por su mal humor y lenguaje soez. A lo largo de los últimos treinta años se han reportado varios casos de pastores que fueron golpeados, desaparecieron o perecieron bajo circunstancias que no fueron investigadas oficialmente.[28] Infortunadamente, resulta muy difícil documentar y

---

26. Una pobladora de Usibamba me dijo que su esposo falleció en un accidente de automóvil en 1996, mientras trabajaba en un rancho en Idaho. La WRA le informó que su muerte tuvo lugar mientras manejaba sin licencia de conducir después de haber estado bebiendo. Aun más, como se había casado con una mexicana en los EEUU y firmado un contrato laboral individual con su empleador al margen de la WRA, ella no tenía derecho a recibir una compensación económica de la compañía de seguros. La mujer sostuvo lacónicamente que lo único que recibió fue la urna con las cenizas de su esposo. Otra mujer sostuvo que su esposo falleció mientras trabajaba en los EEUU, pero que la policía jamás investigó las circunstancias de su muerte. Ella, en cambio, sí recibió una compensación económica por un tiempo limitado.

27. Algunos de los ranchos de ovejas más grandes son propiedad de vascos o de descendientes de inmigrantes vascos que llegaron ellos mismos a los EEUU como pastores de ovejas.

28. En 1996, la revista peruana *Caretas* informó que siete pastores murieron en California (20 de junio, N.º 1419, 1996). En ese mismo año, el diario limeño *La República* trajo la noticia de la muerte del ovejero Apolinario Quiñones ("Local", 16 de agosto, 1996, p. 11). De igual modo, el semanario *Perú de los 90*, de Los

conseguir información sobre estos incidentes, ya que muchos ovejeros temen contactarse con las autoridades, y los funcionarios de salud, trabajo e inmigración de los EEUU hacen poco por supervisar o controlar el uso que los rancheros estadounidenses hacen de la mano de obra extranjera. De igual modo, muchos empleadores prefieren esconder los accidentes laborales, los casos de enfermedad, la atención médica negligente o los excesos cometidos por sus capataces. Algunos simplemente denuncian a los pastores heridos o muertos, diciendo que han huido o que se suicidaron.

Como a lo largo de los años la mayoría de los pastores peruanos se vuelve dependiente de sus ganancias en dólares, permanecen allí con un segundo, tercer, cuarto y hasta con un quinto contrato. Eventualmente, muchos terminan pasando una parte significativa de su vida adulta en el despoblado de Rocky Mountains. A su regreso, muchos de ellos encuentran difícil adaptarse al medio de sus pueblos nativos y su país natal o reunirse con sus familias. Algunos incluso se quejan de que sus hijos no los reconocen. En efecto, un número cada vez mayor de pastores simplemente abandona su contrato de trabajo como ovejeros y se convierte en inmigrante indocumentado en los EEUU o forma nuevas familias después de contraer matrimonio con inmigrantes legales de origen hispano.

La economía política y cultural de la inmigración a Estados Unidos

La emigración de trabajadores peruanos a los EEUU satisface distintas necesidades económicas y vincula distintos modos de vida en el Primer y el Tercer Mundo. La crisis económica y política del Perú genera una oferta constante de trabajadores rurales que desesperadamente buscan fuentes alternativas de ingreso en un extremo de la red migratoria. En el otro, la industria de la ganadería de oveja en los EEUU busca mano de obra barata para que desempeñe las tareas evitadas por los norteamericanos. Ambos extremos se conectan a través de un continuo flujo migratorio de pastores peruanos controlado no solo por los dueños de ranchos, la WRA y las autoridades migratorias del norte, sino también

---

Angeles, sostuvo que aproximadamente treinta pastores murieron entre 1985 y 1995 (diciembre de 1995).

por redes informales de parientes y amigos en el sur que aseguran la reproducción de la fuerza de trabajo y suministran nuevos reclutas.

En el área del Alto Cunas, así como en otras partes de la sierra central peruana, viajar como pastor de ovejas a los EEUU constituye una oportunidad para ahorrar capital e invertir en el transporte, negocios y otras actividades no agrícolas a su retorno al Perú. En el ínterin, los pastores mantienen a sus familias con remesas financieras mensuales. El número de aldeanos con contratos de trabajo se ha incrementado en los últimos treinta años y hoy en día casi el 10% de la población masculina de Usibamba, y más del 15% en el vecino Chaquicocha, se encuentra en los EEUU. La continua emigración de estos pastores se ha convertido en una práctica organizadora basada en redes de parentesco cercano, que regulan el reclutamiento de nuevos emigrantes.[29]

Los nuevos reclutas usualmente son recomendados por otros migrantes que ya han completado su contrato o se encuentran trabajando en los EEUU. Dado que la mayoría de ellos se cuidan de proponer candidatos fuera del estrecho círculo de los vínculos domésticos y familiares, ingresar a las redes de migrantes es la parte más difícil de conseguir un contrato en los EEUU. Por ello, cuando hacía trabajo de campo en Usibamba llamaba la atención escuchar a aldeanos jóvenes lamentarse de no tener parientes que les recomendaran para su primer contrato. Cuando le pregunté a un joven si le gustaría ir a los EEUU, me respondió que "claro que quiero, ¡pero no tengo nadie de mi familia allá a quien recurrir!". El número potencial de nuevos reclutas es obviamente mucho más alto que el de quienes actualmente se encuentran trabajando en los EEUU.

La situación se ve distinta para los pastores que ya laboran en los EEUU. Como la renovación del contrato con la WRA depende de la re-

---

29. Guarnizo y Smith (1998: 18) estudiaron la emigración transnacional en México y sugieren que "el proceso mismo de migración no es reproducido exclusivamente por las redes de parentesco. Los emigrantes de la misma familia a menudo sí emigran al norte generación tras generación. Sin embargo, debido a la naturaleza basada en la localidad de la migración circular de México, muchas familias cuyos miembros jamás han emigrado antes pueden unirse al proceso en cualquier momento dado". A diferencia de los circuitos de migración entre los EEUU y México, este tipo particular de emigración laboral del Perú está controlado por los empleadores en los EEUU, quienes utilizan las estrechas redes de parentesco de los inmigrantes para seleccionar nuevos reclutas.

comendación del empleador, los ovejeros a menudo hacen lo imposible
para quedar en buenos términos con los rancheros, pese a las duras
condiciones de vida y el trato a veces cruel. Este deseo de ganarse la
confianza del empleador es urgido por las expectativas que tienen las
familias de los ovejeros en el Perú de llevar nuevos parientes masculinos
a los EEUU a través del mismo contacto. Los que se han ausentado por
un período extenso, o aquellos que se acercan a la edad de retirarse, en
particular, se ven sometidos a fuertes presiones para que ayuden a sus
hijos, hermanos, primos o cuñados a ser contratados antes de regresar
al Perú a jubilarse. Por otro lado, en este país se espera que los varones
jóvenes acepten, en caso de ofrecérseles una oportunidad tan excepcional. Un pastor en los EEUU me explicó que tomó su primer contrato
únicamente porque su hermano lo había recomendado. Todos sus hermanos y la mayoría de sus cuñados ya se encontraban allí. El hombre
contó que varios miembros de su familia lo presionaron argumentando
que "¡Si ellos pueden, tú también! ¡Piensa lo que están haciendo por ti
para que tú también puedas ir!".

El poder que los empleadores tienen para recomendar los parientes
de los ovejeros a la WRA hace que estos se sometan a una clásica relación
de patrón-cliente mientras viven en los EEUU. La búsqueda de confianza
despierta la ansiedad de los pastores, quienes temen molestar a los
rancheros, los que a menudo aprovechan este temor para impedir que
se quejen de las condiciones laborales, renuncien o regresen al Perú
antes de la expiración del contrato. En el centro de la práctica migratoria
de los pastores yace, entonces, una economía cultural construida sobre
la confianza que no solo acicatea a los peruanos a seguir trabajando en
los EEUU y llamar a nuevos parientes, sino que además es usada por
los propietarios estadounidenses de los ranchos y por la WRA para
disciplinar a los ovejeros, haciendo que soporten las duras condiciones
de vida en las montañas y en el desierto, y disuadiéndolos de huir y
convertirse en inmigrantes indocumentados en los EEUU.

Una tercera forma como reclutar pastores es a través de una solicitud a la WRA efectuada por un ranchero que desea que un empleado
anterior siga trabajando con él o, como sucede en contadas ocasiones,
cuando un empleador le ofrece a un ovejero un contrato de trabajo permanente independientemente de la WRA. Semejante arreglo es el producto de una larga relación de confianza personal entre el empleador
y el pastor. Ello le libra a este último de la visita obligada a la oficina del

Ingeniero en Lima y es también una señal de estatus entre los habitantes de su pueblo natal. Los teléfonos públicos instalados en Usibamba y Chaquicocha a finales de los años noventa subrayan esta confianza que atraviesa las distancias globales. Varios aldeanos me explicaron que ahora llaman a su antiguo empleador en los EEUU directamente por teléfono, solicitando nuevos contratos o para recomendar parientes. El contrato que los pastores firman con la WRA normalmente dura tres años. Este les asegura un salario mensual que fluctúa entre 600 y 800 dólares e incluye alojamiento y comida libres de costo.[30] Estando sus gastos de viaje y la mayor parte de los costos de su estadía en los EEUU cubiertos por la WRA, las ganancias de los pastores constituyen un complemento esencial de la modesta renta que sus familias tienen en el Perú. Dado que solo gastan dinero en ropa y que rara vez van al pueblo, las remesas normalmente suman 300 dólares mensuales que la familia en el Perú usa para alimentos, ropa, medicinas y útiles de colegio para los niños. Cuando regresan al Perú después de pasar tres años en los EEUU, el total suma un capital de aproximadamente 10.000 dólares. Los pastores jóvenes y solteros pueden ahorrar hasta 18.000 dólares con un contrato de tres años.

A su regreso, algunos pastores invierten sus ahorros en la agricultura o la ganadería. Ellos compran tierra y ganado o invierten en un tractor que alquilan a los aldeanos locales.[31] Para otros, sin embargo, la emigración a los EEUU constituye un atajo con que construir una nueva casa (ya sea de ladrillos o de concreto) en su pueblo de origen, o abrir un negocio y dejar la agricultura o la ganadería. Otros compran un terreno, levantan una casa y se establecen ya sea en Huancayo o Lima, o

---

30. Diez dólares son retenidos para el seguro de salud, en tanto que la WRA cobra otros quince como derechos generales.

31. En Usibamba, actualmente hay seis ex pastores que se ganan la vida arrendando los tractores que compraron después de regresar de los EEUU. El precio inicialmente era de 35 soles (10 dólares) la hora, pero este cayó a 30 soles (8,50 dólares) debido a la creciente competencia de los nuevos propietarios de tractor en Usibamba y en los pueblos vecinos. Los ex-ovejeros que invirtieron sus ahorros en comprar camionetas y camiones para transportar a los aldeanos locales a Huancayo experimentaron una caída similar en sus ingresos. Al incrementarse el número de vehículos, los propietarios tuvieron que bajar la tarifa. Otra forma popular de invertir los ahorros es comprando ganado, en especial las vacas lecheras que cuestan aproximadamente 1.500 soles (450 dólares) cada una.

compran una camioneta o camión usada, y se ganan la vida transportando pasajeros entre Huancayo y los pueblos del Alto Cunas. En los últimos quince años, el número de vehículos que ofrecían este transporte se triplicó en Usibamba y Chaquicocha debido a la inversión de las ganancias de los migrantes. Finalmente, otros abren una tienda de abarrotes o un taller en la ciudad y se dedican al comercio o a la pequeña industria.

En algunos pueblos del Alto Cunas, como Usibamba y Chaquicocha, las comunidades campesinas locales intentan restringir las prácticas migratorias de los aldeanos. Durante el proceso de reforma agraria en los años setenta, estas comunidades redistribuyeron todas las tierras del pueblo entre las unidades domésticas.[32] Actualmente, estas tienen el derecho de usufructo de la tierra que recibieron de la comunidad, pero no se les permite venderla ni arrendarla. A cambio, se espera que los miembros de las familias participen en las faenas comunales organizadas por la comunidad y que ocupen los cargos administrativos y políticos del pueblo.[33] Los aldeanos que emigran están obligados a pedir permiso antes de partir, con el fin de conservar el derecho de usufructo sobre la tierra. Dicho permiso usualmente se concede por un año o dos, permitiendo a los jóvenes que trabajen en las minas vecinas, o que se dirijan a Huancayo o Lima a estudiar o hacer dinero antes de contraer matrimonio. Sin embargo, a medida que el número de emigrantes que trabajan bajo contrato en los EEUU se incrementaba aceleradamente en los últimos quince años, las comunidades se vieron obligadas a cobrar un derecho anual de los aldeanos que se van al extranjero y ganan su salario en dólares. En Usibamba, estos "derechos ausentistas" ascienden actualmente a 200 dólares y en Chaquicocha a 300. Es más, en el primer pueblo, los que parten con un tercer contrato incluso corren el riesgo de perder su derecho a la tierra y son descalificados como miembros de la comunidad. De este modo, en lugar de promover la emigración de mano de obra para crear nuevas formas de ganarse la vi-

---

32. Pærregaard 2002b.

33. Cuando Sendero Luminoso tomó el control de la zona del Alto Cunas a finales de los años ochenta, la mayoría de las instituciones campesinas creadas durante la reforma agraria fueron disueltas. Hoy en día el terrorismo ha sido derrotado y las comunidades fueron reactivadas con la ayuda del Estado y de las ONG locales (véase Pærregaard 2002b).

da como una alternativa a la agricultura, estas comunidades intentan desanimar a sus pobladores de que emigren. En respuesta a esta restricción, la mayoría de los emigrantes de Usibamba y Chaquicocha que retornan invierten los ahorros duramente ganados en los EEUU fuera de su pueblo natal.

Encargándose uno mismo

Las redes que ligan a los ovejeros con sus familias en el Perú se han desarrollado como extensiones de vínculos de parentesco ya existentes entre los aldeanos en la sierra y los migrantes urbanos en ciudades tales como Huancayo y Lima.[34] Estos lazos se derivan de una tradición de migración rural-urbana en la sierra central de un siglo de antigüedad, que genera un intercambio constante de productos y servicios entre los emigrantes y sus pueblos nativos.[35] Hoy en día la mayoría de los pobladores jóvenes emigra a las minas, la selva o las ciudades para ganar dinero y ampliar su conocimiento del mundo. Algunos regresan a sus poblados natales posteriormente, pero muchos se casan y establecen en otros lugares.

Esta fusión de los mundos rural y urbano también trasciende las redes migratorias de los pastores de ovejas, que reclutan migrantes de muy distintos antecedentes sociales y económicos. Aunque la mayoría de estos últimos nacieron en pueblos pastoriles de la sierra central y cuentan con un íntimo conocimiento del pastoreo de ovejas, su experiencia como pastores a menudo está limitada a su infancia rural. En efecto, muchos de los emigrantes reclutados por la WRA han vivido en Huancayo, Lima y otras ciudades durante muchos años, trabajando como profesores de colegio o ganándose la vida en las fábricas o en el comercio. Algunos han estudiado en las universidades de estas mismas ciudades y unos cuantos tienen grado académico. Asimismo, la heterogeneidad social de los pastores de ovejas en los EEUU se refleja dentro de las familias individuales y los grupos de hermanos que practican la emigración laboral a los EEUU. Muchas de estas redes familiares se extienden así sobre grandes distancias geográficas con integrantes suyos

---

34.   Long y Roberts 1978: 31-6.

35.   Mallon 1983: 247-67, Smith 1989: 96-111. Para más información sobre la migración rural-urbana en el Perú, véase Pærregaard 1997.

que viven en el pueblo, en la ciudad y en la selva. A continuación, presento seis historias de emigración que ilustran, de distintos modos, cómo las redes migratorias se desarrollan a lo largo del tiempo, y cómo las prácticas de inmigración de los EEUU afectan la vida de los inmigrantes y de sus familias en el Perú. También muestran el ámbito y las limitaciones de este tipo particular de prácticas organizadoras y de la agencia individual para generar el cambio, y tal vez —lo que es más importante— señalar las dificultades a las que los emigrantes deben hacer frente al cruzar las fronteras nacionales en busca de nuevas formas de ganarse la vida, así como el ambivalente papel de sus propias redes en el reclutamiento que los rancheros estadounidenses hacen de mano de obra barata en los países del Tercer Mundo.

Eugenio, de 42 años, proviene de Chala Nueva, una comunidad vecina de Chaquicocha, en la zona del Alto Cunas. Tiene cuatro hermanos, todos los cuales han trabajado o actualmente laboran en los EEUU. El primero en partir fue su hermano mayor. Recomendado por un cuñado, partió en su primer contrato en 1981, y siguió viajando otras tres veces durante los años ochenta y comienzos de los noventa. Eventualmente, luego de un total de doce años en los EEUU, compró un terreno, construyó una casa y abrió un negocio en Huancayo, donde ahora vive con su familia. Otro hermano pasó nueve años en los EEUU con tres contratos diferentes, antes de afincarse finalmente en Chala con su familia. Él logró ahorrar hasta 17.000 dólares, los que usó para comprar un tractor y algunas parcelas de tierra en su pueblo. Este hermano ahora se gana la vida arrendando el tractor y parte de sus tierras a otros aldeanos. Para complementar su ingreso, labra el resto de sus tierras contratando a trabajadores locales para que siembren zanahorias, ajos y otros cultivos comerciales, los que vende en los mercados regionales. Otros dos hermanos actualmente vienen trabajando en los EEUU en su segundo contrato. Sus familias viven con las remesas que estos hermanos envían, los cuales piensan usar sus ahorros para comprar un campo de cultivo, construir una casa y abrir un negocio en Huancayo cuando retornen al Perú.

Eugenio partió con su primer contrato en 1981, a la edad de 21, recomendado por su hermano mayor. Pasó tres años trabajando para un ranchero mormón en Utah y volvió al Perú en 1984, permaneciendo en Chala por siete meses antes de partir con otro contrato. Esta vez, Eugenio trabajó para un ranchero vasco en California, lo que resultó ser una experiencia un poco desagradable. A su regreso en 1988, se quedó cinco años en Chala. Para ese entonces, había ahorrado suficiente capital como para establecerse, comprar un poco de tierra y casarse con una mujer de la localidad con quien había tenido su primer hijo. En el ínterin, la violencia política llegó a la zona del Alto Cunas, lo que hizo que Eugenio cambiara de planes. Para 1993, ya había gastado los ahorros de los primeros dos contratos, de modo que decidió emigrar por tercera vez. Tres años más tarde, en 1996, Eugenio regresó nuevamente al Perú, se detuvo en Chala por cuatro meses y luego partió con su cuarto contrato. Cuando me encontré con él por primera vez en el frío desierto californiano a comienzos de abril de 1998, Eugenio estaba haciendo planes para el futuro mientras apacentaba a las ovejas. Me dijo que su cuarto contrato expiraría en 1999 y que sentía que ya era hora de quedarse definitivamente en Chala. Su esposa tenía una pequeña tienda allí y Eugenio me dijo que pensaba seguir el ejemplo de su hermano y usar sus ahorros para comprar un tractor, el que arrendaría a los pobladores locales.[36] En enero del 2000, volví a reunirme con él, pero esta vez en Chala. Eugenio acababa de hacer realidad sus sueños y había comprado un tractor usado de otro emigrante —también regresado— del vecino pueblo de Usibamba en 18.000 dólares. Mientras miraba con orgullo el fruto de sus muchos años de esfuerzo por crearse una nueva forma de ganarse la vida, Eugenio me aseguró que jamás volvería a los EEUU.

Bernardo, de 38 años, nació en Corpacancha, una ex hacienda en la sierra central que luego de la reforma agraria pasó a formar parte de la SAIS Pachacútec, una cooperativa establecida por el gobierno militar de Velasco en los años setenta. Corpacancha es también la hacienda donde antes de la reforma agraria trabajaba el ingeniero peruano que maneja la agencia de reclutamiento en Lima, y es por ello la incubadora de la práctica migratoria de los pastores de ovejas. Bernardo afirma que su padre conoció al Ingeniero y que eligió a su hermano mayor como uno de los primeros reclutas para enviar a los EEUU a comienzos de los años setenta. Otro hermano partió en 1976 y en 1979 le tocó su

---

36. Aunque el pastoreo de ovejas en los EEUU es una práctica migratoria íntegramente masculina, las mujeres peruanas han estado emigrando por varios años a España, Italia, Argentina y Chile (Pærregaard 2003). Así, una de las hermanas de Eugenio partió a Buenos Aires en 1996, donde se gana la vida como vendedora ambulante.

turno a Bernardo, quien solamente tenía 17 años. Él explica que para
dejar el país necesitó un permiso especial por ser menor de edad. Durante sus cuatro contratos en los EEUU trabajó con varios empleadores en
distintos estados. El primer contrato fue en Oregon, donde los densos
bosques hicieron que pastorear ovejas fuera particularmente difícil.
Bernardo dice que sufrió bastante, pues los pastores a menudo duermen
en tiendas en las montañas, a pesar del frío, y tienen que movilizarse a
caballo mientras apacientan las ovejas. El dueño del rancho era de origen vasco e hizo poco por facilitar la vida de sus empleados.

Bernardo partió en 1983 en su segundo contrato, el que le envió a
California a trabajar con un ranchero estadounidense que resultó ser
más amistoso que el vasco. A su regreso al Perú en 1986, Bernardo usó
sus ahorros para comprar un camión con que ganarse la vida transportando aldeanos entre los pueblos del Alto Cunas y Huancayo, la ciudad
más importante de la región. Sin embargo, el transporte fue dejando de
ser rentable a medida que la situación política y la crisis económica se
agudizaban a finales de los años ochenta y comienzos de la siguiente
década. Aun más, Bernardo se casó en 1990 y, al darse cuenta de que
los ahorros de sus primeros dos contratos no bastaban para abrir un
nuevo negocio, decidió partir con otro contrato más. Gracias a la confianza que se había ganado con su empleador anterior, la WRA aceptó
su pedido y en 1991 Bernardo comenzó a trabajar en un nuevo rancho
de California. En 1994 retornó al Perú, pero volvió a partir en 1996 para
trabajar con el mismo ranchero en su cuarto contrato. Cuando lo conocí
en California, en 1998, Bernardo me dijo que su esposa y sus tres hijos
vivían de las remesas que les hacía y de las modestas ganancias obtenidas con un humilde puesto en un mercado de turistas en el centro de
Huancayo. También dijo estar planeando regresar a esta ciudad definitivamente y abrir un negocio cuando su contrato expirara en junio de
1999. Sin embargo, cuando visité Huancayo en el año 2000, Bernardo
seguía en los EEUU. Sus parientes me dijeron que en lugar de regresar
se había convertido en un inmigrante indocumentado y que planeaba
casarse con una mexicana que residía legalmente en los EEUU. A diferencia de Eugenio, quien alcanzó su objetivo original de regresar al Perú para invertir sus ahorros, Bernardo cambió de planes y decidió crearse no solo una nueva forma de subsistir en los EEUU, sino también una
nueva vida y una nueva familia.

Teógenes, de 44 años, nació en un pequeño pueblo en las afueras de Huancayo. Se mudó a esta ciudad con sus padres a los 4 años y allí asistió a la escuela. A los 17 comenzó a estudiar en la universidad, pero se vio obligado a renunciar a una carrera académica y convertirse en profesor de colegio porque su familia no contaba con los medios para mantenerlo. Para complementar su salario, Teógenes tomó prestado dinero para así abrir una pequeña imprenta y consiguió un contrato con la municipalidad de Huancayo para entregar materiales impresos. También contrajo matrimonio y tuvo dos hijos. Sin embargo, a finales de los años ochenta, Teógenes se endeudó debido a que la municipalidad se retrasó en los pagos. La crisis económica iba estrangulando gradualmente su negocio y él sintió que tenía que buscar nuevas oportunidades de trabajo. Teógenes le pidió a su cuñado, que acababa de regresar de los EEUU, que lo recomendara para un contrato y en 1989 viajó a California. Antes de regresar en 1992 renovó el contrato y partió nuevamente luego de pasar unos cuantos meses con su familia en Huancayo.

En 1995, Teógenes regresó al Perú en una breve visita, pero partió una vez más con un tercer contrato. Este resultó ser el último. Mientras levantaba cercos en el rancho, Teógenes sufrió una caída que le provocó una hernia discal y después de operarse en Los Angeles estuvo hospitalizado durante tres meses. También se le practicó una operación ocular debido a una infección que contrajo mientras pastoreaba ovejas. Aunque la compañía de seguros cubrió los gastos de ambas operaciones, Teógenes jamás recibió ninguna compensación económica por los daños sufridos. Cuando me encontré con él en California, en 1998, me dijo que esperaba regresar a Huancayo ese mismo año e invertir sus ahorros en un negocio de ferretería. Sin embargo, también me dijo que estaba profundamente preocupado por su familia en el Perú, la cual no había recibido ninguna remesa desde la operación. En enero del 2000 volví a encontrarme nuevamente con él en Huancayo. Teógenes había regresado como lo planeara el año pasado y había invertido sus ahorros en una pequeña imprenta, en la cual trabajaba junto con su esposa.

Euraclio, de 45 años, nació y fue criado en un pueblo cercano al poblado de Junín. Después de terminar sus estudios, consiguió trabajo como profesor de colegio, se casó y tuvo tres hijos. A finales de los años ochenta, al hacerse más y más difícil que la familia viviera con su salario, Euraclio decidió buscar nuevas formas de ganarse la vida. En efecto, le pidió a un primo que ya había estado en los EEUU que lo recomendara, y en 1991 partió a Idaho con su primer contrato. Él dice que el clima en el norte de los EEUU hace que la vida de los pastores sea extremadamente dura. Luego de un año, Euraclio fue transferido a California, donde el clima es menos hostil. Sin embargo, su nuevo empleador, un vasco, resultó ser más malévolo que el primero e hizo que las cosas le fueran aun más difíciles. Euraclio regresó a trabajar con el mismo empleador en un segundo contrato en 1995, pero su salud se vio afectada seriamente con la enfermedad del valle causada por el polvo y los insecticidas usados en el rancho para rociar los campos y pastizales. En consecuencia tuvo que ser hospitalizado y parte de su pulmón fue extirpado.

Cuando conocí a Euraclio en 1998, había sido dado de alta en el hospital de Bakersfield, California, pero seguía bajo medicación. Aunque el seguro pagó el hospital, Euraclio temía que la WRA lo devolviera al Perú, donde las medicinas que tomaba son difíciles de conseguir. Aun más, como la WRA había dejado de pagarle su salario, su esposa e hijos no habían recibido las remesas mensuales. Por lo tanto, mientras se recuperaba, Euraclio buscaba un respaldo económico para demandar a la WRA por no cubrir todos los gastos de su tratamiento médico.

Teodocio, de 65 años, fue criado en Quishuar, una comunidad al sudoeste de Huancayo. Cuando niño, aprendió cómo pastorear ganado y se familiarizó con la soledad de las montañas. Antes de alcanzar la mayoría de edad, emigró a Huancayo junto con su padre. El primer miembro de su familia que viajó a los EEUU fue uno de sus primos que partió en 1972 y regresó con otros tres contratos en esta década y la siguiente. Eventualmente se estableció en los EEUU, donde ahora vive con uno de sus hijos. En 1976, uno de los hermanos de Teodocio fue recomendado por el primo y partió a los EEUU. El hermano regresó con otros cuatro contratos y actualmente trabaja en dicho país en su sexto contrato con el mismo empleador. Teodocio fue en 1977 y pasó su primer contrato trabajando para un árabe ranchero de ovejas en Wyoming. Regresó con un segundo contrato en 1989 y trabajó para un ranchero estadounidense en Utah.

En enero del 2000, Teodocio me invitó a que lo visitara en su hogar en Huancayo. La casa había sido construida con los ahorros de sus dos contratos en los EEUU. Me explicó que se siente contento porque rechazó una oferta para regresar para un tercer contrato en 1991. También me dijo que a menudo aconseja a los jóvenes que desean trabajar

3. Contra viento y marea   117

como ovejeros en los EEUU que se cuiden de no volverse excesivamente
dependientes de sus ganancias en dólares. Él es particularmente crítico
de su propio hermano, quien se ha alejado de su familia. En el transcurso
de los últimos veinte años, el hermano ha labrado una relación de confianza mutua con su empleador estadounidense, quien le ofrece repe-
tidamente nuevos contratos para que trabaje en su granja. Incluso le ha
ayudado a conseguir un permiso de trabajo permanente en los EEUU,
lo que le permite viajar de ida y vuelta, y permanecer todo el tiempo que
quiera sin la aprobación de la WRA o de la oficina de reclutamiento en
Lima. Para Teodocio, sin embargo, la familia ha sufrido con los intensos
viajes del hermano y sus constantes ausencias del hogar. De hecho, actualmente él se siente más ligado a sus sobrinos que a su hermano. A
ojos de Teodocio, la posibilidad de un mejor ingreso jamás debe hacer
que el pastor descuide sus responsabilidades como padre y proveedor.

Víctor, de 45 años, nació en un pueblo cerca de Junín, en la sierra
central del Perú. Se crió en Pachacayo, un rancho de ganado que antes
de la reforma agraria perteneció a la compañía estadounidense Cerro
de Pasco Mining Corporation. Su padre fue un empleado de la compañía
y trabajó junto con el Ingeniero peruano encargado de reclutar nuevos
pastores en Lima. Esta conexión ha tenido un impacto crucial sobre el
curso de la vida de toda la familia de Víctor. Actualmente, él y sus tres
hermanos trabajan en los EEUU, y su padre y hermana son los únicos
integrantes de la familia que aún permanecen en el Perú. La experiencia
migratoria de Víctor comenzó al mudarse a Lima cuando joven, para
ser aprendiz de sastre. Posteriormente, puso su propia sastrería, se casó y tuvo varios hijos. Sin embargo, la crisis económica de finales de los
años ochenta tuvo un efecto desastroso sobre su negocio y lo obligó a
buscar ayuda entre sus parientes. Para ese entonces, dos de sus hermanos ya estaban trabajando en los EEUU.

El primero en partir en la familia fue un primo de Víctor que antes
había trabajado como veterinario en la SAIS Túpac Amaru. Su primer
contrato fue en 1979, regresó con un segundo contrato en 1982, y finalmente huyó y se convirtió en un inmigrante indocumentado antes de
que este expirase. La residencia estadounidense le fue concedida cuatro
años más tarde, durante la ley de amnistía de 1986. Hoy trabaja como
jardinero en Nuevo México, donde vive con su hija, que llegó a los
EEUU a través del programa de reunificación familiar. El primero de
los hermanos de Víctor en viajar fue Hugo, su hermano mayor, reco-

mendado por el primo. Hugo emigró en 1988, luego de que la fábrica en
la que trabajaba en Lima cerrara, dejando a su esposa y tres hijos en
una casa recién construida en el pueblo joven de Huaycán. Hugo trabaja
actualmente en su cuarto contrato con un ranchero de Wyoming. Máximo,
otro de los hermanos, partió en 1989. Antes de emigrar, vivía con su esposa e hijos en Jauja, en la sierra central, donde se ganaba la vida como
sastre hasta que la crisis afectó su negocio. En 1991 fue el turno de Víctor de ser recomendado; y, en 1994, Leopoldo, el último hermano, se
unió a los otros. Al momento de emigrar acababa de terminar el colegio
y seguía soltero. Posteriormente se casó y ahora trabaja en su segundo
contrato para un ranchero cerca de San Francisco.

Aunque Víctor ya no tiene un contacto regular con Hugo, a través
de sus parientes en Lima se ha enterado de que la familia de su hermano
sufre bastante por su prolongada ausencia. En lugar de estudiar, los
hijos de Hugo se gastan las remesas que el padre remite periódicamente
en divertirse y beber. Para Víctor, la emigración laboral a los EEUU ha
dañado las relaciones familiares de Hugo. Pe otro lado, Máximo siguió
el ejemplo de su primo y permaneció en los EEUU al vencerse su visa
H-2A una vez terminado su segundo contrato en 1987. Luego se afincó
en Los Angeles y se casó con una mujer de El Salvador. Como su esposa
era una refugiada política en el momento del matrimonio, Máximo se
convirtió automáticamente en residente legal de los EEUU. Hoy en día
viven en Moreno Valley, en las afueras de Los Angeles. Leopoldo, el último hermano, actualmente viene cumpliendo su segundo contrato.

Cuando las perspectivas local y global se entrelazan

La experiencia migratoria de Víctor en los EEUU resultó sumamente
distinta de lo que él esperaba. En lugar de retornar al Perú después de
su primer contrato, decidió ser un inmigrante indocumentado en los
EEUU. Aunque había pasado la mayor parte de los tres años de su contrato en el rancho, evitando así la vida dura en el desierto y las montañas,
su experiencia con el empleador vasco fue sumamente traumática y
cambió su opinión sobre la emigración laboral a los EEUU. En el rancho,
Víctor tuvo ocasión de observar cómo los empleadores explotan a los
pastores en su búsqueda de lealtad y confianza, y les hacen aceptar
condiciones laborales y de vida que normalmente serían consideradas
peligrosas y degradantes. Incluso vio casos de rancheros y capataces

que cometían excesos contra los pastores. Víctor cuenta que estas experiencias le hicieron darse cuenta de que los ovejeros deben asumir la responsabilidad de su propia vida y limitar su dependencia de la migración a los EEUU como fuente de ingreso.

En 1994 se quedó al expirar su visa H-2A una vez terminado el contrato y se estableció en Bakersfield, no lejos del rancho donde había estado trabajando. Aquí Víctor se topó con varios pastores que estaban esperando que la WRA los transfiriera a un nuevo ranchero. Algunos de ellos venían de otros ranchos, en tanto que otros más acababan de llegar del Perú. También se encontró con varios pastores que habían sido hospitalizados debido a accidentes o a enfermedades que les sobrevinieron mientras trabajaban. Mientras que algunos estaban en camino de vuelta a los ranchos, otros estaban a punto de ser regresados al Perú. Víctor, asimismo, conoció a otro grupo de inmigrantes en Bakersfield. Durante los años noventa, la ciudad había pasado a ser el centro de un creciente número de ovejeros peruanos en California que se quedaban más tiempo de lo permitido por su visa H-2A y se establecen en los EEUU como inmigrantes indocumentados. Actualmente conforman una comunidad de más de cien personas que se reúnen todos los domingos para jugar fútbol y tomar cerveza. Algunos, Víctor entre ellos, se han casado con mujeres locales de ascendencia hispana y se han convertido en residentes legales. Otros han solicitado asilo político o pasan años como inmigrantes ilegales buscando trabajo en el sector servicios o como obreros de fábrica.[37]

En respuesta a las muchas necesidades no cubiertas de los pastores, Víctor decidió crear una organización que defendiera los derechos de sus paisanos en los EEUU. Junto con otros trece pastores y ex ovejeros que vivían en Bakersfield, en 1995 fundó un sindicato llamado Unión de Pastores Ovejeros. El sindicato fue creado para que defendiera los derechos de los pastores y difundiera información acerca de su situación en los EEUU y en el Perú. Está asociado con los United Farm Workers of America (Trabajadores Agrícolas Unidos de América). Aunque los

---

37. Este grupo de emigrantes se presentó ante las autoridades estadounidenses como refugiados de la violencia política en sus aldeas y pueblos natales. Muchos de los ovejeros en los EEUU provienen de las áreas rurales y urbanas que fueron afectadas por la guerra librada entre las Fuerzas Armadas peruanas y Sendero Luminoso, un grupo terrorista que operó en el Perú a finales de los años ochenta y comienzos del siguiente decenio.

ovejeros iniciaron su lucha con pocos medios económicos o experiencia, han logrado poner su situación en la agenda de los dirigentes de la comunidad inmigrante peruana de Los Angeles y de los políticos de su país. También tuvieron éxito en respaldar a los pastores que se quejaban a la WRA por el incumplimiento de las obligaciones estipuladas en su contrato de trabajo. Varios de los ex ovejeros que se lastimaron con los accidentes laborales ocurridos en el rancho, o enfermaron en el desierto o en las montañas, han enjuiciado a esta organización con la ayuda del sindicato. De este modo, un pastor que se hirió el brazo mientras manejaba un vehículo sin la autorización debida le abrió juicio a la compañía de seguros por no pagar las cuentas de su tratamiento. Este hombre, que se recuperó totalmente del accidente, ganó el juicio y recibió más de 50.000 dólares en compensación. Sin embargo, para decepción de Víctor y de otros dirigentes del sindicato, jamás reconoció el respaldo que le brindaron. Hoy en día es el propietario de una compañía de jardinería en Bakersfield, que emplea a trabajadores peruanos y mexicanos baratos.[38]

El sindicato recibió la atención pública en Los Angeles el mismo año de su formación, porque un periódico peruano de los EEUU, *Perú en los 90*, comenzó a publicar una serie de artículos acerca de la situación de los ovejeros. La noticia desató una intensa discusión en la comunidad peruana de California en torno a la solidaridad entre los compañeros inmigrantes y, en general, los derechos morales y legales de los inmigrantes a los EE.UU. Muchos peruanos habían ingresado ilegalmente al país o se quedaron una vez expirada su visa de turista, viviendo y trabajando en las grandes ciudades como sirvientes domésticos, jardineros, mozos, trabajadores de construcción y así por el estilo. Muchos

---

38. Para Víctor y otros miembros del sindicato, la lucha por los derechos legales en los EEUU requiere un cambio de actitud entre los mismos pastores y sus parientes en el Perú. Él cuenta que cuando un pastor de Usibamba fue encontrado muerto en su *camper* hace ya algunos años, la viuda solicitó a la compañía de seguros que devolviera el cuerpo al Perú. Como le dijeron que se le cobrarían los costos del traslado, Víctor se puso en contacto con ella para ofrecerle enjuiciar a la compañía. Para su decepción, ella rechazó su oferta. Según Víctor, la viuda posteriormente fue convencida de que firmara un documento en la oficina del Ingeniero en Lima, donde inadvertidamente renunció a su derecho a presentar más reclamos ante la compañía. Aunque Víctor lamenta la pérdida de su esposo, también desaprueba su renuncia a luchar por sus derechos.

quedaron sorprendidos al enterarse de que los ovejeros procedentes de unos pueblos remotos en la sierra peruana estuvieran trabajando como inmigrantes legales en los EEUU, bajo condiciones de vida peores que aquellas a las que estaban acostumbrados a tener en el Perú. El escándalo se agravó aun más cuando *Perú en los 90* reportó que el cónsul peruano en Los Angeles había desechado las quejas de los ovejeros. El cónsul fue posteriormente cesado. Las noticias también llegaron al Perú cuando el periódico *La República* y la revista *Caretas* informaron acerca de los pastores peruanos en los EEUU que habían desaparecido o sido maltratados. Además, Canal 4 produjo un documental sobre el uso de mano de obra peruana en los ranchos de ovejas de California. Los reporteros entrevistaron a un ranchero vasco y revelaron las condiciones sanitarias en que vivían sus empleados peruanos. El documental desató otro escándalo más entre los políticos en Lima, donde Martha Chávez, la presidenta del Congreso, hizo referencia a la situación de los pastores en medio de un encendido debate acerca de las violaciones de derechos humanos cometidas en el Perú. Los informes similares presentados en los canales de televisión en español de los EEUU despertaron la indignación moral de las minorías hispanas y en 1996 el embajador peruano visitó personalmente varios ranchos que empleaban trabajadores peruanos, acompañado por funcionarios del departamento de trabajo de los EEUU.

El debate en torno a la explotación económica y la violación de los derechos humanos de los ovejeros peruanos en los EEUU, surgido de la formación del sindicato de pastores en Bakersfield y de las acusaciones que Víctor hiciera en contra de la WRA, dan fe de la complejidad de las prácticas migratorias globales. Una vez que la comunidad peruana en Los Angeles, los medios en el Perú y los EEUU, y los políticos en Lima se sumaron a la controversia, la situación de los pastores pasó a ser objeto de intereses económicos, éticos y políticos de muy distinto tipo. Mientras que el cónsul peruano de Los Angeles fue reemplazado, el editor de *Perú en los 90* recibió un premio por su cobertura del conflicto. Martha Chávez, por su parte, manipuló el sentir nacional en el Perú acusando al gobierno estadounidense de usar una doble moral al criticar la política de derechos humanos del gobierno de Fujimori sin tomar medidas contra el maltrato dado por los criadores de ovejas de los

EEUU a los pastores peruanos.[39] A la inversa, la oposición en el Perú atribuyó las causas de la tragedia al fracaso del gobierno peruano en resolver los problemas económicos del país.

Entre estas múltiples perspectivas globales y locales, Víctor no fue el único ex ovejero que dio voz a los intereses de los pastores en los debates públicos. Desde su regreso de los EEUU en 1989, Teodocio se había hecho amigo del Ingeniero peruano que estaba a cargo del reclutamiento de los ovejeros en Lima, dándole ocasionalmente consejo y respaldo en la selección de los nuevos candidatos. A medida que la WRA y el Ingeniero eran objeto de críticas cada vez más duras a finales de los años noventa, Teodocio y un grupo de ex ovejeros de Huancayo comenzaron a preocuparse de que el gobierno peruano eventualmente cerrase todo el programa migratorio y animara a los rancheros estadounidenses a que buscaran pastores en otros países. En consecuencia, formaron una asociación llamada Asociación de Ex Trabajadores de la Western Ranch Association, la cual se pronunció en defensa de la WRA y del Ingeniero. Estos ex ovejeros afirman que pastorear ovejas en los EEUU constituye una oportunidad singular para los varones jóvenes del Perú que buscan fuentes de ingreso alternativas y que es de interés de los propios ovejeros que el programa migratorio continúe. En 1997, Teodocio fue invitado a que presentara su punto de vista en la comisión de derechos humanos formada por el Congreso peruano. También participó en una reunión en la oficina del Ingeniero en Lima, a la cual se invitó a Víctor y a los representantes del gobierno peruano para que intercambiaran opiniones.

El resultado de la disputa fue un acuerdo informal entre la WRA, el Ingeniero y el gobierno peruano para que se respetaran los derechos de los pastores. Para decepción de Víctor, pero para satisfacción de Teodocio, se permitió que el programa continuara con algunos cambios.

---

39. En ese entonces, Martha Chávez era conocida como una tozuda partidaria del presidente Fujimori. Su interés por los pastores peruanos en los EEUU aparentemente fue despertado principalmente por la situación política que vivía el Perú en 1995. El gobierno estadounidense había estado criticando a Fujimori por su falta de respeto a los derechos humanos, y para Martha Chávez los informes acerca de los ovejeros peruanos resultaron una oportunidad apropiada para recordarle al gobierno de los EEUU de que, en lugar de criticar al gobierno de Fujimori, se preocupara más bien por su propia reputación en lo que respecta a los derechos humanos.

En poco tiempo, el interés público y de los políticos por la situación de los ovejeros se desvaneció, en tanto que el número de pastores que viajaban a los EEUU siguió incrementándose. Aunque Víctor había logrado llamar la atención del público sobre este asunto, no pudo movilizar el respaldo a los ovejeros en los EEUU y el Perú.[40] Si bien muchos aceptan que las condiciones laborales y de vida en los ranchos son criticables, también comparten la preocupación de Teodocio de que la controversia estuviese poniendo en peligro sus futuras posibilidades de conseguir contratos de trabajo en los EEUU, y así crear una fuente de ingreso alternativa para ellos y sus familias. Por lo tanto, la disputa no solo expuso los dilemas inherentes a la estrategia de Víctor para organizar a los pastores, y luchar contra la WRA y en general contra la industria ovejera de los EEUU a través de los medios y con la ayuda de los políticos peruanos, sino que también demostró cuán complejos son los intereses económicos, sociales y políticos involucrados en la práctica migratoria global, así como el papel ambivalente que las redes de los propios emigrantes tienen en el reclutamiento transnacional de mano de obra barata.

Conclusiones

La emigración de trabajadores peruanos a California y otros estados fue iniciada por la WRA y los rancheros estadounidenses que buscaban mano de obra barata en un momento de reforma agraria y cambio social en el Perú. Durante casi un cuarto de siglo, el programa migratorio de la WRA y las redes de los ovejeros permanecieron desligados de otras redes migratorias peruanas y comunidades de inmigrantes peruanos en los centros metropolitanos urbanos, como Los Angeles y San Francisco. Sin embargo, cuando las condiciones laborales y de vida de los pastores pasaron a constituir el centro de atención no solo de la comunidad peruana en California, sino también de los medios en Lima y del gobierno de Fujimori, esta emigración repentinamente fue vista como conectada a los procesos más amplios de globalización y localización en los

---

40. Víctor se encuentra solo en su lucha por los derechos de los ovejeros peruanos, incluso dentro de su propia familia. Hugo lo considera un alborotador y afirma que su hermano menor está creando una atmósfera de desconfianza entre los pastores y los rancheros, que tendrá implicaciones críticas para el reclutamiento de nuevos miembros de la familia.

EEUU y el Perú. Aunque dicha vinculación inicialmente desató una acalorada controversia en torno a los derechos económicos y humanos de los trabajadores mal pagados del Tercer Mundo, la emigración laboral de ovejeros peruanos a los EEUU ha cambiado poco, y sigue estando controlada por la WRA y un pequeño grupo de redes familiares y domésticas en el Perú.

No obstante, lo que en el futuro podría tener una influencia crucial sobre esta práctica migratoria es el creciente número de pastores que o bien renuncian al contrato de trabajo, o bien se quedan al vencerse su visa H-2A, convirtiéndose así en inmigrantes ilegales que con el tiempo se unen a las comunidades peruanas ya existentes en los EEUU. Al incrementarse la tasa de deserción, los rancheros, la WRA y los funcionarios de migración de los EEUU tal vez simplemente decidan hacer lo que muchos pastores más temen: cerrar el programa y comenzar a importar trabajadores de otros países.

La migración global ha pasado a ser una difundida práctica con que atenuar la pobreza en los países del Tercer Mundo. Para muchas familias pobres, rurales y urbanas, las remesas y ahorros de sus integrantes de ambos sexos que emigran a países del Primer Mundo constituyen una contribución crucial a sus modestas ganancias como agricultores, vendedores ambulantes y dedicados a otras actividades de bajos ingresos, y con ello son un componente importante de sus estrategias de sostenimiento. Estos esfuerzos por encontrar sus propias soluciones a las necesidades económicas y sociales constituye un desafío analítico a la teoría del desarrollo convencional, la cual tomó como punto de partida una perspectiva en la cual se ve a las poblaciones marginadas como dependientes del respaldo de las agencias externas para superar su pobreza.

Aunque los datos examinados en este capítulo sugieren que la migración global es generada y se reproduce a través de las propias prácticas de los pobres —con lo cual pide que se examine de forma más detenida su capacidad para diseñar estrategias alternativas de atenuación de la pobreza—, ellos también señalan los múltiples problemas económicos, sociales y políticos que estas poblaciones deben enfrentar cuando ellos mismos asumen su destino. En lugar de romantizar la propia agencia de los pobres, los datos presentados en este capítulo sugieren que debemos explorar más estas prácticas organizativas y de subsistencia con un ojo crítico atento a sus contradicciones y limitaciones. En términos teóricos, el estudio del desarrollo no solo tiene que incorporar la agencia de las poblaciones marginadas en el análisis de la atenuación de la pobreza, sino que debe, además, ampliar su campo de estudio para incluir los actuales procesos de globalización y localización con el fin de comprender mejor las estructuras de poder a las cuales quedan sujetas dichas poblaciones, al mismo tiempo que aplican sus propias estrategias de desarrollo.

Bibliografía

ALTAMIRANO, Teófilo
    1992   *Éxodo. Peruanos en el exterior.* Lima: Pontificia Universidad Católica del Perú.

BASCH, Linda, Nina GLICK SCHILLER y Cristina SZANTON BLANC
    1994   *Nations Unbound: Transnationmal Projects, Postcolonial Predicaments, and Deterritorialized Nation-States.* Langhorne, Pennsylvania: Gordon and Breach.

BODEGA, Isabel y otros
    1995   "Recent Migrations from Morocco to Spain". En *International Migration Review* 14: 3, pp. 800-19.

CALAVITA, Kitty
    1992   "US Immigration and Policy Responses: The Limits of Legislation". En Cornelius, Wayne; Philip Martin; y James Hollifield (eds.), *Controlling Immigration. A Global Perspective.* Stanford: Stanford University Press, pp. 55-82.

CAYCHO, Hernán
    1977   *Las SAIS de la sierra central.* Lima: Escuela de Administración de Negocios para Graduados.

CHAMBERS, Robert
    1993   *Challenging the Professions. Frontiers for Rural Development.* Londres: Intermediate Technology Publications.

GARDENER, Katy
1995   *Global Migrants, Local Lives: Travel and Transformation in Rural Bangladesh.* Oxford: Oxford University Press.

GARDENER, Katy y David LEWIS
1996   *Anthropology, Development and the Post-modern Challenge.* Londres: Pluto Press.

GEORGES, Eugene
1990   *The Making of a Transnational Community: Migration, Development, and Cultural Change in the Dominican Republic.* Nueva York: Columbia University Press.

GMELCH, George
1991   *Double Passage: The Lives of Caribbean Migrants Abroad and Back Home.* Ann Arbor: University of Michigan Press.

GUARNIZO, Luis Eduardo y Michael PETER SMITH
1998   "The Location of Transnationalism". En Guarnizo, L. E. y M. P. Smith (eds.), *Transnationalism from Below. Comparative Urban and Community Research.* New Brunswick: Transaction Publishers, pp. 3-34.

KEARNEY, Michael
1995   "The Global and the Local: Anthropology of Globalization and Transnationalism". En *Annual Review of Anthropology* 24, pp. 547-65.
1996   *Reconceptualizing the Peasantry. Anthropology in Global Perspective.* Boulder: Westview Press.

LEÓN, Pericles
2001   "Peruvian Sheepherders in the Western United States: Will They Replace the Basques as the Dominant Ethnic Group in the Sheep Industry?". En *Nevada. Historical Society Quarterly* 44: 2, pp. 147-65.

LONG, Norman
1992   "From Paradigm Lost to Paradigm Regained? The Case for an Actor-oriented Sociology of Development". En Long y Long (eds.), pp. 16-43.

1996 "Globalization and Localization. New Challenges to Rural Research". En Moore, Henrietta (ed.), *The Future of Anthropological Knowledge*. Londres: Routledge, pp. 37-59.

LONG, Norman y Ann LONG (eds.)
1992 *Battlefields of Knowledge. The Interlocking of Theory and Practice in Social Research and Development*. Londres: Routledge.

LONG, Norman y Bryan ROBERTS
1978 "Introduction". En Long y Roberts (eds.), 1978, pp. 3-43.

LONG, Norman y Bryan ROBERTS (eds.)
1978 *Peasant Cooperation and Capitalist Expansion in Central Peru*. Austin: University of Texas Press.

LONG, Norman y Magdalena VILLARREAL
1998 "Small Product, Big Issues: Value Contestations and Cultural Identities in Cross-border Community Networks". En *Development and Change* 29: 4, pp. 725-49.

MALLON, Florencia
1983 *The Defense of Community in Peru's Central Highlands: Peasant Struggle and Capitalist Transition 1860-1940*. Princeton: Princeton University Press.

MANRIQUE, Nelson
1987 *Mercado interno y región. La sierra central 1820-1930*. Lima: DESCO – Centro de Estudios y Promoción del Desarrollo.

MARTÍNEZ VEIGA, Ubaldo
1997 *La integración social de los inmigrantes extranjeros en España*. Madrid: Trotta/Fundación 1° de Mayo.

NUIJTEN, MONICA
1992 "Local Organizations as Organizing Practices. Rethinking Rural Institutions". En Long y Long (eds.), pp. 189-207.

PÆRREGAARD, Karsten
    1987   *Nuevas organizaciones en comunidades campesinas. El caso de Usibamba y Chaquicocha*. Lima: Pontificia Universidad Católica del Perú.
    1997   *Linking Separate Worlds. Urban Migrants and Rural Lives in Peru*. Oxford: Berg.
    2002a   "Business as Usual: Livelihood Strategies and Migration Practice in the Peruvian Diaspora". En Olwig, Karen Fog y Nina Nyberg Sørensen (eds.), *Work and Migration: Life and Livelihoods in a Globalizing World*. Londres: Routledge, pp. 126-44.
    2002b   "The Vicissitudes of Politics and the Resilience of the Peasantry: Contesting and Reconfiguring of Political Space in the Peruvian Andes". En Webster Neil y Lars Engberg-Pedersen (eds.), *In the Name of the Poor. Contesting Political Space for Poverty Reduction*. Londres: Zed Press, pp. 52-77.
    2003   "Migrant Network and Immigration Policy: Shifting Gender and Migration Patterns in the Peruvian Diaspora". En Mutsuo, Yamada (ed.), *Emigración latinoamericana: comparación interregional entre América del Norte, Europa y Japón*. JCAS Symposium Series 19. Osaka: The Japan Center for Area Studies, National Museum of Ethnology, pp. 1-18.

ROBERTS, Bryan y Carlos SAMANIEGO
    1978   "The Evolution of Pastoral Villages and the Significance of Agrarian Reform in the Highlands of Central Peru". En Long y Roberts (eds.), pp. 241-64.

ROUSE, Roger
    1991   "Mexican Migration and the Social Space of Postmodernism". En *Diaspora* 1: 1, pp. 8-23.

SMITH, Gavin
    1989   *Livelihood and Resistance. Peasants and the Politics of Land in Peru*. Berkeley: University of California Press.

VILCAPOMA, José Carlos
    1984   *Movimientos campesinos en el centro. Perú 1920-1950*. Huancayo: Nuevo Mundo.

VILLARREAL, Magdalena
    1992   "The Poverty of Practice. Power, Gender and Interven-
            tion from an Actor-oriented Perspective". En Long y
            Long (eds.), pp. 247-67.

WERNICK, Allan
    1997   *US Immigration and Citizenship. Your Complete Guide.*
            Rocklin: Prima Publishing.

Parte II
PERUANOS EN ESPAÑA, ITALIA Y JAPÓN

CAPÍTULO 4

Peruanos en España: ¿de migrantes a ciudadanos?*

ÁNGELES ESCRIVÁ

Introducción

Los años noventa en España consolidan un nuevo período en la historia contemporánea de su dinámica poblacional. Los flujos migratorios internacionales, antes dirigidos mayoritariamente desde dentro de la península hacia el exterior, son sobrepasados ahora por los flujos de personas que desde afuera se dirigen hacia tierras ibéricas. Esta "inesperada" inmigración está formada por un número de nacionales de países europeo-comunitarios que llegan atraídos o condicionados por su clima, gentes y posibilidades de negocio o de encontrar empleo. Sin embargo, por estos u otros motivos, las nuevas llegadas están formadas crecientemente por poblaciones originarias de áreas del mundo menos favoreci-

---

*   Agradezco encarecidamente a Ulla Berg y Karsten Pærregaard por las repetidas revisiones del capítulo, y sus valiosos comentarios y sugerencias. Este capítulo recoge los hallazgos de mi estudio sobre la migración peruana a España desde el año 1995 hasta la actualidad. En los años noventa, esta investigación se enmarcó dentro de la realización de una tesis doctoral que fue finalmente presentada ante el Departamento de Sociología de la Universidad Autónoma de Barcelona en 1999, con el título de "Mujeres peruanas del servicio doméstico en Barcelona: trayectorias sociolaborales". Desde el año 2003 la investigación ha continuado con el apoyo de una beca posdoctoral del Ministerio de Educación de España, afiliada al Instituto de Estudios Sociales de Andalucía del Consejo Superior de Investigaciones Científicas (IESA-CSIC), para el proyecto titulado "Familias peruanas transnacionales". Este último estudio exploratorio realizado ha perseguido la profundización en los niveles doméstico, público e institucional de las prácticas transnacionales de los migrantes peruanos.

das económicamente, y/o con ambientes sociales y políticos cargados de inestabilidad.

Para comunidades poco acostumbradas a recibir personas de tan diversos y diferentes bagajes culturales, la inmigración que se origina especialmente desde países no europeo-comunitarios supone una gran dificultad, un "problema" que se debe afrontar.[1] A ello contribuye la imagen de pobreza y atraso que rodea a las naciones de donde provienen. Aun desconociendo las características de los individuos, los españoles asocian estos atributos negativos a quienes llegan de América Latina, África o Asia, y de ahí valoran su presencia como problemática y su número como excesivo.[2] El término "migrante", un concepto de la demografía humana, se convierte así en España en un apelativo para nombrar exclusivamente a los individuos originarios de los países de la llamada periferia y semiperiferia mundial. Además, el apelativo en boca de la sociedad mayoritaria, a través de los medios de comunicación, políticos, y de no pocos investigadores, marca en tono discriminatorio y despectivo a los sujetos, aun por muchos años después de producido su cambio de residencia.

Otra característica que denota el uso del término "migrante" es la temporalidad. Una proporción significativa de españoles concibe los flujos de personas del sur al norte como fenómenos coyunturales, es decir, de breve duración y escaso impacto temporal.[3] A su vez, los propios

---

1.   En esta línea se inscriben los resultados de las encuestas generales de opinión a la ciudadanía española, realizadas por instituciones públicas como el Centro de Investigaciones Sociológicas (http://www.cis.es) o el Instituto de Estudios Sociales de Andalucía (http://www.iesaa.csic.es). Según el barómetro de opinión del CIS realizado en noviembre del 2004 a 2.500 personas de todo el territorio español, la inmigración se percibe como el cuarto problema que más preocupa a los españoles. Los primeros problemas percibidos son, con diferencia respecto a los demás, el paro (desempleo) y el terrorismo. A distancia, en tercer, cuarto y quinto lugar, aparece la preocupación por la vivienda, la inmigración y la inseguridad ciudadana, en este orden. Sin embargo, interrogados sobre los problemas que más los afectan personalmente, la inmigración pasa a ocupar un lugar mucho más bajo.

2.   El mismo barómetro de opinión del CIS en mayo del 2004 revela que el 53,3% de los españoles encuestados cree excesivo el número de personas procedentes de otros países que vive en España.

3.   En la misma edición del barómetro de opinión de mayo del 2004, el 51,5% de los españoles cree que la intención de la mayoría de los inmigrantes que llega

migrantes alientan esta construcción cuando trazan sus proyectos a corto plazo y tejen fuertes redes de relaciones con las personas y los lugares de donde salieron. Españoles e inmigrantes coinciden en señalar que quienes migran mantienen un fuerte proyecto de retorno y una gran disponibilidad para la movilidad geográfica futura. Pero como argumentaremos, esto solo sucede en los primeros tiempos tras la emigración y más tarde ocasionalmente. En cambio, la concepción del migrante como un residente temporal comporta que no se le reconozcan los plenos derechos de ciudadanía, se justifique su inestabilidad y precariedad laboral, e incluso se le acuse a él mismo de llevar una vida en la marginalidad.

En contra de la supuesta temporalidad, las investigaciones sobre el tema nos demuestran que una gran parte de quienes llegan hasta nuevas tierras se asientan y construyen nuevos proyectos de vida. El proceso de toma de conciencia sobre esta realidad —la de que difícilmente se podrá regresar al lugar de origen en breve— toma más o menos tiempo según los casos, pero suele ser generalizado, pese a las reticencias de algunos. En consecuencia, las prioridades en la gestión de la vida cotidiana viran a) de mantener a la familia allá a mantener a la familia que se ha formado o reagrupado, b) de conseguir cualquier empleo en cualesquiera condiciones a una mejor inserción laboral y económica, y c) de mantener vivo el legado traído a compaginar las costumbres heredadas con las pautas del nuevo lugar de residencia. Estas transformaciones se convierten en señales de que la condición de migrante pierde peso frente a la nueva condición de ciudadano.

Los inmigrados al instalarse ponen de manifiesto la necesidad de gestión de una ciudadanía multicultural en las sociedades receptoras. La implantación de esta propuesta presenta notorias dificultades ideológicas y de gestión, y plantea grandes retos a nuestras sociedades futuras, si quieren conducirse por la vía democrática, igualitaria y justa.[4] Mas limitar las consecuencias de los crecientes movimientos migratorios a la formación de comunidades multiculturales es insuficiente.

---

a España es quedarse definitivamente a trabajar y vivir allí. Frente a ello, el 40% de españoles opina que la mayoría de inmigrantes desea permanecer en España por un tiempo y, después de ahorrar algún dinero, regresar a sus países de origen o en algún caso incluso trasladarse a otro país.

4.   Kymlicka 1996.

Los trasvases de población y recursos de unos lugares a otros, bajo las
condiciones de desarrollo, abaratamiento y difusión de los medios de
comunicación, llevan a considerar también la importancia de los
vínculos que mantienen los emigrados con sus lugares de origen.
Cuando las instancias públicas y privadas nacionales e internacionales
(gobiernos, empresas corporativas, etc.) ofrecen servicios a las poblaciones móviles, están fomentando el ejercicio de una ciudadanía transnacional, que trasciende los límites territoriales de un Estado-nación
determinado.[5] Otra cuestión será determinar en qué medida los migrantes instalados ejecutan prácticas (tales como el envío de remesas, la
transferencia de informaciones, o el apoyo a partidos o grupos del lugar
de origen) de forma intensa y continuada que justifiquen hablar sobre
la conformación de modos de vida transnacionales, con importantes
consecuencias en el ejercicio y disfrute de una ciudadanía compartida
entre varios Estados.

Para llegar a discutir las implicaciones ciudadanas de las prácticas
cotidianas que realizan los peruanos que residen en España, primero
hemos de saber quiénes son y cómo viven los peruanos, así como las
perspectivas futuras de evolución. Este capítulo se basa en una serie de
datos obtenidos a lo largo de muchos años de estudio de la migración
peruana en España, parte de los cuales se hayan recogidos en publicaciones anteriores[6] y en otras que saldrán a la luz pronto.[7] Estos hallazgos
cuestionan las típicas asunciones que encontramos sobre las características y evolución de los flujos migratorios y de las poblaciones que
los albergan. Entre las características señaladas destacan la distribución por sexos y edades de la población migrante en el tiempo, las trayectorias laborales, la dimensión de los procesos de reagrupación familiar, el estatuto legal obtenido a corto y medio plazo, la formación de
comunidades y las experiencias de retorno, así como las prácticas de
vinculación transnacional. Las tendencias que se describan llevarán a
preguntarnos sobre cuestiones fundamentales, tales como ¿dónde se
asentarán los peruanos en España?; ¿habrá movilidad geográfica posterior?; ¿se integrarán en la sociedad española?; ¿cuando envejezcan,

---

5.   Escrivá y Ribas 2004.
6.   Escrivá 1999, 2000, 2003; Escrivá y Ribas 2004.
7.   Escrivá 2005.

qué harán?; ¿cambiará el patrón de género?; ¿qué tipos de trabajo realizarán en el futuro?; ¿hasta dónde se extenderá la reagrupación familiar?; ¿y la nacionalización española?; ¿se formará una comunidad peruana, andina o latina en España y en Europa?; ¿se producirá el retorno físico definitivo o, por el contrario, presenciaremos formas de vida transnacionales a lo largo de los años en la primera e hipotéticamente también sucesivas generaciones descendientes de migrantes?

España: destino principal de los emigrantes peruanos

Desde fines de los años ochenta, España se ha convertido en un destino importante para los emigrantes peruanos. Las condiciones cada vez más difíciles para acceder a los Estados Unidos han incitado —o al menos precipitado— la búsqueda de nuevos destinos, convirtiendo especialmente al sudoeste de Europa en una opción atractiva. En los comienzos de este flujo migratorio fueron determinantes los factores de atracción en España e Italia,[8] tales como su relativa prosperidad económica y la demanda de fuerza laboral, la inexistencia de controles inmigratorios hasta inicios de los años noventa, y los vínculos históricos y culturales con el Perú.

Mirando atrás a los precedentes de los actuales flujos de nacionales peruanos a España, hay que considerar los programas de estudiantes extranjeros de los años sesenta y setenta que llevaron al viejo continente un nada desdeñable número de estudiantes de medicina, derecho y otras carreras profesionales. Una alta proporción de estudiantes peruanos se quedó en España después de licenciarse, formando una importante elite de profesionales que en algunos casos se convirtieron en líderes en sus respectivos campos de experiencia. Sin embargo, no es hasta la segunda mitad de los años ochenta cuando se aprecia un incremento significativo de peruanos en España.[9] Entre los integrantes de este segundo grupo también se encontraban estudiantes, pero las razones para salir del Perú estuvieron desde entonces más relacionadas con la inestabilidad económica y política, y la violencia. El flujo de salida se aceleró con el cambio de presidente en 1990.[10] Las primeras in-

---

8.   Tamagno 2003 y en este libro.
9.   Escrivá 1999.
10.   Altamirano 2000.

tervenciones del presidente Alberto Fujimori como nuevo jefe de Estado se sintieron en el alza de los precios, en la devaluación de la moneda y los salarios. De este modo, el nivel adquisitivo y la calidad de vida de los peruanos de los estratos medios se vieron seriamente afectados.

Junto a las clases medias se fueron uniendo a la emigración a Europa peruanos de orígenes más populares. Provienen principalmente de las ciudades más grandes del país, habiendo experimentado anteriormente en muchos casos movilidad geográfica interna. En otros casos, los flujos se originan en zonas rurales o en pueblos, y pequeñas ciudades de la costa y la sierra. Además, es común encontrar un pasado de migración internacional entre las familias de todos los estratos sociales que se van dirigiendo a España. En las conversaciones mantenidas, se cuentan relatos de antepasados de origen europeo o asiático que llegaron al Perú, así como de familiares que vivieron o todavía siguen viviendo en países de América Latina, Norteamérica, Europa o Asia. Todos encuentran algún referente familiar en el exterior.

Los mecanismos para entrar y asentarse en España han ido variando de acuerdo con los cambios en la legislación en materia de extranjería e inmigración que los sucesivos gobiernos españoles han introducido desde los años ochenta hasta la actualidad. Antes de la entrada en vigor del requisito de visado para acceder a España que se impuso al Perú en 1992, lo más usual era el ingreso libre por cualquier vía.[11] Tras ese año y hasta mediados de los años noventa, los peruanos utilizaron profusamente tanto las vías de acceso legales como las clandestinas: por un lado, continuó la entrada controlada de peruanos ahora

---

11. Los vínculos históricos con América Latina explican la política de puertas abiertas que España ha mantenido con sus antiguas colonias de ultramar durante la mayor parte del siglo XX. Esta política se revisó a principios de los años noventa, debido al número creciente de latinoamericanos que entraban y se quedaban en la península por largo tiempo. A medida que más y más personas de un determinado país han buscado asentarse en España, las autoridades han reaccionado imponiendo el requisito del visado desde el país de origen a los migrantes potenciales. Así sucedió con peruanos y dominicanos a principios de la década pasada (las dos nacionalidades que después de la marroquí sobresalían entonces en el *ranking* de extranjeros no europeo-comunitarios en España). A inicios del siglo XXI, el requisito se extendió a colombianos y ecuatorianos. Sin embargo, todavía hoy algunas nacionalidades están exentas de presentar un visado al entrar (caso de argentinos, bolivianos o venezolanos), exención que previsiblemente se extinguirá en un futuro cercano.

portadores de un visado que autorizaba la estancia temporal y siguieron presentándose solicitudes de asilo político; por otro lado, proliferó su entrada clandestina a través de la frontera terrestre con otros países. Tanto en el caso de quienes llegaron antes de marzo de 1992 como en el caso de quienes llegaron después con un visado, gran parte de los peruanos permaneció en España y excedió su permiso de tres meses. En consecuencia, pasaron a engrosar —junto con quienes ingresaron al país clandestinamente— el conjunto creciente de extranjeros indocumentados en España, formado por personas de diversas nacionalidades no europeo-comunitarias.

Los residentes peruanos indocumentados han ido logrando regularizar con mayor o menor rapidez su situación como trabajadores, estudiantes o residentes. El primer proceso de regularización masiva de trabajadores al que se presentaron miles de peruanos ocurrió en España en 1991, poco antes de cerrárseles el paso libre. En 1996 se realizaría otro proceso de regularización similar, todavía con fuerte participación peruana, al que se acogieron tanto trabajadores como familiares dependientes. Igualmente, este proceso coincide con el cambio de gobierno en España y con la creciente armonización de las políticas de inmigración y asilo en Europa. Ambos acontecimientos preconizan un recrudecimiento de los requisitos de entrada y, por tanto, de las posibilidades de realizar los sueños de emigrar que tienen muchas personas.

Las consecuencias de la exigencia por España del requisito de visado a los peruanos fueron dramáticas. Mientras que antes del año 1992 las redes migratorias se basaban en vínculos no mercantilizados de amistad y parentesco, a partir de esa fecha la complejidad de las nuevas vías para el ingreso encarece notablemente el coste del proyecto migratorio y lo convierte en una acción mucho más arriesgada. Desde entonces hubo que reunir una gran suma para pagar no solo los costes del viaje, sino también los servicios de "agencias de viajes" y "pasadores". A falta de liquidez, los peruanos tuvieron que vender e hipotecar propiedades y prestar dinero con intereses. Además, tuvieron que confiar y ponerse en manos de gente desconocida o con pocos escrúpulos, a riesgo de ser estafados, abandonados, traficados y violentados (y violados) o incluso manipulados indebidamente, y perecer en medio del trayecto. También tuvieron que exponerse a las posibles afrentas en el trato con policías de frontera y personal de los controles migratorios.

El momento álgido del negocio de las agencias de viaje y pasadores
en torno a la migración peruana se produce de 1992 a 1996. Durante
esos años los peruanos son conducidos por diversos países de Europa
occidental y oriental en tránsito hacia España. En cambio, a partir de
1996, como dijimos, la armonización de las políticas europeas de visado[12] cierra la entrada de los peruanos a cualquier otro país desde el
cual circular en tránsito a España. Sin embargo, el nuevo negocio de la
migración no se ciñe exclusivamente a la búsqueda de rutas alternativas
de paso cuando la entrada directa al país escogido está cerrada. Incluye
también la falsificación de documentos, la venta de contratos u ofertas
de trabajo, los matrimonios y adopciones arregladas, e incluso las operaciones de cirugía plástica y estética.[13] En esta muy lucrativa actividad
se desempeñan peruanos, españoles y nacionales de muy diversos
países que trabajan solos o en grupos organizados.

El año 1994 marca un nuevo hito en la política de inmigración en
España. Aparte de los viajes clandestinos y a las concesiones de visado,
desde entonces los peruanos pudieron solicitar desde su país de origen
un permiso de estancia y trabajo bajo el sistema español de cuotas.[14] En

---

12. Se crea la lista negra única de países para los cuales será requisito indispensable
    la solicitud de un visado para poder acceder a cualquier Estado de la Unión
    Europea. El Perú se encuentra en esta lista desde mediados de los años
    noventa.

13. Este hecho fue aireado en su día respecto al caso particular de los peruanos
    que para poder emigrar a Japón alegaron un origen japonés que podía verse
    en sus rostros. Recuerdo haberme encontrado hace un par de años en Sevilla
    con un peruano que había emigrado primero a Japón y luego a España donde
    residía junto con el resto de su familia de origen. Este peruano me contó entre
    jocosa y amargamente que para poder emigrar a Japón tuvo que falsificar su
    partida de nacimiento y adoptar apellidos japoneses. Después de haber tra-
    bajado allá durante varios años se cansó de esa vida y decidió trasladarse a
    España donde sus hermanas le contaban que estaría mejor. Gracias a su pasa-
    porte japonés, no tuvo problema para ingresar en el país, pero en adelante ha
    tenido que conservar su falsa identidad japonesa, lo cual implica que no
    pueda identificarse como pariente de sus propios consanguíneos.

14. El sistema de cuotas, cupos o contingentes se concibió como mecanismo for-
    mal para posibilitar la entrada legal de trabajadores extranjeros no comunita-
    rios en España. No obstante, debido a la presión de los trabajadores indocumen-
    tados ya residentes en el país por obtener el permiso respectivo, en los primeros
    años y hasta 1996 aproximadamente, se utilizó mayoritariamente como solu-
    ción a las situaciones de irregularidad documental. Las nacionalidades que

consecuencia, se inicia un flujo regular y sostenido de trabajadores con la documentación en regla de Perú a España que llega hasta la actualidad. Este inicialmente tímido flujo de trabajadores con contrato desde origen se intensifica con posterioridad a 1997, gracias a que se logra el reconocimiento del derecho de los peruanos a trabajar en suelo español sin estar sujetos a ninguna restricción impuesta por el sistema de cuotas (derecho establecido en el convenio de doble nacionalidad firmado entre ambos países en 1959).[15] Como resultado de todos los factores señalados, se observa que en el caso peruano la migración clandestina de personas prácticamente desaparece a la vez que se perfilan tres vías principales para conseguir sus sueños de alcanzar España: a) como estudiantes y turistas con un visado que obtienen en su país de origen, b) como sujetos de un proceso de reagrupación familiar, o c) como trabajadores migrantes a quienes se les otorga un permiso después de presentar un contrato de trabajo facilitado generalmente por un paisano familiar o no familiar residente en España.

---

pudieron acogerse a estas cuotas anuales fueron básicamente la marroquí, peruana, dominicana y filipina; y los sectores laborales contemplados fueron el servicio doméstico y la agricultura. El nuevo gobierno encabezado por José María Aznar recrudece a partir de ese año las condiciones para solicitar un permiso de trabajo y desde 1998 se insta a que las solicitudes se realicen desde el país de origen, obligando en un período inicial de gracia a que los inmigrantes ya instalados en España regresen de donde vinieron a tramitar la documentación. A fines de los años noventa, es evidente que la composición por nacionalidades de los peticionarios se ha diversificado, aumentando asimismo la proporción de hombres (no africanos) que presentan solicitudes. Así, la mayor demanda se registra ahora entre ecuatorianos, colombianos, marroquíes, chinos y europeos del Este, y a los anteriores sectores se añade la construcción y la restauración como sectores específicos de reclutamiento.

15.   Artículo 7 del Convenio de Doble Nacionalidad: "Los españoles en el Perú y los peruanos en España que no estuvieran acogidos a los beneficios que les concede este Convenio (es decir, ostentar la doble nacionalidad), continuarán disfrutando los derechos y ventajas que les otorguen las legislaciones peruana y española, respectivamente. En consecuencia, podrán especialmente: viajar y residir en los territorios respectivos; establecerse donde quiera que lo juzguen conveniente para sus intereses, adquirir y poseer toda clase de bienes muebles e inmuebles; ejercer todo género de industria; comerciar, tanto al por menor como al por mayor, ejercer oficios y profesiones, gozando de protección laboral y de seguridad social, y tener acceso a las autoridades de toda índole y a los Tribunales de Justicia, todo ello en las mismas condiciones que los nacionales. El ejercicio de estos derechos queda sometido a la legislación del país en que tales derechos se ejercitan".

La llamada a la reagrupación familiar constituye un medio cada vez más utilizado para emigrar, a pesar de las crecientes restricciones. El estrecho margen para la reagrupación familiar de residentes extranjeros, tal y como se estipula en la Ley de Extranjería de España,[16] ha sido superado parcialmente con el recurso adicional a pedir por aquellos que no pudieron ser reagrupados antes, poco después de adquirir la nacionalidad española. Por esta razón, la nacionalización de los peruanos que viven en España se ha convertido en una prioridad para muchos que desean traer junto a sí a sus ascendientes, descendientes u otros parientes. La nacionalización también es esencial para aquellos que esperan involucrarse más en las estructuras españolas nacionales, incluyendo la obtención de un puesto en el sector público o tener acceso a determinados recursos. Por último, la adquisición de la nacionalidad española se convierte en una nueva oportunidad para migrar a otros países de la Unión Europea, lo cual podría proporcionarles un paso más en su camino hacia la mejora del estatus social y económico.

El nuevo gobierno que se constituye en el año 2004, con el regreso del partido socialista encabezado ahora por el presidente Rodríguez Zapatero, ha levantado múltiples expectativas, comentarios y críticas en los niveles nacional e internacional. Con todo, la férrea postura antibélica adoptada desde el inicio en confrontación con los intereses de algunas naciones y grupos no ha tenido similar reflejo en la política migratoria. Al contrario, siguiendo la línea restrictiva marcada por Bruselas (Unión Europea), se aprueba un Reglamento a la Ley de Extranjería (en diciembre del 2004) que no introduce ventajas sustantivas para los migrantes y se pone en marcha un proceso de normalización (de febrero a mayo del 2005) al que se acogerán solo aquellos trabajadores foráneos en situación irregular cuyos empleadores estén dispuestos a gastar su tiempo en las ventanillas de atención al público (previsiblemente pocos).[17]

Por tanto, lejos de esperar cambios radicales en el tratamiento de la inmigración, el gobierno muestra seguir los consejos de políticos y

---

16.   La primera ley de 1986 fue recrudecida en una nueva ley del 2000 y su modificación del 2001, lanzadas por el gobierno del conservador José María Aznar en un intento por restringir los posibilidades de acción de los inmigrantes.

17.   Para más información, véase la página http://www.mtas.es/migraciones/default.htm, consultada en febrero del 2005.

asesores que apuestan por la calma y prudencia. De hecho, como hemos visto líneas atrás, las encuestas de opinión revelan que la ciudadanía española siente que ya son demasiados los extranjeros que viven en el país y desea que quienes ingresen de nuevo lo hagan solo si llevan un contrato de trabajo bajo el brazo.

Características sociodemográficas de los peruanos que emigran a España

La población peruana residente en España no es homogénea en su distribución por sexo y edad, clase social, lugar de origen, niveles de formación y logros ocupacionales, entre otros factores de diferenciación. Sin embargo, el establecimiento de redes migratorias que han posibilitado a la gente salir de su país e insertarse más rápidamente en la sociedad receptora ha tenido un papel principal en caracterizar a la gente que se moviliza. La feminización de los flujos migratorios peruanos en su inicio fue operacionalizada a través de estas redes. Las mujeres, que encontraron mejores oportunidades laborales para ellas que para los varones, han tendido a llamar primero a sus parientes femeninas y amigas para que se les unieran en el extranjero. Otro rasgo de las redes es que las familias, comunidades y personas de las mismas regiones de origen tienden a encontrarse espacialmente en los nuevos lugares de asentamiento.

La tendencia entre los migrantes a reunirse con parientes y paisanos, y a permanecer cerca de ellos es un fenómeno conocido que ha sido documentado por los científicos sociales en relación con muchas poblaciones desplazadas. Los datos oficiales revelan que el 80% de todos los peruanos residentes en España vive en las dos grandes áreas metropolitanas de Madrid y Barcelona.[18] El resto se localiza en otras grandes ciudades como Valencia, Sevilla o Zaragoza y en las Islas. Una vez en España, no tiene lugar una intensa movilidad geográfica interna, en contraste con la mayor movilidad que presentan, por ejemplo, los ecuatorianos. Mientras que los peruanos se emplean mayoritariamente en el sector servicios, una proporción importante de ecuatorianos trabaja en la agricultura y la construcción, que requieren a menudo desplazamientos según las temporadas.

---

18. DGEI 2003.

Además, se constata una concentración espacial de migrantes procedentes de determinadas regiones del país de origen, siendo Barcelona un buen ejemplo. Allí se ha asentado una gran comunidad de peruanos oriundos del departamento de La Libertad, cuya ciudad principal es Trujillo. Al menos uno de cada cuatro residentes en Barcelona llegó directamente de esa región norteña a la capital de Cataluña, como señalan los datos consultados en el Consulado del Perú en Barcelona. En Madrid, la proporción de gente de La Libertad es de solo el 10%. En ambas ciudades, la mayoría de peruanos se registró con una dirección de Lima (algo más de la mitad de los residentes en Madrid y cerca del 40% en Barcelona), lo cual, sin embargo, no arroja ninguna información sobre su lugar de residencia *de facto* en el Perú o si hubo algún tipo de migración interna antes de la salida internacional.[19] No obstante, los datos de mi anterior y actual investigación sobre peruanos revelan que la mayoría que vive en España tiene un origen urbano y de clase media (de referencia).

En las páginas siguientes, entre las características sociodemográficas de los peruanos que emigran a España destacaremos su número y estatuto legal; edad, estado civil y número de hijos; composición y dinámica de los hogares; educación, mercado de trabajo y género. En todos estos aspectos observados, se acentúa el efecto de dos procesos que se están dando paulatina y generalizadamente entre los peruanos que se asientan. Estos son la reagrupación y formación familiar, y la adquisición de la nacionalidad española. Ver cómo estos procesos inciden en la cotidianidad permitirá entender las condiciones bajo las cuales se negocia la ciudadanía plena, respecto tanto al nuevo Estado receptor como al Estado al cual se sigue perteneciendo desde la distancia.

Número y estatuto legal

El número de peruanos residentes en España ha crecido extraordinariamente desde 1991, año en el que, como ya hemos señalado, se aprobaron medidas específicas para regularizar a los extranjeros que residían sin

---

19. Estos y otros datos de que se tratará posteriormente proceden del análisis de una muestra aleatoria de los registros consulares de peruanos residentes en España, que fue amablemente cedida por las autoridades consulares a petición. Las muestras se tomaron en meses sucesivos el año 2003 en Barcelona y Madrid.

su correspondiente autorización. Desde aquella fecha, las cifras de peruanos han aumentado constantemente, hasta convertirse en la segunda mayor nacionalidad de origen no europeo-comunitario a fines de la segunda mitad de los años noventa. Más recientemente, otros nacionales latinoamericanos (como ecuatorianos y colombianos) están excediendo en número a los peruanos, puesto que la inmigración peruana se canaliza legalmente, en gran medida, a través de las reunificaciones familiares y los contratos nominales de empleadores nativos.[20] Por lo tanto, la migración peruana a España está creciendo regularmente pero en menor proporción que otros migrantes indocumentados del resto de países latinoamericanos. A pesar de ello, en junio del 2004 había cerca de 62.000 peruanos residentes en España, de los cuales algo más de 7.000 ostentan la residencia europeo-comunitaria,[21] indicando que están casados con, o tienen un hijo/a, padre/madre, español o europeo de la Unión.

Aparte de los inscritos como residentes extranjeros, otros 17.000 peruanos han adquirido la nacionalidad española —manteniendo la de origen— en los últimos 16 años. Desde 1988, los peruanos en España se han naturalizado en número creciente, en tercera posición solo después de los marroquíes y argentinos, y prácticamente a la par con los dominicanos. La naturalización se puede solicitar después de cumplir el requisito de un período de residencia continuada en España de dos años o de solo un año en caso de estar casado con un español. A la inversa de lo que sucede entre los argentinos o venezolanos, el reclamo de una ascendencia española tiene menor importancia entre los inmigrantes peruanos, ya que hubo menos emigración española al Perú en el siglo XX.

---

20. Debido a la fuerte presión por emigrar de ecuatorianos y colombianos, los flujos peruanos hacia España probablemente se han visto frenados por la competencia y el tratamiento español preferencial hacia las solicitudes de trabajo procedentes de esos otros dos países. Las causas pueden hallarse además en el hecho de que los peruanos tienen posibilidad de conseguir un permiso de residencia y trabajo mediante el régimen general, gracias a un antiguo convenio entre ambos países (ver nota a pie de página 14). A pesar de su menor número, los flujos migratorios peruanos se mantienen firmes y no parece que vayan a decrecer ni detenerse.

21. OPI 2004.

CUADRO 1

Los siete mayores grupos de residentes no europeo-comunitarios en España, por nacionalidad de origen y régimen de residencia (1993 y 2004)

Año	País de origen						
	Marruecos	Ecuador	Colombia	Rumanía	Perú	China	República Dominicana
Residentes 1993	61.301	*	*	*	9.988	7.750	9.228
Total 2004	350.059	191.326	122.860	67.081	62.231	62.021	38.566
CE (%)	4,7	2,4	16,8	3,3	11,4	2,4	34,3

*   Se desconoce la cifra, pero, en cualquier caso, esta es menor que en las otras cinco nacionalidades.
Fuente: anuarios estadísticos de extranjería en España (http://dgei.mir.es).

El número de matrimonios entre peruanos y españoles (de origen) es significativo, aunque más reducido que otras uniones mixtas entre españoles (especialmente varones) y personas de origen caribeño (mujeres cubanas, dominicanas e incluso últimamente colombianas). Con todo, los matrimonios de peruanos celebrados en España han sido prácticamente en su totalidad con españoles. Sin duda, esto se debe en parte al hecho de que ambos países comparten el mismo idioma, y una herencia cultural y religiosa común.

Los matrimonios entre peruanos de origen y peruanos que se han nacionalizado españoles también se están popularizando, a medida que más y más residentes optan por naturalizarse. Las parejas que deciden casarse pueden estar viviendo juntos en España o estar separados antes de la boda. En cualquier caso, el matrimonio se convierte para muchos en una vía para regularizarse o para estabilizar el estatuto legal. Asimismo, se utiliza como un medio para conseguir entrar en el nuevo país de residencia, de lo cual se beneficia no solo el novio o la novia, sino también los posibles descendientes y ascendientes que se quieran reunir en la migración. Las leyes sobre nacionalización en España afectan también a los hijos de peruanos (de uno o ambos progenitores) al ofrecerles la posibilidad de adquirir la doble nacionalidad al año de nacer y residir en España, aunque sus padres no hayan adquirido todavía la nacionalidad española.

CUADRO 2

Condiciones legales y socioculturales que favorecen la integración social de los latinoamericanos, en comparación con inmigrantes de otras nacionalidades (excepto para los europeos de la Unión) en España

	Latinoamericanos	Otros
Idioma	Español	Otros idiomas
Religión	Católica	Otras religiones
Visado	No requerido para peruanos y dominicanos antes de 1992, y para ecuatorianos y colombianos antes del 2003 y 2002 respectivamente	Requerido
Convenios bilaterales	Existencia de convenios con Perú, Chile y Uruguay, que facilitan la igualdad de acceso y trato en el territorio y mercado laboral de los países signatarios	No hay convenios
Nacionalidad	Solicitud de doble nacionalidad permitida después de solo dos años de residencia continuada	Nacionalidad española otorgada después de diez años de residencia y con riesgo de pérdida de la nacionalidad original

Fuente: elaboración propia sobre la base de la revisión de distintos textos legales.

Por último, las cifras de peruanos en España se incrementan con la aportación de una porción de residentes indocumentados, aunque mantengo que tal condición no está tan generalizada entre los peruanos como en otras nacionalidades.[22] El grupo de los indocumentados está formado por gente que cruza las fronteras clandestinamente, que se

---

22. Nuestra sospecha se corrobora cuando contrastamos las cifras de extranjeros con permiso de residencia en vigor, que nos facilitan las autoridades migratorias, con las de extranjeros empadronados en los distintos municipios españoles, no siendo requisito para el empadronamiento mostrar una tarjeta de residencia. Por nacionalidades, se observa en Escrivá 2004a que los peruanos son quienes registran menor desfase entre número de empadronamientos y permisos de residencia, frente a los mayores contrastes de otras nacionalidades latinoamericanas como ecuatorianos, colombianos e incluso argentinos.

queda después de la fecha de vigencia de su visado de turista o estudiante, o que no consigue renovar el permiso de residencia anterior. Las amnistías de 1991, 1996 y 2000 consiguieron regularizar a un número considerable de peruanos indocumentados en España. Los vínculos familiares con otros residentes de su misma nacionalidad han sido un factor de ventaja en los sucesivos procesos de regularización, circunstancia explícita en los reglamentos como factor que demuestra arraigo, junto con la prueba de existencia de una actividad económica regular en el mercado formal de trabajo.

Edad, estado civil y número de hijos

La mayoría de los peruanos en España se encuentra en la edad adulta. En su inicio, los flujos migratorios suelen estar encabezados por adultos, especialmente adultos jóvenes (25-35 años), quienes son los primeros en salir y cambiar su lugar de residencia habitual. Más tarde, a estos adultos se les unen personas dependientes, gracias a los procesos de reagrupación familiar. Esta dinámica favorece la diversificación de la proporción por sexo y edad de los grupos en la migración. En cuestión de edad, las reagrupaciones aportan coetáneos, pero también, y con frecuencia, personas muy jóvenes o mayores que el conjunto (ver cuadro 3). Menores y ascendientes dependientes de los migrantes son al mismo tiempo o alternativamente llamados a emigrar, dependiendo de las circunstancias que rodean a cada individuo. Mientras que los menores son reagrupados por sus padres, que los habían dejado a cargo de otros familiares en el Perú, cuando las condiciones laborales hacen factible la convivencia, los mayores reagrupados generalmente siguen o bien a sus hijos solteros con el fin de insertarse en el mercado laboral o bien a sus hijos con cargas familiares para ayudarlos en la crianza de los nietos.

La mayor edad en conjunto de los peruanos en España respecto a las otras nacionalidades del cuadro 3 obedece, además, a otras dos causas. Por un lado, responde al crecimiento relativamente más lento del colectivo peruano en los últimos años, debido a las especiales dificultades que han tenido para la entrada en Europa desde 1996. De este modo, la comunidad peruana está proporcionalmente más envejecida, puesto que se han incorporado recientemente menos efectivos jóvenes. Dicho de otro modo, una gran proporción de peruanos reside en el país por más tiempo que, por ejemplo, los comparativamente más noveles ecuatorianos o colombianos.

CUADRO 3
Los siete grupos más numerosos de residentes no europeo-comunitarios en España, por nacionalidad y grupo de edad

Año del recuento	País de origen						
	Marruecos	Ecuador	Colombia	Rumanía	Perú	China	República Dominicana
Total 2004	350.059	191.326	122.860	67.081	62.231	62.021	38.566
% 0-15	22,2	14,9	14,5	12,5	7,3	17	14,9
% +64	1,3	0,3	1,2	0,3	3,5	1,9	2,2

Fuente: OPI 2004.

Por otro lado, la mayor edad promedio de los residentes peruanos en España se explica porque los flujos de migración laboral han contado desde sus inicios con una proporción significativa de personas ya no tan jóvenes (en los cincuenta y los sesenta años de edad). Según he podido constatar en mis estudios,[23] estos migrantes en edad avanzada habían perdido sus empleos o se habían retirado (a veces antes de la edad legal) en el Perú de puestos en la administración estatal, con lo cual pudieron juntar suficiente dinero para iniciar su propio negocio y/o para emigrar. Las mujeres mayores de cincuenta años, especialmente, consiguen en España puestos como acompañantes y cuidadoras de ancianos, prefiriéndoselas a las más jóvenes por su mayor experiencia, resignación al trabajo (menores expectativas de promoción) y menor rotación en los puestos de internas. La mejor adaptación de las mujeres mayores a los puestos de domésticas internas es posible gracias a la edad y al estado civil, puesto que, debido a la inexistencia de hijos menores o de un marido que atender, no se presentan frenos para el desarrollo de una actividad laboral tan exigente en materia de horarios.

Asimismo, del cuadro 3 se desprende que la población peruana menor de edad en España es pequeña, en comparación con la composición de la pirámide poblacional nativa y con la composición

---

23. Escrivá 1999, 2005.

etaria de todos los otros grupos de residentes extranjeros representados. Se pueden barajar varias razones explicativas. En primer lugar, podemos suponer que es producto de que la reagrupación familiar no se encuentra aún en un estadio avanzado y, por consiguiente, muchos hombres y mujeres todavía tienen hijos o hermanos y hermanas menores que no los acompañan. Pero ¿por qué los peruanos habrían de retrasar tanto la reagrupación de sus menores siendo comparativamente una comunidad más asentada? En segundo lugar, resulta más verosímil pensar que el reducido número de menores residentes está relacionado con que la tasa de nacimientos y el número de hijos dependientes entre los peruanos que han emigrado a España son más bajos que las tasas que muestran las otras nacionalidades. Por lo tanto, la escasez de menores en el colectivo sería en realidad producto de las características de mayor edad y baja nupcialidad, y natalidad de los adultos.

Los datos de un estudio sobre empleadas domésticas en España, realizado por el Colectivo Ioé (2001), indicaban que la soltería es más frecuente entre las inmigrantes peruanas que entre las mujeres de las otras cuatro nacionalidades por ellos investigadas (dominicanas, ecuatorianas, filipinas y marroquíes). Mi propio análisis de los registros consulares apoya estos resultados, pues las solteras en el momento de registrarse ante las autoridades peruanas, usualmente poco después de llegar a España, son alrededor del 70%.[24] En adición a este dato, el estudio del Colectivo Ioé añadía que el número de hijos por mujer entrevistada es comparativamente menor entre las peruanas que entre las domésticas de las nacionalidades antes mencionadas. En consecuencia, no debemos ni podemos esperar una expansión súbita de la base de la pirámide poblacional española gracias a los niños peruanos (que vengan a o que nazcan en España). Por el contrario, los peruanos hoy parecen seguir la tendencia española hacia una fecundidad decreciente.

Composición y dinámica de los hogares

En contraste con las pautas de cohabitación españolas, los hogares peruanos en España están formados por más miembros, al menos en la primera etapa después de la llegada y asentamiento.[25] Estos hogares

---

24. Ver nota a pie de página 17.
25. Labrador y Merino 2002.

no solo están integrados por más personas de clase media que los hogares españoles, sino que, además, las relaciones entre sus miembros
no están basadas necesariamente en vínculos de sangre. En un buen
número de hogares peruanos encontramos familiares que conviven
con personas no emparentadas. Esto ocurre, en primer lugar, por las
dificultades que encuentra un no nacional de país europeo-comunitario para alquilar un piso en España, debido a la falta de permiso de
residencia o a la desconfianza de la población autóctona hacia los inmigrantes. En segundo lugar, en los primeros tiempos, los recién llegados
están más preocupados en ganar suficiente dinero para devolver la
deuda que se contrajo con el fin de financiar el proyecto migratorio, o
en enviar remesas al lugar de origen, que en el confort en términos de
condiciones de la vivienda. El hecho de que la mayoría de mujeres trabajen como empleadas domésticas internas inicialmente y no tengan
otro lugar privado donde estar, o alquilen solamente una pequeña habitación en el apartamento de alguien para sus días libres, ilustra este
punto. En tercer lugar, la falta de —o la ignorancia acerca de— otros recursos sociales de apoyo hace más atractivo el vivir juntos: con parientes
si se encuentran también en el extranjero; o con otras personas, usualmente inmigrantes como ellos.

　　Los miembros de estos hogares nada o parcialmente familiares
suelen compartir intereses económicos, como demuestra mi propia investigación con peruanos. A menudo se divide entre todos el alquiler,
las facturas, los gastos de comida, las responsabilidades de cocina y
limpieza; pero el dinero se administra individualmente o por parejas.
Tampoco es raro que, a causa de los precarios estándares de vida, los
integrantes del hogar se apoyen con dinero para que uno de ellos pueda
saldar una deuda, pagar la parte del alquiler en tiempos de desempleo
o reunir un fondo con el cual solicitar la reagrupación familiar. Esto
mismo se aplica para los hogares y familias transnacionales, localizados entre Perú y España, e incluso en países intermedios, que se sostienen sobre la base de este dinero circulante: el primero en migrar envía
dinero de regreso, utilizado, entre otras cosas, en hacer posible la emigración de un segundo, quien a su vez tendrá que enviar dinero de
vuelta para un tercero, y así sucesivamente.

　　La tendencia que he observado en los hogares peruanos, especialmente en aquellos que están ascendiendo en la escala social y económica e integrándose en las pautas de la sociedad mayoritaria española, es reducir su tamaño y aproximar su composición a la de la familia nuclear. Esto sucede especialmente tras la reagrupación o la formación familiar. Con todo, el establecimiento de un hogar familiar nuclear no significa que este vaya a mantenerse inalterado a lo largo del tiempo, ya que la cadena migratoria familiar suele continuar, por propio deseo de los ya emigrados o por empuje de los que quedan atrás. Así, pues, los hogares nucleares alojan a menudo parientes recién llegados con sus propios proyectos migratorios, que son temporalmente hospedados y pronto invitados a buscar un nuevo acomodamiento con el fin de continuar con su proceso de reagrupación familiar. En otros casos, estos parientes son especialmente bienvenidos y alojados durante más tiempo si proveen de ayuda con la casa y el cuidado de los niños, como sucede con frecuencia al traer a hermanas solteras y madres. También personas dependientes, como mayores con necesidades de atención, y hermanos y hermanas muy jóvenes pueden circular entre diferentes hogares emparentados por determinados períodos e ir y venir del Perú si es necesario. Por consiguiente, aunque se constituyen mayoritariamente como hogares formados por familias nucleares, la composición del hogar puede verse alterada, dado que suele ser común la residencia más o menos temporal de otros familiares en la casa.

Los migrantes adultos que no forman su propia familia se quedan a vivir con otros familiares en España o constituyen hogares formados por personas no emparentadas en todo o en parte con quienes, como vimos, comparten los gastos. Los hogares unipersonales son escasos, estando sujetos generalmente a determinadas exigencias laborales o de disponibilidad de viviendas. Este es el caso de los trabajadores del sector turístico hotelero, alejados de cualquier población, que residen todo el año dentro de los hoteles.

Educación, mercado de trabajo y género

Otro aspecto significativo concerniente a los peruanos en España es la ligera desproporción en la distribución por sexos. Aunque en los años ochenta el aún incipiente flujo de llegada estuvo comandado por varones, el número de peruanas migrantes creció rápidamente hasta la mitad de los años noventa, llegando a sumar alrededor del 70% del total de residentes.[26] Como también ha hecho notar Izquierdo con respecto al conjunto de la inmigración latinoamericana en España, a finales de los años noventa y principios de la presente década, la proporción de mujeres se ha reducido (por debajo del 60%) como resultado principalmente de la reagrupación familiar.[27] La migración encabezada por mujeres, que ha sido notoria en el caso peruano, se ha podido interpretar en dos direcciones: a) como la consecuencia de una selectividad marcada por las condiciones en los lugares de origen y destino de la migración, y b) como la oportunidad para estas mujeres de empoderarse al obtener recursos y estatus a través de la migración y el "jale" de parientes.[28]

De acuerdo con los datos recogidos por los consulados peruanos de Madrid y Barcelona, cerca del 15% de todas las mujeres registradas declaró dedicarse al hogar exclusivamente en el Perú, mientras que no pocas de ellas estaban trabajando como empleadas del hogar ahora en España.[29] También se dan los casos opuestos, aunque en menor proporción, a saber: mujeres que estudiaron o trabajaron remuneradamente en el Perú antes de salir del país y que, una vez en España, se han convertido en amas de casa, inactivas o desempleadas en el mercado laboral. En cambio, para la gran mayoría ha tenido lugar una continuación de la vida laboral a través de la migración, aunque supeditada a descensos en la escala ocupacional, especialmente entre un poco más del 40% de hombres y mujeres que obtuvieron grados superiores de formación y experiencia profesional cualificada antes de su partida, según datos consulares.

Por lo tanto, aunque las mujeres peruanas han avanzado en el proceso de empoderamiento a través de su incorporación en el mercado de trabajo en España, su éxito es solo relativo. En el pasado, los migrantes con estudios superiores pudieron encontrar más fácilmente empleos cualificados en el mercado laboral español, ya que eran pocos y estos empleos estaban en expansión. Sin embargo, más tarde, en los años noventa y en adelante, la escasez de empleos cualificados ha obligado a la mayoría de los llegados —independientemente de su bagaje

---

26. Escrivá 1999.
27. Izquierdo 2002.
28. Oso 1998.
29. Ver nota a pie de página 17.

educativo— a aceptar empleos menos deseados. De ahí surge la carrera incesante de las peruanas como empleadas domésticas en España, al igual que ocurre con otras mujeres de países vecinos: Ecuador, Colombia y Bolivia.[30]

Las cualificaciones y la experiencia en el sector de la salud de muchas peruanas emigradas ha probado ser una ventaja a la hora de conseguir un puesto que incluya el cuidado de niños, enfermos o personas mayores, aparte de la casa. Pero, en general, los empleos que están disponibles para estas mujeres y hombres no cubren sus expectativas, y están lejos de sus aspiraciones y formación. A menudo, los trabajos requieren tareas para las cuales no pocos de ellos acostumbraban a contratar personal en sus propios hogares, como reportó un número importante de entrevistadas en Madrid y Barcelona. El haber podido tener servicio doméstico en el Perú es otra prueba de que los migrantes provienen de sectores sociales más pudientes.

Desde finales de los años noventa, hay evidencia de un relativo movimiento ascendente en la escala ocupacional de las peruanas que residen más tiempo hacia mejores puestos en los servicios a personas y hacia otras actividades del sector servicios, tales como la restauración, la administración, el comercio y las ventas.[31] Los puestos que dejan son ocupados por recién llegados del mismo país o de otros países como Ecuador o Colombia. Por otro lado, los varones han podido encontrar empleo en la construcción, la restauración, la vigilancia, la mensajería; y en los oficios de pintura, mecánica, fontanería, electricidad y un largo etcétera. Las condiciones de trabajo varían sustancialmente, dependiendo del tiempo de residencia en España, su experiencia y conocimientos, siendo estas condiciones, en muchos casos, nada diferentes de las de la población española nativa. En otros casos, por el contrario, debido a su posición vulnerable, los peruanos trabajan por menos dinero que los españoles, aceptan empleos temporales y toman los puestos menos prestigiosos. La adquisición de la nacionalidad española no garantiza mejoras sustantivas al respecto, pero sí abre las puertas a otras posibilidades como los empleos públicos o la migración intraeuropea.

---

30.   Oso 2000, Aparicio y Giménez 2003.
31.   Escrivá 2003.

Previsible evolución de la comunidad peruana en España e implicaciones

Las características sociodemográficas señaladas dibujan el perfil de la comunidad peruana asentada en España. Con el fin de poder ofrecer previsiones sobre su evolución futura y las implicaciones a que pueda dar lugar, a estos elementos cabría añadir el análisis de los contextos tanto de salida como de llegada y su posible variación. Los contextos nacionales del Perú y España están marcados tanto por fuerzas internas como externas, entre las que hay que contar muy especialmente con las de carácter supra y transnacional. Estas incluyen las alianzas político-económicas (en el caso español, su pertenencia a la Unión Europea) y los grandes capitales económicos que invierten en empresas productivas o especulan en las bolsas. Del análisis contrastado de ambos parámetros podremos aventurar la configuración de escenarios en donde se enclava la acción de la ciudadanía peruana en el exterior.

El contexto español actual se caracteriza por una creciente dependencia en sus políticas migratorias de los designios de la Unión Europea, de cuyas decisiones igualmente participa.[32] La tendencia europea en lo relativo a los asuntos migratorios, en concreto en las disposiciones sobre el acceso de personas de terceros países en el interior de sus fronteras, consiste en seleccionar y restringir. La selección de aquellos individuos que por sus lazos familiares o por sus cualificaciones (específicas o generales, cuando se busca simple mano de obra no especializada) son bienvenidos a residir y trabajar dentro de su espacio implica la restricción o eliminación de otros candidatos que no cumplan las condiciones previstas. De ahí se deriva que quienes deseen salir del Perú se enfrenten a tener que ajustar su perfil a las demandas de los mercados laborales y matrimoniales del país deseado. Este será un elemento que se debe considerar en el análisis de las vinculaciones transnacionales previas a la emigración efectiva.

---

32.   Cuando no las intenta marcar. Recordemos las intervenciones del ex Presidente del gobierno español, José María Aznar, en la Cumbre de Sevilla en junio del 2003 cuando lanzó la propuesta de que las ayudas internacionales a países terceros estuvieran condicionadas a su participación activa en el control sobre las fronteras exteriores de la Unión Europea y al cumplimiento de las recomendaciones en materia migratoria.

Proyecciones futuras

El análisis de los distintos determinantes de la emigración apunta hacia la continuación de los flujos de salida de la región andina en décadas venideras. Por una parte, las grandes desigualdades en términos de salarios y oportunidades de empleo dentro de los países de América Latina, y entre Europa y América Latina van a continuar, afectando en especial a jóvenes, mujeres y mayores.[33] Por otra parte, diversos factores de expulsión y atracción (*push and pull factors*), tales como la desigual provisión de servicios sociales entre unos países y otros o el distinto grado de inseguridad ciudadana y violencia de Estado, inclinarán las decisiones sobre las alternativas de vida de muchos peruanos hacia la emigración al exterior.

La composición de los flujos migratorios estará altamente determinada por las redes migratorias de parientes, vecinos y amistades. De este modo, la comunidad peruana en España seguirá engrosándose con personas procedentes en su mayoría de los mismos lugares y grupos sociales. Sin embargo, se aprecian ya, como indicamos previamente, tendencias de cambio: a) la desproporción entre sexos (antes a favor de las mujeres) se atenúa paulatinamente; b) los grupos por edades se diversifican con el envejecimiento del propio colectivo migrado y, además, con la reagrupación y formación familiar que añade jóvenes y mayores a la diáspora; y c) se hace patente la presencia en España de personas de estratos inferiores de la sociedad peruana, que a través de contactos (peruanos de clase media que los "jalan") consiguen iniciar verdaderas cadenas migratorias de clase baja.

En un contexto de continuada presión migratoria desde el Perú y de políticas de inmigración cada vez más restrictivas en Europa —que dotan de una menor capacidad de absorción de esta población mediante los sistemas actuales de regularización de indocumentados o de contratación desde el origen—, aquellos peruanos que consigan incursionar en España estarán expuestos a grandes limitaciones. La falta de permisos de residencia y trabajo, y la imposibilidad de conseguirlos obligarán a muchos a vivir en condiciones de marginalidad.[34] Las nuevas incorpo-

---

33. CEPAL 2004.
34. AA.VV. 2004.

raciones de peruanos a la comunidad residente en España en tales adversas condiciones resultará, como ya se viene observando, en una polarización creciente de la colonia: por un lado, un nutrido grupo de nacionalizados y residentes permanentes que con tesón consiguen abrirse camino en la sociedad española; y, por otro lado, una basculante cantidad de peruanos sin papeles o con autorizaciones de residencia limitada,[35] sujetos al chantaje, las arbitrariedades del mercado y la benevolencia de los demás.

En definitiva, las dificultades en aumento para acceder al suelo español han comportado y podrán comportar en años venideros dos realidades que ya presenciamos. Una realidad es la menor irregularidad documentaria de los peruanos llegados a España en los últimos años y sobre todo desde 1996. Como vimos, las grandes trabas impuestas a la migración disfrazada de visita turística hacen más frecuente que la migración laboral se conduzca por los cauces legales. La otra realidad es el despliegue de trabajadores peruanos hacia otros países de Europa (incluyendo Europa del Este) y Norteamérica (incluyendo Centroamérica y México); pero, sobre todo y gracias a la mayor facilidad de acceso terrestre, la alternativa son los países de la región como Chile.[36] No se descarta incluso que el despegue de Asia oriental pueda resultar en una nueva llamada a emigrar hacia Japón u otros países de su entorno en el futuro.

Edad y otras variables sociodemográficas de los migrantes

Además de los adultos, el segmento peruano de jóvenes y mayores en la migración seguirá creciendo próximamente. Por un lado, las dificultades para asegurarse la protección y los cuidados a la vejez en sociedades económicamente deprimidas y en las que los jóvenes no son ningún seguro marcarán el aumento de la presión de los mayores por emigrar.[37] De tal suerte y si las políticas inmigratorias de los países de recepción, tales como España, no lo impiden, crecerá la oferta de mano de obra

---

35. Peruanos con permisos temporales por estudios, turismo, negocios y trabajos puntuales o de temporada.
36. Stefoni 2003.
37. Hipótesis defendida en Escrivá 2005.

(también peruana) por encima de los cincuenta años. Esta fuerza de trabajo, como vimos, encuadra bien en la creciente demanda de personal de compañía para los mayores españoles. Estas personas suelen tener expectativas más bajas de promoción laboral y pueden acceder a permanecer en régimen de interinidad durante más tiempo, entre otras razones, al carecer de hijos menores que atender.

Paralelamente, los planes de reagrupación familiar de muchos peruanos emigrados incluyen llevarse a sus mayores dependientes, con el fin de poder compartir con ellos los beneficios de una "sociedad del bienestar". Quedan todavía muchos mayores en los lugares de origen y familias con planes de reagruparlos. No obstante, ignoramos si todos estos planes se cumplirán, puesto que dependen de la voluntad de los mayores, la capacidad de las familias para llevarlos a cabo y del progreso de las leyes sobre reagrupación en los próximos años.

Por otro lado, aumentará el número de jóvenes de origen peruano en España. En parte, será efecto de las reagrupaciones familiares y del nacimiento de hijos de parejas reagrupadas o formadas en España. Sin embargo, como anunciamos en el apartado anterior, no se espera que estos nacimientos sean muy numerosos. En cambio, no serán pocos los jóvenes que intenten emigrar autónomamente desde el Perú. Las malas previsiones de inserción en el mercado de trabajo peruano tras la educación media y superior son uno de los principales motivos para que los jóvenes se marchen.[38] Ellos soportarán, además, el deber de apoyar a los adultos y ancianos que no obtienen suficientes ingresos a través de sus actividades productivas o de las inexistentes (cuando no ridículas) pensiones. Estos jóvenes al partir no suelen dejar descendientes directos que cuidar, a diferencia de los adultos, y presentan mayor espíritu de aventura y capacidad para adaptarse a diferentes condiciones.

En cuanto a los ya residentes, las tendencias natalicias a la baja entre los peruanos en España permitirá a los jóvenes centrar sus esfuerzos en la consecución de su propia carrera laboral. Los jóvenes socializados en España van a mostrar, a mi modo de ver, distinto apego al país y costumbres de origen que sus padres. En consecuencia, la endogamia de grupo va a estar menos extendida, previendo la mayor ocurrencia de uniones mixtas (entre personas de origen peruano y español o de

---

38. Plaza 2001.

otras nacionalidades, sobre todo latinoamericanas) conforme pasen los años. Residencialmente, aunque ya existen indicios de concentración espacial en determinados enclaves de las grandes ciudades, el lugar donde se ubiquen los peruanos ahora y en el futuro estará determinado por el estatus de clase a través del matrimonio y la trayectoria laboral. Muy por el contrario, no dispongo de indicios en estos momentos para prever la formación de *ghettos* étnico-nacionales, como sucede con otros grupos estudiados.[39]

Formación de comunidad

En su afán por conseguir el acceso a Europa, y concretamente a España, los peruanos no van a estar solos, o no tan solos como estuvieron antaño. Recordemos que a principios de los años noventa fueron junto con los dominicanos el contingente migratorio de más presión de toda América Latina. Quince años más tarde, las miras de las poblaciones del resto de países del Pacto Andino —ecuatorianos, colombianos, bolivianos e incluso venezolanos— se dirigen igualmente hacia el exterior del subcontinente americano. Ecuatorianos y colombianos forman hoy la mayor comunidad latinoamericana residente en España.[40] Su entrada masiva desde mediados de los años noventa hasta la implantación de la obligatoriedad del visado para ingresar en Europa los ha convertido en el grupo de trabajadores clandestinos (o indocumentados) más grande del sudoeste europeo, sobre todo desde que los europeos del Este (principalmente polacos y rumanos) obtuvieron carta abierta para circular por el territorio europeo expandido. Bolivianos y venezolanos constituyen la nueva reserva de migración clandestina a Europa del Sur, puesto que continúan sin necesitar visado para entrar como turistas. Igualmente, las poblaciones americanas de más al sur, principalmente de Argentina, y de más al norte (República Dominicana, Cuba y en general Centroamérica), azotadas por las sucesivas crisis económicas y políticas, continuarán migrando e incrementando sus efectivos en España.

---

39. Aramburu 2000.
40. OPI 2004.

A la luz de esa constatación, cabe inmediatamente preguntarse hasta qué punto tendrá sentido estudiar la comunidad peruana de forma aislada en las próximas décadas, es decir, sin considerar los aspectos que la vinculan a la formación de una comunidad andina o incluso latina en Europa. La alta concentración de residentes peruanos en las dos principales áreas metropolitanas españolas, Madrid y Barcelona, está favoreciendo ya la superposición y convivencia en los mismos barrios de elementos latinoamericanos de orígenes nacionales distintos. Actualmente, ya resulta dificultoso para muchos españoles reconocer las características distintivas de peruanos, colombianos y ecuatorianos. Negocios y servicios que empezaron conducidos por y para la comunidad peruana en España se dirigen ahora hacia una comunidad andina más amplia, como sucede en otros lugares donde la presencia peruana compite con la de otras nacionalidades vecinas.

Es previsible que, de modo semejante a como en los Estados Unidos los hijos de latinoamericanos de distintas nacionalidades se identifican con una entidad supranacional: lo latino o lo hispano (influenciados por las categorías que impone el censo estadounidense), una identidad de esta índole se forje en Europa. ¿Se incluirá en el futuro Censo español una pregunta que identifique a los censados según categorías etnolingüísticas y raciales de este tipo o similar? Será interesante comprobar en el caso concreto de España qué elementos utilizarán quienes migraron y sus hijos para la diferenciación y reclamo de una identidad colectiva, y cuáles les atribuirán los españoles nativos. Podemos esperar que el proceso tome rumbos distintos, según se trate de regiones donde el castellano comparte protagonismo con otras lenguas peninsulares o de zonas donde el castellano es la lengua única o mayoritaria. En cambio, sospecho que los reclamos identitarios que lancen los latinoamericanos y sus descendientes en las próximas décadas mantendrán en general un tono débil, tal como ha sucedido con las poblaciones resultantes de las masivas migraciones internas del siglo XX en España (como andaluces, extremeños, gallegos, emigrados a Madrid, Catalunya o Euskadi). De hecho, ya se comprueba la continuidad en los procesos experimentados por migrantes internos y externos, cuando al llegar los latinoamericanos se asientan en los barrios y distritos que los otrora migrantes del interior de España ocuparon durante décadas, y que ahora han quedado vacantes a causa de la movilidad residencial y el declive demográfico.

Trayectorias laborales: mercado del cuidado

La inserción laboral de los peruanos y otros latinoamericanos (de origen) en España será decisiva para determinar el nivel de integración social que se alcance. En la medida en que estos trabajadores se perpetúen en los puestos laborales más estigmatizados (por pertenecer a la economía sumergida, estar mal pagados, ser sucios, duros, inestables, poco valorados) se mantendrá en el imaginario colectivo el estereotipo negativo. Por el contrario, como señalamos más arriba, en los residentes de más larga duración se observan trayectorias laborales ascendentes o de diversificación, entre las que se incluye el empleo autónomo (autoempleo) y la contratación indefinida en actividades que requieren niveles de cualificación media (que se trae o se obtiene mediante la formación continua o el reciclaje profesional).

Un caso ejemplar lo constituye el subsector laboral de los "servicios de proximidad".[41] Muchos migrantes peruanos, mujeres y hombres, participan hoy del "mercado globalizado del cuidado". Según la dinámica de este mercado, estos trabajadores están disponibles para realizar tareas de cuidado de personas (niños, mayores, enfermos, impedidos) que a menudo implican, además, el mantenimiento y las labores del hogar o de los lugares donde se albergan. La sustitución de la familia (en concreto de las mujeres de la familia) y de los trabajadores domésticos autóctonos por trabajadores foráneos responde al bajo valor y malas condiciones laborales asociadas a este tipo de trabajos, que se demandan sobre todo en régimen interno y a dedicación plena.[42] Si bien una gran parte de los migrantes (entre ellos muchos peruanos) acepta o busca este tipo de labor por varias condiciones asociadas a la misma, muchos la abandonan —al menos en régimen de interinidad— en cuanto se presentan otras oportunidades o exigencias (tales como la reagrupación familiar, la regularización y posteriormente la nacionalización, y la homologación de estudios).

Con todo, el sector de los cuidados personales experimentará un crecimiento sostenido en las próximas décadas a medida que el número de personas que envejecen aumente en España y en Europa.[43] Menos

---

41.   Torns 1997.
42.   Hondagneu-Sotelo 2001.
43.   Fernández 2002.

decisiva será la demanda de cuidadores de menores, debido al progresivo envejecimiento poblacional y a que todavía quedan muchas mujeres
españolas por incorporarse al mercado formal del trabajo y abuelos
que atienden a sus nietos. Las adaptaciones a que dé lugar tal realidad
pasarán presumiblemente por la continuada incorporación de trabajadores extranjeros, pues el crecimiento del sector y la retirada de los que
llevan más tiempo dejan siempre huecos por cubrir.[44] No obstante, es
previsible que el mercado se profesionalice y diversifique aún más, de
tal manera que aquellos migrantes y nativos con formación en áreas de
la salud y en el tratamiento de las necesidades en la tercera edad puedan
asegurarse participar en el segmento de la demanda de cuidados más
especializada y, por ende, relativamente mejor retribuida. En respuesta
a esto, más y más migrantes en España y aspirantes en el país de origen
se propondrán invertir en una formación dirigida a este segmento del
mercado. Por el contrario, muchos desestimarán la inversión en otras
carreras de nivel superior con el fin de evitar que, como les sucedió a
sus predecesores, los conocimientos y títulos obtenidos no reciban el
suficiente reconocimiento y, por tanto, no se permita su ejercicio en
España.

El concepto de "cadenas globales del cuidado"[45] incluye también
las obligaciones de atención a los propios familiares dependientes del
migrante que se dejan en el lugar de origen o que son reagrupados en
un momento posterior. Los emigrantes compensan con remesas económicas a los familiares que se quedan a cargo de los miembros dependientes o retribuyen al personal doméstico que se contrate para tal fin.
De nuevo, esta transferencia de obligaciones familiares hacia otras personas se suele sustentar bajo desigualdades de género, edad, clase social y etnicidad. De tal suerte, ya hoy muchas familias peruanas que
mantienen a sus miembros laboralmente más activos afuera emplean
muchachas en sus casas: muchachas que provienen de la sierra o de la
migración interna; muchachas que en zonas limítrofes, como sucede
en otras partes, proceden del país colindante (Haití, en el caso domini-
cano; Nicaragua, en el costarricense; Bolivia o Ecuador, en el caso peruano).[46] En años venideros, presenciaremos un aumento a nivel intrarre-

---

44. Escrivá 2003.
45. Hochschild 2000.
46. Escrivá 2004a.

gional de trasvases de población en edad laboral desde los diferentes países y en múltiples direcciones para este y otros fines.

Proyectos de retorno y vinculaciones transnacionales

A lo largo de las anteriores secciones, se ha tratado de los distintos grupos de edad, destacando la diferencia de intereses y escenarios con los que estos se van a ir encontrando. Los jóvenes socializados en España van a mostrar, según todos los indicios, menor apego al país de origen y, en consecuencia, no es probable que construyan proyectos de retorno, ni siquiera temporal. Tampoco es probable que se involucren, o al menos no con la intensidad de sus padres, en prácticas de vinculación constante y duradera con la gente y las instituciones del lugar de origen paternos. Las investigaciones sobre hijos de inmigrantes en los Estados Unidos destacan que el transnacionalismo económico, político e incluso religioso mengua sustancialmente en la segunda generación, aunque se pueda mantener una más o menos fuerte identidad binacional.[47]

Los peruanos que migraron ya adultos o mayores difícilmente van a poder regresar a corto y mediano plazo al Perú. A pesar de los deseos de retorno de algunos, las adversas condiciones socioeconómicas y políticas que perviven en los países andinos desaniman a los más nostálgicos.[48] Además, y de modo similar a como sucede con otros colectivos y en otros países receptores de migrantes, la reagrupación y formación familiar en un nuevo ambiente reduce las oportunidades de retornar entre aquellos que podrían hacerlo después de jubilarse, puesto que los abuelos desean permanecer cerca de sus hijos y nietos.[49]

No obstante, es posible que proliferen las figuras de los "abuelos y abuelas transnacionales" en aquellas familias que lo puedan sufragar, como hemos podido identificar a lo largo del trabajo de campo realizado con hogares peruanos en España. Esta figura de la "abuela golondrina" internacional está permitiendo que los mayores compaginen períodos de estancia en su país de origen con períodos de residencia en la casa de sus hijos y nietos, repartidos entre uno o más países. La finalidad de

---

47.   Levitt y Waters 2002.

48.   Según testimonios recogidos en Escrivá 1999.

49.   Rallu y otros 2000.

los desplazamientos es doble: la visita y el poder estar juntos durante
un tiempo, por un lado; y la colaboración del mayor en las tareas de
cuidado y atención del hogar y de los pequeños, por otro. Hallamos,
además, una tercera razón para estos desplazamientos anuales. Algunos mayores que no tienen nietos, o cuyos nietos ya no necesitan una
supervisión constante, aprovechan su estancia temporal para realizar
algún trabajo remunerado, con cuyas ganancias mantenerse el resto
del año de regreso al Perú.

Los peruanos que emigren mayores o que envejezcan en España
después de una historia laboral se encontrarán rápidamente —en ausencia de rentas u otros ingresos— con la necesidad de contar con una
jubilación para no verse obligados a seguir trabajando en la economía
informal ni depender de los hijos, si se tiene. Su solvencia dependerá
de que consigan reunir los años de cotización necesarios para solicitar
la pensión. Para este fin les interesa enormemente la formalización de
su relación laboral y el alta en el sistema de la seguridad social desde
que llegan a España. Además, necesitan que ambos estados, el español
y el peruano, acuerden que en el cómputo final para la jubilación española se reconozcan los años trabajados en el Perú o en cualquier otro
país extranjero. Aun con el futuro económico asegurado, a través de
una jubilación o unos ahorros e inversiones, lo cierto es que los planes
de retornar al lugar de origen podrían verse truncados o ser desestima-
dos con el tiempo.

El mantenimiento de sólidos vínculos transnacionales con el Perú
a lo largo de la trayectoria vital en España será el factor que mejor pre-
vea la posibilidad de retorno o retornos temporales de los peruanos
emigrados. En Escrivá 2004a, ofrezco un listado de las diferentes formas
de vinculación con el Perú (familiar, económica, social, política) que
los peruanos en España están llevando a cabo en la actualidad. A pesar de su importancia estratégica, estas prácticas de vinculación no
son en general ni mayoritarias ni regulares. La excepción la constituye
el ámbito de la familia en el que se insertan las remesas monetarias y
también sociales. Sin embargo, en la medida en que las familias se rea-
grupan y reconstituyen en España aprovechando las diversas vías para la emigración, los parientes con los que establecer relaciones en el
Perú escasean, con lo cual son muchos quienes tras largos años de residencia afuera apenas mantienen contacto con alguien.

La constitución de una fuerte conciencia transnacional en la comunidad peruana interesa a distintas partes. Es útil evidentemente para los intereses peruanos nacionales; queremos entender que no únicamente económicos. Con este objetivo, se pretende favorecer decididamente el (r)establecimiento de vinculaciones (la llamada "revinculación" en la terminología oficial peruana) entre los peruanos en el exterior y el país de origen: vinculaciones basadas en intereses comerciales, políticos, sociales-filantrópicos o culturales-identitarios. En esta tarea, el Estado peruano está tomando un papel activo, recomendado por organismos internacionales e instituciones económicas a las que también les interesa potenciar la relación (bancos, agencias remesadoras, y otras muchas empresas nacionales y multinacionales).[50]

Igualmente, la sociedad española, alarmada por la presión migratoria que proviene del exterior de Europa, puede aparentemente manifestar agrado en que estos vínculos de los peruanos (y otros migrantes) con el país de origen se mantengan y fortalezcan. El propósito implícito es el de estimular y preparar las vías para el retorno, cuanto antes mejor. Sin embargo, la política de vinculación, recogida oficialmente en los programas que alaban el potencial del "codesarrollo", colisiona con la preocupación social inmediata por la integración efectiva de la comunidad latinoamericana en España, que además en lo formal se facilita a través de una "rápida" obtención de la nacionalidad española (ver cuadro 2). En realidad, aunque la política de rápida nacionalización, un legado del pasado, desaparezca en cualquier momento por la presión interna y por la que desde la Unión Europa ejercen los países miembros, no existe evidencia de que la naturalización mengüe, o sea un factor determinante del descenso de, los vínculos transnacionales que se mantengan o retomen.

Mientras tanto, en este panorama de deseos encontrados y tendencias opuestas entre diferentes agentes (políticos, económicos, sociales y religiosos) de diversos países, el grueso de la comunidad peruana residente en España contempla estos debates, a mi entender, con cierto desdeño, centrando su atención en la supervivencia diaria, y en la mejora de su calidad de vida presente y futura. Para la mayoría, estas proyecciones pasan en estos momentos por estrategias que las atan más a España y al contexto europeo que al Perú y Sudamérica.

---

50. Luis Guarnizo (2004) abunda en este aspecto.

Conclusiones

El capítulo ha pasado revista a los contextos español y peruano en que
ha tenido lugar la migración peruana a España de los últimos treinta
años. Luego se han presentado algunas de las características sociodemográficas más destacadas de los peruanos residentes en ese país y a continuación se han argumentado las predicciones lanzadas sobre su evolución futura. Estas predicciones, incipientes y casi intuitivas, que se
han esbozado en la segunda parte del capítulo, pretenden abrir líneas
de investigación que ofrezcan pruebas empíricas más sólidas en el futuro. Sin embargo, mientras esperamos que esas pruebas sean obtenidas
a través de estudios mejor dotados que hagan uso de diferentes técnicas
(cualitativas y cuantitativas) de recogida y análisis de datos, el acercamiento exploratorio realizado sugiere ya una serie de tendencias.

La comunidad peruana en España seguirá creciendo en el futuro,
conformando un cada vez mayor abanico de situaciones, por edad,
sexo, origen geográfico y socioeconómico, nivel educativo obtenido, estatus legal en España, inserción laboral, entre otros factores. Por tanto,
cada vez se hace más difícil hablar de los peruanos en conjunto y de su
futuro de manera homogénea. A pesar de lo arriesgado de anticipar los
avatares de las políticas de inmigración y extranjería, situándonos en
un escenario de futuro intermedio (ni totalmente restrictivo ni abierto),
se vislumbra una polarización creciente entre los peruanos residentes
en España: entre un grupo amplio de peruanos nacionalizados españoles y, por ende, en condiciones objetivamente mejores que los no nacionales, y una proporción de peruanos cuyas posibilidades de vida van
a estar muy restringidas, por la carencia de permiso de trabajo y residencia o por la condicionalidad a la que los exponga el permiso que hayan
obtenido.

Por otro lado, en vista de las características actuales y la predecible
evolución futura de la comunidad peruana, estamos en mejor posición
para discutir la pregunta que encabeza este capítulo: ¿en qué medida
podemos considerar que los peruanos que residen más tiempo en España han pasado de la categoría de "migrantes" a la de "ciudadanos" y
qué cabe esperar que ocurra con los que llegan ahora o lo hagan en el
futuro?

En la introducción nos detuvimos en las dificultades para abordar
la construcción de ciudadanía en un contexto migratorio, con los

parámetros nacionales comúnmente establecidos. A partir de ello y recogiendo la propuesta de considerar la integración social como un proceso no excluyente del mantenimiento de vínculos transnacionales, se ha sugerido la conveniencia de abogar por la concepción de una ciudadanía multicultural y transnacional en los análisis con el de que repercuta también en la legislación y en las políticas públicas. Pensamos inicialmente que estos modelos de ciudadanía menos rígidos podrían comprender más fielmente las experiencias de vida de los peruanos, dependiendo estas más o menos de varios contextos simbólico-geográficos.

Sin embargo, las tendencias actuales observadas, tales como a) la escasa incidencia de las experiencias de retorno, incluso temporal, b) la baja vinculación transnacional tras la reagrupación familiar, y c) el escaso eco de planteamientos transnacionales en la concepción de los derechos y deberes ciudadanos que reconoce la legislación española, indican que el análisis que planteamos sobre la ciudadanía obedece más a un deseo que a una realidad.

Por el contrario, siguiendo los parámetros de la ciudadanía nacional, sí se puede comprobar la existencia de un proceso de trasvase de la condición de "migrante" a "ciudadano" en la actual comunidad peruana en España a través de su condición legal y su inserción laboral, entre otros aspectos. Con todo, las características intrínsecas a esta ciudadanía están por definirse, a medida que aumenta la comunidad y se diversifican las nacionalidades latinoamericanas a las que puede verse asociada. No es menor el riesgo de que se adopten etiquetas tales como la de "nuevos ciudadanos" con referencia a peruanos y otros latinoamericanos en España. Tal apelativo lleva a la memoria de tantos grupos humanos que ahora como en otros tiempos han sido considerados ciudadanos de segundo orden en sociedades formadas por individuos de orígenes diversos.

Bibliografía

AA.VV.
2004   *Informe anual 2004 sobre el racismo en el Estado español.*
            Barcelona: Icaria.

ALTAMIRANO, Teófilo
2000   *Liderazgo y organizaciones de peruanos en el exterior: culturas transnacionales e imaginarios sobre el desarrollo.* Vol. I.

Lima: Pontificia Universidad Católica del Perú y Promperú.

APARICIO, Rosa y Carlos GIMÉNEZ
2003   *Migración colombiana en España.* Ginebra: Oficina Internacional para las Migraciones.

ARAMBURU, Mikel
2000   "Bajo el signo del ghetto. Imágenes del 'inmigrante' en Ciutat Vella". Tesis doctoral. Barcelona: Universidad Autónoma de Barcelona, Departamento de Antropología.

COMISIÓN ECONÓMICA PARA AMÉRICA LATINA Y EL CARIBE (CEPAL)
2004   *Panorama social de América Latina 2004.* Santiago de Chile: Naciones Unidas.

COLECTIVO IOÉ
2001   *Mujer, inmigración y trabajo.* Madrid: Instituto de Migraciones y Servicios Sociales.

DELEGACIÓN DEL GOBIERNO PARA LA EXTRANJERÍA Y LA INMIGRACIÓN (DGEI)
2003   *Anuario estadístico de extranjería 2002.* Madrid: Ministerio del Interior.

ESCRIVÁ, Ángeles
1999   "Mujeres peruanas en el servicio doméstico de Barcelona: trayectorias sociolaborales". Tesis doctoral. Barcelona: Universidad Autónoma de Barcelona, Departamento de Sociología.
2000   "¿Empleadas de por vida? Peruanas en el servicio doméstico de Barcelona". En *Papers* 60, pp. 327-42 (http://www.bib.uab.es/pub/papers/02102862n60p327.pdf).
2003   "Inmigrantes peruanas en España. Conquistando el espacio laboral extradoméstico". En *Revista Internacional de Sociología* 36, pp. 59-83 (http://www.avantine.com/iesa/control/upfiles/angelesescribaportada.pdf).
2004a   "Formas y motivos de la acción transnacional: vinculaciones de los peruanos con el país de origen". En Escrivá y Ribas (coords.), 2004, pp. 149-81.

2004b   "Securing the Care and Welfare of Dependants Trans-
         nationally. Spaniards and Peruvians in Spain". Wor-
         king Paper. Oxford: Oxford Institute of Ageing (http:/
         /www.ageing.ox.ac.uk/publications/oia wp 404.pdf).
2005   "Late Middle and Early Old Age Migration to Spain.
         Underreported Profiles of International Migrants in
         Europe". En *Generations Review*. En preparación.

ESCRIVÁ, Ángeles y Natalia RIBAS (coords.)
2004   *Migración y desarrollo. Estudios sobre remesas y otras prác-
         ticas transnacionales en España*. Córdoba: Consejo Supe-
         rior de Investigaciones Científicas.

FERNÁNDEZ-BALLESTEROS, Rocío
2002   "Social Support and Quality of Life among Older Peo-
         ple in Spain". En *Journal of Social Issues* 58: 4, pp. 645-
         59.

GUARNIZO, Luis Eduardo
2004   "Aspectos económicos del vivir transnacional". En Es-
         crivá y Ribas (coords.), pp. 55-86.

HOCHSCHILD, Arlie Russell
2000   "Global Care Chains and Emotional Surplus Value".
         En Hutton, Will y Anthony Giddens (eds.), *On the edge.
         Living with global capitalism*. Londres: Jonathan Cape,
         pp. 130-46.

HONDAGNEU-SOTELO, Pierrette
2001   *Doméstica: Immigrant Workers Cleaning and Caring in
         the Shadows of Affluence*. Berkeley: University of Califor-
         nia Press.

IZQUIERDO ESCRIBANO, Antonio; Diego LÓPEZ DE LERA; y Raquel MARTÍNEZ
BUJÁN
2002   "Los preferidos del siglo XXI: la inmigración latinoame-
         ricana en España". En *Actas del III Congreso sobre la
         Inmigración en España*. Vol. II. Granada, pp. 237-50.

KYMLICKA, Will
1996   *Multicultural Citizenship: A Liberal Theory of Minority Rights*. Oxford: Oxford University Press.

LABRADOR, Jesús y Asunción MERINO
2002   "Características y usos del hábitat que predominan entre los inmigrantes de la Comunidad Autónoma de Madrid". En *Migraciones* 11. Madrid: Universidad Pontificia Comillas, junio.

LEVITT, Peggy y Mary WATERS (eds.)
2002   *The Changing Face of Home: The Transnational Lives of the Second Generation*. Nueva York: Russell Sage Foundation.

OBSERVATORIO PERMANENTE DE LA INMIGRACIÓN (OPI)
2004   *Informe estadístico: extranjeros con tarjeta o autorización de residencia en vigor a 30 de junio de 2004*. Madrid: Ministerio de Trabajo y Asuntos Sociales.

OSO, Laura
1998   *Mujeres inmigrantes jefas de hogar en España*. Madrid: Instituto de la Mujer.
2000   "Estrategias migratorias y de inserción social de las mujeres ecuatorianas y colombianas en situación irregular: servicio doméstico y prostitución en Galicia y Pamplona". Ponencia presentada en el II Congreso sobre la Inmigración en España, Madrid.

PLAZA, Orlando (ed.)
2001   *Perú. Actores y escenarios al inicio del nuevo milenio*. Lima: Pontificia Universidad Católica del Perú.

RALLU, Jean Louis; Francisco MUÑOZ-PÉREZ; y María José CARRILHO
2000   "Return Migration from Europe to Spain and Portugal". En *Studi Emigrazione* 37, pp. 625-50.

STEFONI, Carolina
2003   *Inmigración peruana en Chile: una oportunidad a la integración*. Santiago de Chile: Editorial Universitaria y Facultad Latinoamericana de Ciencias Sociales.

TAMAGNO, Carla
   2003   "'Entre acá y allá'. Vidas transnacionales y desarrollo: peruanos entre Italia y Perú". Tesis doctoral. Wageningen, Holanda: Wageningen University, Department of Sociology of Rural Development.

TORNS, Teresa
   1997   "Los servicios de proximidad, ¿un yacimiento de empleo?". En *Revista de Treball Social* 147, pp. 40-54.

CAPÍTULO 5

Entre "celulinos" y "cholulares": prácticas comunicativas y la construcción de vidas transnacionales entre Perú e Italia[*]

CARLA TAMAGNO

Introducción: los peruanos en Italia

La presencia de los peruanos en Italia es parte de un fenómeno de emigración latinoamericana que se inicia en los años setenta como producto de una crisis política y social en la región por las políticas de la Guerra Fría coincidiendo con la relativa estabilización económica de Italia. En el año 2000, se calcula que los latinoamericanos constituyen el 8% de los inmigrantes en Italia que ascienden a 1.388.153, de los cuales aproximadamente 29.896 son peruanos registrados oficialmente en los consulados sin contar con los indocumentados con los que en el 2004 casi se triplicaría esta cantidad.[1] El Ministerio de Relaciones Exteriores extraoficialmente sostiene que el número de peruanos en Italia ascendería a 91.197 y que corresponden a 39% de los peruanos en la Unión Europea que ascienden a aproximadamente a 250.000. De estos, el 50% está en España (118.750), el 5% (12.309) en Alemania, el 6% (13.219) en Francia y el resto en otros países.[2]

---

[*]   Una versión anterior de este artículo fue presentada en el panel "El Quinto Suyo: repensando los estudios de área a través de la diáspora peruana" en la reunión anual de Latin American Studies Association, Dallas, Texas, entre el 27 y 29 de marzo del 2003. Agradezco a Ulla Berg y Karsten Pærregaard por los comentarios realizados para presentar esta versión.

1.   Pellegrino 2004: 35.

2.   Secretaría de Comunidades Peruanas en el Exterior 2004.

De acuerdo con mis estudios realizados en Italia entre 1998 y 2000,
la presencia peruana se calculaba en 50.000 personas para el año 2000.
Esta estaba caracterizada por ser una población principalmente joven
que fluctuaba entre 18 y 40 años, de la cual el 64% eran mujeres y el
36% varones, procedentes de sectores rurales y urbano-marginales pobres de las provincias andinas del Perú. El 67 % de los entrevistados
era de origen provinciano y andino, proveniente de departamentos como Huaraz, Cuzco, Ayacucho, Huancayo, Huancavelica, etc. El 25 %
procedía de provincias de la costa como Ica, Chimbote, Chiclayo, Huaral;
el 4% de Lima, pero de barrios periféricos como Comas, San Juan de Lurigancho, Villa El Salvador, Barrios Altos, Breña, Lince y Callao; y el
otro 4% de zonas de la selva como Huánuco y Tarapoto.[3]

En su mayoría, estos peruanos llegaron a Italia a fines de los años
ochenta y comienzos de los noventa en que el Perú atravesó una aguda
crisis social, económica y política, que empujó a más de dos millones
de sus conciudadanos especialmente de sectores populares y medios
empobrecidos.[4] Italia fue uno de los más de 25 destinos a los que migraron los peruanos para dedicarse principalmente a trabajar en el sector
de servicios.[5]

La mayoría de peruanos que llegaron a Italia lo hicieron a través
de distintas redes laborales, especializadas en la captación de mano

---

3. Este estudio se realizó con una muestra al azar de 50 peruanos en la Piazza
    Duomo de Milán en 1999, y estos datos fueron comparados con una muestra
    de 100 fichas también seleccionadas al azar del Registro Consular en Milán
    (Tamagno 2003a).

4. Esta cifra es relativa porque no existe un registro que incluya también a los
    migrantes indocumentados en los varios destinos. Otros estiman hasta 2,3
    millones (Altamirano 2003). En el 2001, el número total de peruanos registrados
    según el Ministerio de Relaciones Exteriores eran solo 510.000 (Secretaría de
    Comunidades Peruanas en el Exterior 2001).

5. Altamirano 1998, 2000, 2003; Takenaka 2003a, 2003b; Tamagno 2002, 2003;
    Berg y Pærregaard, en este libro. Se tiene referencia histórica de que los primeros
    peruanos en Italia fueron los descendientes de italianos de clase media y me-
    dia alta, que llegaron al país a comienzos de los años setenta por los cambios
    políticos y económicos ocurridos en el Perú por la reforma agraria en 1969.
    Ellos obtuvieron acceso a los mismos derechos que los italianos por la ley del
    juris sanguis, que les permitía acceder a la nacionalidad italiana hasta la cuarta
    generación de migrantes. Actualmente, la mayoría de ellos está insertada en
    la sociedad italiana y se consideran ítalo-peruana.

de obra doméstica en provincias andinas. Los entrevistados señalan que se conocieron con la gente de "las agencias" en los mercados donde trabajaban, o en sus mismas comunidades de origen. De acuerdo con la información brindada por los entrevistados en el año 2000 había, entre la sierra central y Lima, aproximadamente 25 agencias intermediarias de contratación de personas para el servicio doméstico y atención a ancianos en Italia.

Esta demanda de mano de obra coincide con que en Europa a comienzos de los años noventa se inició un progresivo envejecimiento de la población, derivado del descenso del porcentaje de fecundidad, cayendo por debajo del nivel de sustitución y constituyéndose así en uno de los grandes problemas que enfrenta este continente en los últimos años.[6] Según un informe de las Naciones Unidas, en Italia la edad media aumentará de 41 años en el 2000 a 53 años en el 2050. En la mayoría de países, el cociente de dependencia potencial —número de personas en edad activa (de 15 a 64 años) por persona mayor— pasará de 4 ó 5 a 2.[7]

Esta situación, particularmente en Italia y España, coincide con deficiencias en el sector de salud, incluyendo la falta de personal capacitado que pueda hacerse cargo de este grueso de la población. Al mismo tiempo, la incursión de las mujeres europeas en el mercado laboral hace que estas se dediquen cada vez menos a la atención de los ancianos. Otro factor que incide particularmente en estos países es la idea de la cultura latina (católica) muy arraigada a la familia. Esto hace que muchos de los ancianos prefieran terminar sus días en sus hogares y no en los asilos de ancianos especializados en su cuidado.

Es así como la demanda de mano de obra extranjera, para los servicios de proximidad particularmente en Italia y España, aparece como una necesidad estructural del mercado laboral para cubrir este déficit por ser la menos deseada por los nacionales, ya que dentro de la segmen-

---

6. Algunos especialistas demográficos sostienen que entre los años 2000 y 2020 habrá una disminución progresiva de la población europea. Se calcula que en Italia la pérdida total será de aproximadamente 4.000.000 de italianos: 1.500.000 para España y 1.200.000 para Alemania (Bonifazi 1999: 46).

7. Naciones Unidas 2004.

tación laboral es la peor pagada al ser vista como trabajo sucio, inestable, duro, inseguro y aislante.[8]

Paradójicamente, esta situación ha favorecido a los inmigrantes latinoamericanos y particularmente peruanos, quienes se han especializado en los servicios de proximidad que incluyen el cuidado de ancianos, enfermos con problemas mentales, niños con síndrome de Down, paralíticos, esquizofrénicos y personas que no pueden valerse por sí solas ya que sus familias prefieren mantenerlas en sus casas. Estos servicios están acompañados de actividades domésticas. Para el cuidado de este sector de población, se requieren personas con una gran capacidad de tolerancia, adaptación y fortaleza tanto física como emocional para soportar las largas horas de dedicación y compromiso. Un 82% de los peruanos entrevistados para este estudio (varones y mujeres) se dedicaba al servicio doméstico y al cuidado de ancianos. En estos años, los peruanos en Italia son los más recomendados en esas actividades, porque han sabido ganarse ese espacio laboral y muchos han logrado perfeccionarse.[9]

En 1999, el gobierno italiano, reconociendo estas demandas en el mercado laboral interno, promovió la controvertida regularización de inmigrantes a través de la Ley de Inmigración Turco-Napolitana. Mediante esta ley se regularizaron 634.728 inmigrantes, de los cuales 36.673 eran ecuatorianos y 17.471 peruanos.[10] Sin embargo, esta ley

8. Escrivá 2000: 334. Tanto en Italia y España, los inmigrantes reciben salarios por arriba de sus expectativas, un promedio de entre 500 y 1.000 dólares que jamás podrían recibirlos en su país de origen ejerciendo la actividad doméstica. Este dinero es enviado como remesas a sus países de origen y está destinado a mantener la economía familiar, construcción de viviendas, implementación de negocios étnicos u otras actividades que los mantienen unidos a su país de origen con los nuevos lugares de destino migratorio.

9. En mi estudio, he encontrado que muchos peruanos provincianos, después de haber cuidado ancianos, han logrado hacer cursos de enfermería técnica en cooperativas italianas y se han diplomado como enfermeros ejerciendo así su profesión en hospitales y lugares especializados.

10. Dossier Statistico Immigrazione, Caritas de Migrantes 2003, Pellegrino 2004: 35. En 1999, el Ministerio de Educación amparado en la Ley Turco-Napolitana, inició en Roma una política intercultural en el nivel educativo, particularmente en los colegios, donde los hijos de los inmigrantes tienen derecho al apoyo de un promotor intercultural de su país de origen, quien les orienta y apoya en un primer nivel de socialización con la cultura italiana y posteriormente los ayuda

solo favoreció a los inmigrantes que llegaron a Italia antes del 27 de marzo de 1998, quienes podían comprobar su condición de eligibilidad para presentarse y así obtener el *soggiorno* (permiso de residencia). Los inmigrantes que llegaron a Italia después de esa fecha y hasta la actualidad constituyen en gran parte la población indocumentada. La ascensión de Berlusconi al poder, líder del partido de extrema derecha Lega Nord, hacen prever que las condiciones para los inmigrantes en Italia pueden tomar un matiz restrictivo. El 28 de febrero del 2002, los partidos de la derecha italiana encabezados por Berlusconi propusieron una reforma de la Ley Turco-Napolitana disminuyendo la validez del *soggiorno* a dos años (antes eran cinco) y restringiendo la reagrupación familiar de los inmigrantes solo a aquellos que demuestren invalidez total y limitando la reagrupación a dos años. Esta sanatoria solo benefició a las empleadas domésticas y a quienes se dedicaban a la atención de ancianos, que habían llegado antes de febrero del 2002. Esta ley fue sumamente excluyente, ya que diferenciaba de manera definitiva las condiciones laborales entre inmigrantes e italianos, deshumanizando a los primeros y haciéndoles las condiciones cada vez más difíciles para su inserción.[11]

La situación de exclusión y dificultades en la inserción, provocó que las relaciones de los inmigrantes con el lugar de origen se fortalecieran. Se refugiaron en sus redes familiares y de paisanazgo en el lugar de destino, apareciendo grupos étnicos que se reúnen en espacios públicos en Milán y Roma donde intercambian música, comida, cultura, información, etc. y comparten espacios sociales transnacionales.[12] En este trabajo propongo que es justamente la situación de exclusión y la falta de posibilidades de participación plena en el lugar de destino de la migración, lo que hace que los migrantes mantengan lazos aun más fuertes con sus lugares de origen de lo que hubiera sido el caso con una política migratoria italiana más incluyente. Analizo cómo las relaciones sociales transnacionales se construyen muchas veces como producto de la exclusión en el lugar de llegada. Vemos cómo estas se construyen

---

a difundir su propia cultura entre los estudiantes italianos, logrando mayor intercambio cultural.

11.   Lazo 2002: 6.

12.   Tamagno 2002.

a través de distintas prácticas comunicativas que facilitan y permiten a los transmigrantes construir sus vidas entre un lugar y otro desafiando las nociones del tiempo y espacio, producto de una era global interconectada.

Prácticas comunicativas y la construcción de vidas transnacionales

El concepto de la migración transnacional surge como una construcción teórica acerca de la vida y la identidad de los migrantes en un mundo donde el desarrollo de las tecnologías de comunicación y transporte acortan las distancias sociales entre las sociedades emisoras y receptoras que permiten al migrante organizar su vida simultáneamente en ambos o más contextos, potenciando su capacidad de traspasar las fronteras territoriales, sociales y económicas.[13] Antes que se masificaran las tecnologías de comunicación, viajar era más difícil y los migrantes se veían obligados a vivir en uno u otro país secuencialmente, mientras que ahora ellos pueden mantenerse conectados a múltiples contextos sociales a la vez por medio de llamadas telefónicas, mensajes por internet o frecuentes viajes a bajos costos (si es que cuentan con la residencia o una visa adecuada que les permita viajar libremente).

Los migrantes que están fuera de su comunidad o ciudad utilizan estos medios para seguir conectados a sus dominios familiares en los lugares de origen, donde ejercen influencias y se convierten a veces en los que controlan la economía familiar y disponen del uso de las remesas, supervisando este uso a través de teléfonos celulares o comunicaciones por internet sin importarles los costos de las llamadas telefónicas.[14]

---

13. Basch y otros 1992, Smith 1998.

14. Los dominios familiares son entendidos como áreas de la vida social organizadas, con referencia a un centro o grupo de valores, los cuales no son percibidos exactamente igual por todos los que están envueltos; sin embargo, son reconocidos como un locus de ciertas funciones, normas y valores que implican un grado de compromiso social (Villarreal 1994: 58-65, Long 2001). En el mundo andino, la familia se constituye en un dominio importante, cuya reproducción en contextos transnacionales se pone en cuestión, ya que fácilmente puede convertirse en una arena de confrontación por una mala práctica comunicativa. Los conceptos de dominios y arenas son flexibles, y se encuentran en constante proceso de cambio, negociación e interacción entre ellos de acuerdo con las ex-

En estos procesos de comunicación de larga distancia, la imaginación, como sostiene Appadurai, desempeña una función importante, especialmente en lo que concierne al flujo de sentimientos y de saber que la familia se encuentra bien al otro lado.[15]

Muchos autores que escriben sobre la migración transnacional han documentado los cambios ocurridos en los lugares de origen, pero muy pocos se han centrado en la influencia de las prácticas comunicativas para que estos cambios se realicen.[16] La hipótesis en este documento es que las prácticas comunicativas en sus distintas variaciones son las que influyen en la construcción de un nuevo tipo de vidas transnacionales tanto en las familias en los lugares de origen como en los miembros que se encuentran en el exterior. Estas conllevan a que las familias estén interconectadas, manejando información de ambos contextos y a veces ejerciendo gran influencia en las decisiones que se tomen en el lugar de origen y destino migratorio.

Los migrantes y comunidades transnacionales se empeñan entonces en una variedad de prácticas comunicativas no solo para relocalizarse y reproducirse ellos mismos en contextos sociales y culturales nuevos, sino también para crear y mantener lazos afectivos, culturales y políticos con personas o lugares en otras partes. La intención aquí es explorar algunas conexiones centrales entre lugar, tiempo, memoria y distancia en las prácticas comunicativas en contextos diaspóricos y de migración.

Llamamos "prácticas comunicativas" no solo a las interacciones verbales cara a cara y de autorrepresentación de los actores en contextos sociales cambiantes, sino también a formas de comunicación electrónicamente mediadas y utilizadas para largas distancias, incluyendo comunicación de internet, cartas escritas, llamadas telefónicas, y circulación de fotografías y videos.[17] Estas distintas prácticas comunicativas

---

pectativas e intereses de los inmigrantes. La vida transnacional se construye a partir de la conexión de los dominios del lugar de origen con la sociedad hospedera a través de las distintas prácticas de conectividad.

15. Appadurai sostiene que la imaginación debe ser considerada por los investigadores como un hecho social que trabaja como una fuerza social dando nuevos recursos para la construcción de identidades en la esfera transnacional (Appadurai 1996).

16. Berg 2004.

17. Ibíd.

permiten que en los lugares de origen se vayan reconfigurando los estilos de vida de las familias con hijos, padres o hermanos en el exterior,
ya que estos transmiten información, ideas, conductas, identidades y
valores que les permiten a los familiares en los lugares de origen ver de
manera distinta su contexto local.

Las ideas, conductas, identidades y valores que fluyen entre los
países receptores y las comunidades de origen han sido llamados "remesas sociales" por Peggy Levitt, y significan la difusión de prácticas
sociales y las transformaciones de estas principalmente en el lugar de
origen en el proceso de migración.[18] Goldring señala que las remesas
no son solo económicas o sociales, sino que también pueden ser tecnológicas y políticas.[19] Ella recoge el término de remesas tecnológicas de los
estudios de Sandra Nichols (2002), quien llama "remesa tecnológica"
a los conocimientos, habilidades y tecnologías traídas de regreso por
migrantes retornantes. Del mismo modo, otros autores han llamado
"remesas políticas" a los cambios en las identidades y demandas como
prácticas políticas asociadas a la migración.[20]

En este trabajo analizo el papel de las prácticas comunicativas en
la construcción de las vidas transnacionales, las cuales están influen-
ciadas por las remesas sociales y tecnológicas en una comunidad quechua de la sierra central del Perú llamada Huachac, cuyos miembros
desde el año 1990 empezaron a migrar hacia Italia.[21]

La migración —principalmente interna— en este poblado tiene
una larga historia y fue considerada desde comienzos de siglo una
práctica de movilidad tanto económica como social. Las primeras migraciones de Huachac eran temporales y se realizaban hacia la costa perua-

---

18. Levitt 1998.
19. Goldring 2003.
20. Smith 1998, Goldring, 1992, 2003, entre otros.
21. Huachac es un poblado ubicado a 17 kilómetros al noroeste de la ciudad de
    Huancayo, aproximadamente a 20 minutos en bus desde el centro de la ciu-
    dad. Es una zona con abundante agua y destaca por su alta producción de
    papa, choclo (maíz), habas, zanahoria, quinua, trigo, ajos, cebollas y otros
    productos de pan llevar que se cosechan dos veces al año. La mayor producción
    en Huachac está dirigida a los mercados de Lima y muchas veces sus productos
    son vendidos a los comerciantes mayoristas dos meses antes de la cosecha;
    por eso, usualmente se encuentran camiones-tráileres apostados en la pista
    que nos conduce al poblado.

na, donde los campesinos huachaquinos trabajaban en haciendas azu-
careras y algodoneras de Cañete y del valle del Rímac para luego retornar a sus comunidades, sembrar y posteriormente llevar sus productos
a Lima para la venta. En esta misma época, con la implementación de
las minas, muchos jóvenes campesinos se iban de obreros hacia las minas de Cerro de Pasco.[22] Juntaban sus capitales trabajando durante
años y después regresaban a Huancayo para invertir, comprándose terrenos y construyendo sus viviendas; otros invirtieron en el comercio
agrícola. Ambos grupos invertían las ganancias de todos sus trabajos
en la educación de sus hijos, tanto en Huancayo como en Lima, ya que
la educación era sinónimo de "progreso", por que esta era la única posibilidad de ser reconocido socialmente en el pueblo.

Sin embargo, a fines de los años ochenta y comienzos de los noventa, los huachaquinos inician la migración hacia Italia, empujados por
la violencia política y la crisis económica generalizada. Los huachaquinos pioneros a quienes entrevisté en Milán llegaron en 1989 con una
red que llevaba provincianos hacia Italia. Desde aquella vez muchas
familias han salido tras ellos. En el año 2000, cuando estaba realizando
mi trabajo de campo en Italia, ochenta familias de Huachac se habían
asentado en Milán y habían formado una asociación llamada Asociación de Huachaquinos Residentes en Milán. Esta asociación agrupaba
a familiares que hasta hoy siguen apoyando a otros paisanos para viajar e insertarse laboralmente en Italia. Asimismo, era muy activa y tuvo
muchas iniciativas para apoyar al distrito de su lugar de origen. En el
año 2000, ellos estaban realizando actividades para la implementación
de un centro telefónico y servicios de internet. Por la carestía del proyecto, falta de coordinación y seguimiento a la gestión por parte del municipio local, desistieron en su ejecución.

Al igual que esta Asociación, existen otros grupos de huachaquinos en otros países como Estados Unidos, España y Japón. Las prácticas
comunicativas constantes por parte de los huachaquinos en Italia con
sus familiares en la comunidad de origen generan una serie de cambios

---

22. La Cerro de Pasco Mining Company empezó a operar en el valle del Mantaro
en 1908. Fue estatizada en 1970 por el gobierno militar de Velasco Alvarado.
Así, los americanos se retiraron del valle y comenzaron a recaudar mano de
obra de pastores para sus ranchos de ovinos en EEUU a través de la Western
Ranch Association (Altamirano 1992, León 2001, Pærregaard 2002 y en este
libro).

sociales en la vida cotidiana tanto en los lugares de origen como en los lugares de destino de los migrantes, los cuales analizaremos a continuación.

Los flujos culturales entre Milán y Huachac

Eran las doce del mediodía y estaba visitando a doña Herme en su chacra en el pueblo de Huachac, un distrito rural en los Andes centrales del Perú. Mientras doña Herme sacaba la mala hierba de su chacra, conversábamos sobre sus hijos, quienes se encuentran trabajando en el sector de servicios en Italia. De pronto suena el celular: "¡Ring, ring, ring!". Doña Herme corre al escuchar el sonido del teléfono que lo había dejado en su manta en medio de sus sembríos. Saca rápidamente el celular y contesta. Eran Toto y Betty, sus hijos que llamaban desde Italia. Le preguntaban cuándo viajaría su hermano y cómo había salido la cosecha de la papa. Doña Herme respondía contenta y agitada a la vez. Luego de reportarse con su hijo Toto, habla con su hija Betty. Su expresión cambia; su rostro adusto y frío se transforma y sonríe. Betty le pregunta por sus hijos (los nietos de doña Herme, que Betty le ha dejado a su cuidado) y doña Herme le cuenta que han ido a almorzar donde su abuela paterna, ya que, como ella está en la chacra, no los puede atender. También informa a Betty que pronto cosechará y va a necesitar dinero para pagar a los peones. Ella cuenta orgullosamente que este año su cosecha de papa le saldrá bien y seguro así ganará "alguito". También les informa a sus hijos que yo estoy de visita por Huachac e inmediatamente me pasa el teléfono. Betty me envió saludos por parte de todos los residentes huachaquinos en Milán y quería saber cómo me iba por su pueblo. Luego, al terminar la conversación con sus hijos, doña Herme me comentó que ellos le han exigido que, si no ganara con esta siembra, dejaría de hacerlo en adelante, ya que ella utilizaba las remesas que enviaban sus hijos en la siembra.[23]

Como mencioné en la primera parte de este artículo, las llamadas telefónicas entre el Perú e Italia son una de las principales formas de comunicación de los migrantes, principalmente porque el uso de las remesas y la vida familiar en general en el lugar de origen son controla-

---

23. Memorias de trabajo de campo, 13 de enero del 2000.

dos a través de este medio de comunicación. El flujo de información a través de los teléfonos es intenso, y se intercambia información sobre la familia, los hijos, las actividades económicas y los problemas personales. Debido a que el flujo de información es permanente, ambos lados de la cadena migratoria están enterados de lo que pasa en ambos contextos.

A fines de los años noventa, la telefonía en el Perú se privatizó y los costos bajaron ostensiblemente, apareciendo a la vez el teléfono celular como un importante objeto en el mercado de las comunicaciones, sobre todo en zonas rurales donde no llegan las líneas fijas. Antes de que estos teléfonos llegaran a las casas de las familias con miembros en el exterior, las cartas fueron el principal medio de comunicación, sobre todo en áreas urbanas y urbano-marginales. Estas llegaban esporádicamente y en el mejor de los casos cada mes. Las cartas transmitían las vivencias detalladas de los hijos en el extranjero, las experiencias y anécdotas que constituyen la historia migracional y personal de cada uno de ellos, donde plasmaban sus impresiones, imágenes, sufrimientos, experiencias y proyecciones de la familia.[24] En cambio, para muchos migrantes peruanos de origen rural que no tenían costumbre de escribir en el lugar de origen, las cartas no eran muy efectivas. Estas se limitaban a ser enviadas cada tres o seis meses. Los padres de los huachaquinos casi nunca utilizaban las cartas como medio de comunicación y tampoco contestaban las cartas que les llegaban de sus hijos desde el exterior, debido al analfabetismo en estas zonas entre las personas mayores y principalmente entre las mujeres.

Los pobladores cuentan que en los primeros años de la salida de los migrantes pioneros hacia Italia —entre 1991 y 1995— su contacto era limitado. Las abuelas se limitaban a utilizar sus prácticas tradicionales ancestrales de "soporte y alerta" para tratar de saber cómo se encontraban sus hijos en la sociedad hospedera y realizaban diferentes rituales con la coca, el maíz, el café, etc. para "saber de ellos, protegerlos y curarlos" a la distancia.[25]

---

24. Son los medios a través de los que se comunican principalmente las hijas o hijos que están empleados *a fisso* o fijo, debido a que en sus ratos de descanso redactan las cartas.

25. Veáse Tamagno 2002: 118. Defino "técnicas de soporte y alerta" como una serie de prácticas rituales que permiten a los actores alertarse, y ajustarse

Según los huachaquinos en Italia, estos años fueron de mucho sufrimiento, y la mayoría viajaba con muchos "amuletos" que los acompañaban en su travesía y en los cuales se apoyaban para que les fuera
bien en el viaje. Algunas mujeres entrevistadas sostenían que el no poder comunicarse con los familiares en la zona de origen era experimentado como algo muy "doloroso", que solo era "aguantado" por los
amuletos que portaban y sus creencia en ellos y en Dios. Muchas dicen
haber envejecido en esos años por la preocupación de haber dejado a
sus familias en el Perú sin saber nada de ellas. Según los migrantes,
ahora es más fácil sobrellevar la distancia gracias a los teléfonos
celulares.

En 1998, cuando se empiezan a difundir los celulares, los hijos
huachaquinos residentes en Italia compraron los primeros celulares a
sus padres en el Perú.[26] Así se inicia una nueva etapa en las relaciones
entre los familiares que se quedan y los miembros que se van. Muchos
de ellos, especialmente las mujeres, manifiestan que soportar y adaptarse a la vida en Italia es más fácil con el teléfono, porque sienten que
pueden estar contactados con sus hijos que dejaron en el Perú y con
sus familiares en general. Antes la incertidumbre y el sufrimiento al no
saber sobre sus familias era insoportable para ellos. Actualmente, manifiestan que llaman hasta tres veces por semana a sus padres e hijos,
tratando de esta manera de estar cerca de ellos aun en la distancia. En

---

emocional y físicamente a situaciones de estrés e inestabilidad a través de la
creencia y sacralización de símbolos, mercancías y artefactos (como la coca,
los amuletos, el cuy, las flores, "yerbas de limpieza", etc.). Las prácticas de
alerta tienen que ver con técnicas de "adivinación" o suposición (con la coca,
el cigarro, los naipes, el te, el café, etc.) sobre situaciones inestables que son re-
flexionadas a través del ritual y, a partir de este, se toman decisiones. Las
prácticas de soporte involucran rituales que tienen que ver con la sanación, la
limpieza, la curación y el florecimiento que los viajeros deben realizar para
que sus viajes sean productivos, y puedan enfrentar las inclemencias e incerti-
dumbres del mismo.

26. En el Perú, el sistema de telefonía es uno de los más caros del mundo, debido
a que la Compañía de Teléfonos del Perú, fue privatizada en 1994 y adquirida
por una transnacional española. Los celulares empezaron a aparecer progresi-
vamente en el año 1997 con altísimos costos en el mercado. La Telefónica de
España especuló con los precios de estos productos hasta el año 2001 en que
se introdujo en el Perú la empresa TIM de Italia. Curiosamente, las dos empresas de telecomunicaciones son de España e Italia, países con mucha cantidad de inmigrantes peruanos.

este sentido, el teléfono celular revolucionó la mayoría de estos hogares transformándolos en verdaderas arenas transnacionales de acción social y significado. Los abuelos comentan que los nietos que les habían dejado a su cuidado muchas veces no obedecían, se portaban mal y no cumplían con sus obligaciones domésticas. En cambio, con el teléfono los padres controlan su comportamiento, entre otras cosas, desde Italia a través de las propinas: si se portan mal no reciben propinas. En Huachac, el 68% de las familias recibe remesas de los hijos y parientes en el exterior. Antes las remesas económicas eran más espaciadas y se limitaban a enviarlas cada tres o seis meses al año, porque no tenían confianza en que llegarían y cómo las invertirían. Estas eran enviadas con amigos o cuando los migrantes visitaban el pueblo. Con la llegada de los teléfonos han aparecido distintas agencias de envío de dinero y ahora las remesas llegan a las familias cada mes, en el peor de los casos cada dos meses.

Según el diario *El Comercio*, para el 2003, los celulares en el Perú tenía 2,2 millones de usuarios[27] y para el 2006 se proyectaba que los servicios de telefonía celular llegarían a 5,1 millones de peruanos.[28] En el valle del Mantaro, este alto consumo de medios de comunicación refleja parte de la identidad de la cultura andina mestiza de esta parte del Perú, donde la incorporación de la modernidad a través de diversas narrativas de "progreso" han sido y aún son un rasgo característico. Históricamente, la región central ha sido altamente comercial y todos los cambios tecnológicos que le permiten al mestizo andino una mayor comercialización son rápidamente incorporados siguiendo una lógica de mercado. Como señala el antropólogo Raúl Romero, el mestizo andino cruza fronteras culturales cuando ellos lo quieren así, en nombre de un "cosmopolitanismo y globalismo andino".[29] En mis estudios, he en-

---

27. *El Comercio*, sección "Economía", 9 de febrero del 2003, p. B6.

28. Desde el año 1998, el servicio de celulares ha empezado a implementarse en comunidades rurales del Perú. Según una investigación realizada por el antropólogo peruano Nelson Manrique sobre los medios de comunicación en el Perú, entre 1994 y 1997, la telefonía básica se había incrementado al doble superando los dos millones de clientes; el número de usuarios de telefonía celular ha crecido en cerca de diez veces; los usuarios de televisión por cable han crecido diecinueve veces y quienes emplean teléfonos prepagados se han multiplicado cerca de tres veces (Manrique 2004: 240).

29. Romero 1999: 173, 177.

contrado que en la década de los noventa esta identidad se ve fortalecida con la llegada estacional de los migrantes desde el exterior para las fiestas y eventos ceremoniales del calendario ritual y festivo de la comunidad. Ellos son los que empezaron a financiar las fiestas en los pueblos al ser nombrados *padrinos*, y para adquirir reconocimiento social empezaron a celebrar las fiestas más apoteósicas de manera jamás antes vista y muchas veces invirtiendo hasta 15.000 dólares en su organización.[30]

La migración transnacional en las comunidades de los Andes centrales y el flujo de remesas —tanto económicas como sociales— no solo ha impactado en el nivel del fortalecimiento de la identidad local, sino también ha cambiado los patrones de consumo de las familias de migrantes que se han quedado. Las expectativas por una mejor calidad de vida coincidentes con el acceso a recursos, objetos y productos van incrementándose especialmente en las poblaciones jóvenes, quienes perciben en la migración transnacional una posibilidad de movilizarse social y económicamente. El flujo de bienes y dinero también genera diferencias sociales importantes entre familias en las comunidades y hay una clara división entre los que tienen hijos en el exterior (consumidores de imágenes, discursos y objetos de afuera) y los campesinos pobres (productores agrícolas), o gente profesional de sector medio sin trabajo o subempleada. Estos últimos, si no tienen familiares afuera, se ven cada vez más empobrecidos y no pueden acceder a los productos que se ofertan en una ciudad cada vez más comercial como Huancayo, incluyendo los centros comerciales con productos importados, los café internet y los restaurantes de comida rápida.[31]

La situación de diferenciación social en el año 2000 en Huachac estaba marcada por el uso de celulares o "cholulares"[32] (como los deno-

---

30. Tamagno 2003a.

31. En la comunidad, se percibe que el consumo de productos como ropas, radios, juguetes importados, celulares etc. hace que el portador automáticamente sea reconocido socialmente como "progresista", exitoso, adinerado y "privilegiado" de alguna manera y juega con estas adscripciones de manera performativa adoptando nuevos valores e imágenes de las culturas adonde los familiares han migrado.

32. El término "cholular" se refiere a un celular que está siendo usado por un "cholo" o mestizo. Esta categoría indica la diferenciación social y étnica de quien lo utiliza. Desde 1998, los celulares fueron las primeras inversiones importantes de los peruanos andinos en sus lugares de origen.

minan los jóvenes), ya que el portador de estos aparatos tenía cierto estatus sobre los demás, demostrando que "estaba conectado al mundo" y a las novedades más allá del pueblo.

En enero del año 2000, asistí a una celebración por el aniversario del pueblo de Huachac. Un grupo de jóvenes observaba a los huachaquinos profesionales de Huancayo que visitaban el pueblo y comentaban sobre ellos. Los jóvenes caracterizaban a los profesionales de la ciudad según quien estaba "más modernizado", era "más progresista", etc. y esta calificación la realizaban en función de la forma en que los profesionales estaban vestidos (marca de ropa, colores, moda, estilo, zapatos, etc.), pero el marcador más importante según los jóvenes era si los profesionales portaban o no un celular. Para los jóvenes en Huachac, "ser profesional" como un ideal social y moral pasaba a un segundo plano. Para ellos, era más importante la capacidad de consumo y los nuevos estilos de vida que podían adquirir con el dinero que ganaban ya sea como profesionales, comerciantes o migrantes. Manifestaban que tener una casa con todas las comodidades como luz, agua, desagüe y artefactos eléctricos variados era más importante para el "progreso". Ya no era solo pasar la fiesta patronal o ser profesional un requisito que le daba estatus a un poblador en el pueblo; importaba más cómo los migrantes invertían sus recursos ahorrados en el bienestar de la familia.

En Huachac encontramos una diferenciación generacional sobre el significado y uso que se les dan a los objetos materiales como los celulares, artefactos electrodomésticos, computadoras y la moda. Para muchos jóvenes con familiares en Italia, estos objetos tienen gran importancia y los piden frecuentemente como regalos, ya que poseerlos y usarlos les dan un estatus frente a los demás jóvenes, quienes también aspiran a salir al exterior para mejorar sus condiciones socioeconómicas y estilos de vida. Como remarca Huber en sus estudios sobre consumo y globalización en Ayacucho, en una época de globalización y migración masiva, el consumo es la esfera en la cual se generan nuevos patrones culturales, propiciando una multiplicidad inédita de estilos de vida.[33]

Esto se ve reflejado en las nuevas formas de vida que adquieren los familiares de los huachaquinos en el exterior y de los que retornan, quienes desarrollan una doble (o múltiple) pertenencia característica del vivir transnacional. Estas se manifiestan en un doble discurso que

---

33. Huber 2002: 109.

se desarrolla en los lugares de destino: por un lado, estando en Italia la
vida en la comunidad natal parece idealizada; pero, por otro lado,
cuando retornan, critican las costumbres y estilos de vida del lugar de
origen. Por ejemplo, Betty en Italia hablaba de lo maravilloso de su
"cultura andina", sus tradiciones, el legado de sus ancestros, su música,
la educación que había recibido en la comunidad (referida al respeto y
tolerancia), la belleza de su tierra natal y la solidaridad de sus paisanos.
Cuando regresó a Huachac en el año 2000 se sentía italiana. Era muy
recta y criticaba fuertemente algunas costumbres del pueblo como, por
ejemplo, el excesivo consumo de alcohol y el gasto en las fiestas, la im-
puntualidad, el desorden, la suciedad, la falta de condiciones sanitarias
como desagües y baños, y la ausencia de supermercados e internet.
Ella decía que esto se debía al "descuido" de la gente que no sabía vivir
bien y no se preocupaba por esas cosas que para ella eran importantes.
Estas nuevas percepciones son parte de las remesas sociales y tecnológicas que ella traía a casa. En ese año mandó a construir un elegante ba-
ño con azulejos y con tina en su casa (los desagües salían a una poza
de decantación). También compró un refrigerador grande donde alma-
cenaba las compras de yogur, quesos y embutidos que compraba en un
supermercado de Huancayo. Estos productos eran nuevos para la familia, a los cuales los hijos se acostumbraron pronto, pero doña Herme
no. Como vemos, estos nuevos patrones de consumo son parte de una
nueva forma de vida que se adquiere como producto del vivir transnacional.

Ahora pasaremos a analizar el uso y significado que adquiere el
celular en la vida de los migrantes en Italia, y cómo se han ido socializan-
do y desarrollando nuevas prácticas comunicativas.

El "celulino" y la vida de los peruanos en Italia

En Italia, los hispanos al celular lo llaman "celulino" (como un diminu-
tivo) por lo pequeño que es. Para los migrantes peruanos en Italia, este
objeto es una herramienta de trabajo, de localización y de conexión para buscar empleo. Esto se debe a que muchos migrantes peruanos recién
llegados a Italia no tienen referencias ni direcciones fijas donde se los
pueda localizar; por esto, el celulino es el único medio a través del cual
pueden ser ubicados, no importando sus coordenadas espaciales y

temporales.[34] Inclusive, los que tienen trabajo fijo (*a fisso*) lo utilizan porque manifiestan que tienen más privacidad de la que podrían tener si hicieran sus llamadas desde la casa de los jefes o desde un teléfono público. Así pueden recibir mejores ofertas de trabajo sin que los actuales empleadores lo sepan. El teléfono es el medio a través del cual los migrantes en Italia se contactan y construyen sus relaciones sociales entre sí, especialmente los que viven encerrados por el trabajo doméstico.

De igual forma, a través de estos mismos teléfonos construyen su vida transnacional conectándose a sus dominios familiares en los lugares de origen. En los últimos años, han aparecido ofertas de tarjetas telefónicas en el mercado étnico por precios muy cómodos que operan vía satélite. A través de estas los migrantes pueden conectarse con sus familiares en el Perú (o en otros sitios), sintiéndose más cerca de ellos. Esta situación ha generado que el negocio de los centros telefónicos en Italia se haya multiplicado. De acuerdo con una encuesta aplicada en Milán para este estudio, en enero del 2000 había 16 centros telefónicos que daban servicios a los migrantes a precios competitivos a través de tarjetas telefónicas (5 dólares por 30 minutos). Según nuestros informantes, los centros de distribución especializados se han incrementado al 100% entre los años 2002 y 2004, y los precios han bajado sustancialmente. Actualmente, con una tarjeta de 5 euros se habla hasta 70 minutos con el Perú. Estas ofertas en el mercado de las comunicaciones surgen por la alta demanda de los servicios de telefonía, especialmente por las mujeres migrantes. Esto lo constaté en mi estudio (véase cuadro 1). Solo en el año 2000, el 64% de los peruanos en Italia entrevistados se comunicaba cada semana con sus familiares en el Perú. De estos, el 70% eran mujeres. El 22% llamaba a sus hogares cada 15 días, el 10% cada mes, el 2% cada dos meses y el otro 2% cada seis meses. Lo interesante es ver que son las mujeres las que mantienen mayor comunicación con los familiares en el pueblo o ciudad de origen, porque son ellas las que asumen la mayor responsabilidad sobre el hogar que han dejado. También son las mujeres quienes ejercen mayor influencia y control a la distancia sobre los dominios familiares.

---

34. Muchos peruanos viven en casas alquiladas (*affitos*) en condiciones de hacinamiento (de 5 a 10 personas en departamentos de 80m^2). Por tales condiciones de espacio hacen su vida en los parques y plazas, por lo que no pueden ser ubicados fácilmente en sus alojamientos, ya que solo llegan a dormir.

CUADRO 1
Frecuencia de contacto con los familiares en el Perú

Medio/frecuencia	Teléfono		Fax		Internet		Vídeos		Cartas		Telegramas		Casetes		Total*	Comunicación telefónica (%)	
	F	M	F	M	F	M	F	M	F	M	F	M	F	M		F	M
Semanal	28	4													32	70 %	40 %
Quincenal	6	5													11	15 %	0 %
Mensual	4	1	2						14						21	10 %	10 %
Bimensual	1				4		6	2					10		23	2,5 %	
Anual	1						4	3	2		10	6	10		26	2,5%	
Total	40	10	2				10	5	14		10	6	10				
Porcentaje	100%	100%	5%		10%		50%	50%	35 %	20%	25%	60%	25%			100 %	100 %

M = masculino / F = femenino

* Los entrevistados señalaron más de dos medios de comunicación utilizados en el contacto con sus familiares en el Perú.

Fuente: NIRP 2000.

Frecuentemente, las llamadas telefónicas desde Italia al Perú son realizadas entre las once o doce de la noche cuando en el Perú son las cinco o seis de la tarde. De ahí surgió una frase conocida entre los peruanos andinos en Italia: "Mientras en Italia es de noche en Perú es de día; pero, mientras ellos están de ida, nosotros estamos de vuelta". Este dicho muy peruano me llamó la atención porque es parte de un discurso sobre identidad transnacional, donde los peruanos destacan sus habilidades de percepción frente a los italianos; pero a la vez indica las condiciones de desigualdad y exclusión social a las que se ven sometidos por los trabajos que desempeñan en el sector terciario. En este sentido, las prácticas comunicativas son mecanismos para enfrentar este contexto de exclusión, recurriendo al reconocimiento y potenciación de sus redes familiares en el lugar de origen y sus redes étnicas en el lugar de destino.[35]

A continuación, analizaremos el caso de Betty que nos ilustra cómo se construye la vida transnacional a través de las prácticas comunicativas. Ella es hija de doña Herme. Tiene 33 años; lleva 6 años en Italia y cuenta con permiso de residencia hace 4. Sus 3 hijos, que tienen 14, 11 y 9 años respectivamente, están con la abuela en Huachac. Betty los llama casi todos los días, pero la frecuencia de las llamadas se intensifica si hay algún problema en la familia. Según doña Herme, cuando el hijo menor de Betty se enfermó de sarampión y estuvo en cama por la fiebre, Betty llamaba hasta tres veces al día.

En Italia, Betty trabaja cuidando a una viejita *a fisso* ("con cama adentro") y se contacta con su esposo y amigos paisanos principalmente a través del celular. Solo sale los fines de semana para verse con su esposo, quien también se encuentra trabajando en Milán. Este llegó a

---

35. Algunos italianos con los que tuve la oportunidad de conversar durante el trabajo de campo manifestaron que el uso del celular en la sociedad italiana contemporánea conllevaba una renuncia a la intimidad. Muchas veces, el trabajo es llevado a casa creando así problemas matrimoniales y rupturas familiares. En un programa de televisión italiana de la conductora Ana María Philips llamado *Amici* (Amigos), se presentó en 1999 el caso de una pareja que se estaba divorciando por la falta de intimidad en su matrimonio, debido a la presencia del celular en el ámbito doméstico. El esposo era un empresario que recibía continuas llamadas telefónicas de todo el mundo y nunca quería apagar el celular lo cual provocó una crisis matrimonial (Memorias de trabajo de campo, Milán 22 de octubre de 1999).

Italia hace tres años y vive con unos paisanos en una *affito* (casa alquila-
da), con quienes se dedica a la construcción y mantenimiento de casas.[36]
Para Betty y su esposo, el celular es el único medio con el que se comunican, ya que no se pueden ver tan a menudo por el tipo de trabajo
que desempeña cada uno; se comunican todos los días a diferentes horas. Por las noches, Betty le cuenta a su esposo todos los problemas que
ha tenido en el día y él de igual forma. Para Betty, llamar a su mamá y
a sus hijos es una gran necesidad, pues ella vive preocupada y pendien-
te de cómo van sus hijos en la escuela y cómo se comportan con los
abuelos. Estos últimos usualmente informan al detalle el comportamiento de los nietos para que estos sean amonestados en el caso de que
se comporten mal. Los niños están bajo la responsabilidad de los padres
de Betty, pero también son apoyados por los padres del esposo, quienes
siempre están en competencia por atender a los nietos por las remesas
económicas que reciben a cambio.

En el Perú, los hijos de Betty afirman que no extrañan a sus padres
porque les hablan casi a diario. Para el hijo menor, la abuela es como su
madre y a Betty casi no la toma en cuenta, porque la vida con sus primos y hermanos absorbe su tiempo. Esto es un poco diferente con la hija mayor, quien tiene un relación más estrecha con su madre.

Betty y su esposo han planificado reagrupar a la familia en Italia
cuando la hija mayor termine el colegio y ellos estén estabilizados con
algún negocio. Quieren que sus hijos estudien sus carreras profesionales en Italia para que tengan un trabajo seguro. Entonces Betty y su esposo piensan retornar al Perú. Manifiestan que ahora que sus hijos están aún pequeños, "les comprarán cosas que les den el nivel de bienestar
que ellos ven en los niños italianos". Los hijos de Betty gustan de las
cosas que sus padres les envían y que son principalmente ropa, juguetes,

---

36. Betty gana un promedio de 1.000 dólares mensuales y su esposo 800 dólares.
Ellos viven con el sueldo del esposo y ahorran todo el sueldo de ella, porque
piensan comprar un furgón y meterse en el negocio de transporte con otros de
sus paisanos. Dicen que solo después de implementar un negocio podrán es-
tabilizarse y vivir juntos alquilando su propio departamento. Mensualmente
envían al Perú un promedio de 200 dólares para los gastos de colegio y alimentación de sus hijos. El esposo gasta un promedio de 400 dólares en el alquiler de su cuarto y sus alimentos. Siempre guardan 200 dólares como fondo
de emergencias para gastos en algunos eventos o invitaciones de sus paisanos.
Usualmente Betty es la que maneja todo el dinero.

zapatillas modernas, entre otras cosas. Los chicos estudian en una escuela particular en Huancayo y se sienten privilegiados más que otros niños, porque son de los pocos que llevan buenas propinas al colegio (entre tres y cuatro dólares cada uno). También están felices con la cámara de video que sus padres les han comprado, ya que pueden filmar todos los eventos en los que participan en el colegio y en el pueblo, y luego enviárselos a sus padres a Italia. En 1999, Betty les compró un televisor a colores grande, un VHS y un nintendo para que puedan ver videos y jugar. En el año 2000, les compró una computadora para que su hija mayor haga sus trabajos del colegio y aprenda "los avances que se dan en el mundo".

La hija mayor dice que con la computadora y el internet se ha informado detalladamente sobre la vida en Italia y en otros países, y ha entablado relaciones virtuales con amigos italianos a través del *chat*, que para ella es "entrar en un mundo fantástico, donde te conoces con todos, les cuentas tus cosas, son tus amigos, pero nunca los has visto". Su mamá la alienta en ello, porque dice que así se relacionará mejor cuando llegue a Italia y adquirirá mayor conocimiento. En la Navidad del año 2000, Betty le regaló un celular a su hija. La muchacha no sale a ningún sitio sin este aparato y desde entonces la relación con su madre se ha fortalecido. Ella le cuenta todos los detalles de las nuevas relaciones que entabla con sus amigos virtuales y los problemas que surgen con los abuelos por las diferencias generacionales. El poder conversar directamente y de manera personal con su hija le da a Betty mayores posibilidades de influir en su vida a través de los consejos.

Entre acá y allá

A continuación, veremos cómo las prácticas comunicativas permiten que las vidas de los migrantes se entretejan y construyan por la vivencia simultánea de la transnacionalidad en los lugares de destino y en la comunidad de origen. Estos procesos de comunicación son facilitados por la accesibilidad a los celulares y teléfonos, los que han influido en los cambios suscitados en la vida de los migrantes.

A miles de kilómetros de Italia regresamos entonces a doña Herme, quien, después de media hora que habló por teléfono con sus hijos desde la chacra, se quedó nostálgica pero contenta. Le pregunté que pensaba de la posibilidad que tenía de comunicarse con sus hijos constantemente hasta desde la chacra. Ella me respondió:

> ¡Ay, mamacita! Dios nos ha bendecido con todo lo que tenemos hoy día. Mira mi cilolar... con esto yo hablo con mis hijos que están en todas partes. Me llaman a cualquier hora, me agarran en cualquier sitio. Mi Betty me llama de su trabajo en su descanso y me cuenta cómo está, yo le aviso cómo están sus hijos que viven conmigo. Mi Carlos que está en la mina, me llama a cada rato preguntándome cómo estoy. Mi Toto, mi Arturo, mi Felisa, mi Rosa, mi Jimmy, mi Javier, mi Juana, todititos mis hijos me están llamando a cada rato. Yo soy feliz pues. Es como si estarían conmigo, mejor todavía pues. Trabajando allá me mandan mi platita, y así todavía me alcanza... ¡Ay mamacita!, sin esto [besa el celular] qué sería de mi vida... sola, triste estaría.

Para los padres que se quedan en los lugares de origen, como es el caso de doña Herme, estar comunicados con sus hijos que están fuera de la comunidad es vital, sobre todo por el apoyo económico que les permite organizar la reproducción familiar y la producción agropecuaria que la continúan desarrollando como actividad económica. Ellos planifican la producción de sus parcelas en función de la colaboración económica de los hijos que tienen fuera. Los hijos desde lejos controlan y administran la vida productiva de la familia en los lugares de origen donde tienen una presencia y participación progresiva en las decisiones familiares y, por lo tanto, en la misma movilidad social de la familia en el lugar de origen.

Igual que doña Herme en Huachac, don Jaime, que tiene hijos en los Estados Unidos, Italia, Lima, y sobrinos en Japón, tiene un celular que hace dos años le regalaron sus hijos. Nos dice que cuando le llaman de Japón debe irse a la loma del Cerro Silla para que la señal sea clara y poder escuchar bien; y cuando lo llaman de Estados Unidos e Italia debe irse para la loma de Marcatuna. Aquí podemos ver que el celular ha sido incorporado en la geografía social local. Sobre su celular, don Jaime nos dice:

> Este es mi compañero pues, es muy útil; nuestros hijos preocupados viven por nosotros. Con esto [me muestra el celular] de cualquier sitio contesto. Yo me voy a la chacra, a Chupaca, a Huancayo, a Lima, a todo sitio con mi celular. Es bien útil señorita. Para nosotros gente de campo, en un pueblo atrasado como este es bien importante tener un aparato

de estos. Su costo nomás creo que es caro, mis hijos me lo han regalado y me han dicho que lo cuide. El único problemita son sus baterías, siempre debes ir cargándolas. Este año debo irme a California a visitar a mi hijo, me ha dicho la semana pasada que me aliste porque mi sobrino se casará. Así es pues la vida, lo bueno es que los hijos siempre están acordándose de uno; nosotros pues, todo hemos hecho por ellos, por eso es así ahora.

¿Cuál es entonces el impacto del uso de celulares en las comunidades rurales de los Andes? La hija de Betty sostiene que desde que recibió el celular de regalo quiere más a su mamá, porque se siente más cerca a ella. Antes debía hablar desde el celular de la abuela y no podía decirle o contarle todo lo que quería, porque la abuela se quedaba escuchando todo lo que hablaban:

> Ahora que hablo con mi mamá más seguido entonces recién la siento cerca, cuando era más chica me parecía que ella nos había olvidado, o no quería estar con nosotros. Ahora le tengo más confianza, le cuento todo porque es mi mejor amiga pues, se interesa por mis cosas y siempre me está aconsejando bien. Ella me dice que aproveche mis estudios y me haga enfermera, así ganaré más que ella en Italia. Yo debo ver por mis hermanitos acá hasta que termine mi colegio. Después me iré con mis papás. Mi abuela es buena pero muy gritona, quiere que todos les hagamos caso rápido, no me deja jugar con mis amigas, pero mi mamá ya sabe eso y no me dice nada.

Tener un celular en la comunidad de Huachac ha pasado a ser sinónimo de "progreso". El celular demuestra que se está en contacto con los familiares que están afuera o al revés y eso también significa que les envían remesas económicas. En un mundo donde la migración es vista como una alternativa más de progreso, todo lo que se relacione con el contacto con el exterior es sinónimo de conocimiento y poder en la comunidad, y el familiar adquiere el estatus de "progresista". En un lugar comercial y cosmopolita como Huancayo, los objetos nuevos y prácticos son rápidamente incorporados dentro de las práctica cotidianas.

Como hemos visto en este y en muchos otros casos las formas de vida de las familias rurales en los Andes vienen cambiando y la migración transnacional se ha convertido en una atractiva alternativa principalmente para la población joven. Sin embargo, las expectativas de las familias migrantes, de acuerdo con mis estudios, están dirigidas a la acumulación de capitales económicos importantes y la implementación de negocios que los traigan de regreso al país en el mediano plazo. Este era un sentir particularmente de las mujeres, quienes en un 55% deseaban regresar al Perú en el mediano plazo para invertir y hacerse cargo de sus padres. De ahí podemos concluir que son justamente las mujeres quienes tratan de influir en la mentalidad de sus familias en el lugar de origen a través de las remesas sociales y económicas para mejorar las condiciones de vida en su lugar de origen.

Algunas conclusiones

Como hemos evidenciado a lo largo del texto, la migración transnacional en los últimos diez años ha cambiado la configuración económica y social de la región de los Andes centrales del Perú. Esto ha sido posible por el flujo de remesas económicas, sociales, culturales, tecnológicas y políticas que han dinamizado la economía, y han fortalecido la identidad regional y las relaciones sociales en el espacio transnacional. Las prácticas comunicativas que van desde la interacción cara a cara durante las visitas, la circulación de fotografías, videos y objetos hasta la comunicación electrónicamente mediada a través del teléfono (tanto fijo como celular) han permitido la construcción de la vida transnacional y la vinculación de los migrantes en el exterior con sus familiares en el lugar de origen.

Estas prácticas comunicativas han sido y son de naturaleza variable, dependiendo de los recursos utilizados, y del significado y sentido que se atribuye al contacto, pero hemos encontrado que estas varían entre las familias migrantes. Antes del uso de los teléfonos los padres recurrían a técnicas de "soporte y alerta" para conectarse a sus hijos y saber cómo se encontraban fuera de la comunidad, siendo la situación a veces incierta. Las comunicaciones se limitaban a las cartas esporádicas y a la visita de amigos o paisanos que llegaban con los "encargos". Para estas familias, la llegada de los teléfonos, y particularmente celulares, ha significado un cambio importante, ya que por la facilidad de la comunicación las relaciones sociales, afectivas y económicas han mejorado. Ahora los miembros que están fuera pueden estar enterados permanentemente sobre las cosas que suceden en la familia en el lugar de origen. Esto les significa mayor compromiso con la familia y, por ende, mayor apoyo.

En Italia, hemos encontrado que la mayoría de peruanos privilegia sentirse interconectado entre ambos lugares, prácticas de conectividad que les dan poder de negociación en ambos contextos y particularmente en el lugar de origen donde su papel se hace protagónico. Ellos sostienen de controlar la economía a la distancia e influir en las decisiones familiares como parte de las remesas sociales.

En este estudio, hemos encontrado que las prácticas comunicativas en el espacio transnacional se vuelven más importantes en parte por las condiciones de exclusión en el lugar de destino donde, por las actividades que realizan, los migrantes peruanos son socialmente marginados a pesar de que su mano de obra es valorada en el sector doméstico por su "ética del trabajo", su "dedicación y tolerancia". Esto no quiere decir que sean aceptados en círculos sociales italianos donde son considerados "extracomunitarios". Esto empuja a los peruanos a organizarse en grupos étnicos que les den soporte y reconocimiento social entre ellos. Estos grupos, se reúnen usualmente en espacios públicos, donde los peruanos se reproducen social y culturalmente añorando el lugar de origen y recurriendo a la música, baile, comida y deportes para reivindicarse socialmente.

Los medios de comunicación son principalmente utilizados por las mujeres migrantes, quienes en el lugar de origen culturalmente eran las encargadas de organizar la vida dentro del dominio familiar. Con la migración, esta función se vio interrumpida causando sufrimiento y frustración en las familias, pero, con las innovaciones tecnológicas, las mujeres han encontrado una manera de mediar la distancia, tratando así de cohesionar sus dominios familiares. Sin embargo, hemos encontrado casos en donde el mayor contacto y el mayor control perjudican a los que permanecieron en el lugar de origen, lo cual impide que puedan desarrollar sus vidas y sus actividades libremente. Queda para investigaciones futuras el elaborar las implicaciones de estas tecnologías en la producción de nuevas formas de ejercicio de poder en los dominios familiares en los lugares de origen.

Bibliografía

AGUIRRE, Joaquín
    1997   Reseña del libro *Razones prácticas: sobre la teoría de la acción* de Pierre Bourdieu. Barcelona: Anagrama.

ALTAMIRANO, Teófilo
1990   *Los que se fueron: peruanos en los Estados Unidos*. Lima:
          Pontificia Universidad Católica del Perú.
1992   *Éxodo: peruanos en el exterior*. Lima: Pontificia Universi-
          dad Católica del Perú.
1998   "Transnationalization and Cultural Encounters: Ca-
          tholics in Paterson, New Jersey, USA". Ponencia pre-
          sentada en el Center for Latin American Studies, Cor-
          nell University.
2000   *Liderazgo y organización de peruanos en el exterior. Cultu-
          ras transnacionales e imaginarios sobre el desarrollo*. Vol.
          1. Lima: Pontificia Universidad Católica del Perú.
2003   "From Country to City". En *Harvard Review of Latin Ame-
          rica*. Harvard University.

APPADURAI, Arjun
1990   "Disjuncture and Difference in the Global Culture Eco-
          nomy". En Featherstone, Mike (ed.), *Global Culture:
          Nationalism, Globalization and Modernity*. Londres: Sage
          Publications.
1996   *Modernity at Large. Cultural Dimensions of Globalization*.
          Minneapolis: University of Minnesota Press.

APPADURAI, Arjun y Carol BRECKENRIDGE
1988   "Why Public Culture? Debates and Controversies". En
          Public Culture Bulletin 1, pp 5-9.

ARCE, Alberto
1997   "Globalization and Food Objects". En Haan y Long
          (eds.), 1997, pp. 178-201.

BASCH, Linda; Nina GLICK SCHILLER; y Cristina SZANTON BLANC
1994   *Nations Unbound: Transnational Projects, Postcolonial Pre-
          dicaments, and the Deterritorialized Nation-States*. Lan-
          ghorne, Pennsylvania: Gordon and Breach.

BASCH, Linda; Nina GLICK SCHILLER; y Cristina SZANTON BLANC (eds.)
1992   *Towards a Transnational Perspective on Migration: Race,
          Class, Ethnicity, and Nationalism Reconsidered*. Nueva
          York: New York Academy of Sciences.

BERG, Ulla Dalum
2001   "Locating Matahuasi: The Politics of Place and Mobili-
        ty in Andean Peru". Tesis de maestría. Copenhague:
        Institute of Anthropology, University of Copenhagen.
2004   *Migration and Communicative Practices. Comprehensive
        Exam Essay*. Nueva York: New York University Depart-
        ment of Anthropology.

BONIFAZI, Corrado
1999   "Inmigrazione in Europa". En *Immigrazione: Dossier
        Statistico 99*. Roma: Anterem, pp. 48-62.

BORUCHOFF, Judith
1999   "Equipaje cultural: objetos, identidad, y transnaciona-
        lismo en Guerrero y Chicago". En Mummert (ed.), pp.
        499-517.

CUADRADO VÍLCHEZ, Jorge Alberto
1964   "Sicaya, una comunidad mestiza de la sierra central
        del Perú". En *Estudios sobre la cultura actual del Perú*. Li-
        ma: Universidad Nacional Mayor de San Marcos, pp.
        150-220.
1986   "Tierras comunales en el distrito de Huachac". Tesis
        de licenciatura. Huancayo: Universidad Nacional del
        Centro del Perú, Facultad de Antropología.

DEGREGORI, Carlos Iván y Gonzalo PORTOCARRERO (eds.)
2004   *Cultura y globalización*. Lima: Red para el Desarrollo
        de las Ciencias Sociales en el Perú.

ESCRIVÁ, Ángeles
2000   "¿Empleadas de por vida? Peruanas en el servicio do-
        méstico de Barcelona". En *Papers* 60, pp. 327-42 (http:/
        /www.bib.uab.es/pub/papers/02102862n60p327.
        pdf).

FEATHERSTONE, Mike (ed.)
1990   *Global Culture: Nationalism, Globalization and Modernity*.
        Londres: Sage Publications.

GARCÍA CANCLINI, Néstor
    1989   "Culturas híbridas, poderes oblicuos". En *Culturas híbridas: estrategias para entrar a la modernidad*. México, D.F.: Consejo Nacional para la Cultura y las Artes y Grigalbo, pp. 263-360.

GOLDRING, Luin
    1992   "Diversity and Community in Transnational Migration: A Comparative Study of Two Mexico-US Migrant Circuits". Tesis doctoral. Nueva York: Cornell University, Department of Rural Sociology.
    2003   *Rethinking Remittances: Social and Political Dimensions of Individual and Collective Remittances*. CERLAC Working Papers Series. Toronto: Center for Research on Latin America and the Caribbean y York University, Department of Sociology.

GUARNIZO, Luis Eduardo
    1993   "Los Dominican-Yorks: The Making of a Binationality Society". En *Annals of the American Academy of Political and Social Science*. Filadelfia.

GUARNIZO, Luis Eduardo y Michael PETER SMITH
    1999   "Las localizaciones del transnacionalismo". En Mummert (ed.), pp. 87-112.

GUPTA, Akhil y James FERGUSON
    1992   "Beyond Culture: Space, Identity and the Politics of Difference". En *Cultural Anthropology 7*, pp. 6-23.
    1997   "Culture, Power and Place: Ethnography at the End of an Era". En Gupta, Akhil y James Ferguson (eds.), *Culture Power and Place: Exploration in Cultural Anthropology*. Durham y Londres: Duke University Press, pp. 1-32.

GUTIÉRREZ HUAMÁN, Julio
    1976   Mensaje del alcalde Julio Gutiérrez Huamán con motivo del XXXV Aniversario de la Creación Política de Huachac, 8 de enero de 1976. Artículo inédito de los archivos del señor Crisolfo Perales Castro.

HAAN, Henk de y Norman LONG (eds.)
1997   *Images and Realities of Rural Life. Wageningen Perspectives on Rural Transformations.* Wageningen, Holanda: Assen van Gorcum.

HANNERZ, Ulf
1990   "Cosmopolitans and Locals in World Culture". En Featherstone (ed.), pp. 237-51.

HUBER, Ludwig
2002   *Consumo, cultura e identidad en el mundo globalizado. Estudio de caso en los Andes.* Lima: Instituto de Estudios Peruanos.

JELIN, Elizabeth
2002   *Los trabajos de la memoria.* Madrid y Buenos Aires: Siglo XXI.

KEARNEY, Michael
1995   "The Local and the Global: The Anthropology of Globalization and Transnationalism". En *Annual Review of Anthropology* 24, pp. 547-65.

LAZO GARCÍA, Javier
2002   "Ley de Inmigración. Bossi-Fini: futuro incierto". En *El Nuevo Panorama Latino.* Año IV: 28, marzo.

LEÓN, Pericles
2001   "Peruvian Sheepherders in the Western United States". En *Nevada Historical Society Quaterly* 44: 2, pp. 147-65.

LEVITT, Peggy
1998   "Social Remittances: Migration Driven Local-level Forms of Cultural Diffusion". En *International Migration Review* 32: 4, pp. 926-48.

LONG, Norman
1997   "Agency and Constraint, Perceptions and Practice: A Theoretical Position". En Haan y Long (eds.), pp. 1-20.

2001   "The Case for an Actor-oriented Sociology of Development". En *Development Sociology: An Actor Perspective*. Londres y Nueva York: Routledge, pp. 9-29.

MANRIQUE, Nelson
2004   "Los Andes a las puertas del nuevo milenio. El Perú y la sociedad de información". En Degregori y Portocarrero (eds.), 2004, pp. 225-45.

MUMMERT, Gail (ed.)
1999   *Fronteras fragmentadas*. México, D.F.: Centro de Investigación y Desarrollo del Estado de Michoacán, y El Colegio de Michoacán.

NACIONES UNIDAS
2004   "Migraciones de reemplazo: ¿una solución ante la disminución y el envejecimiento de las poblaciones?". División de Población del Departamento de Asuntos Económicos y Sociales (http://www.un.org/esa/population/unpop.htm).

NETHERLAND-ISRAEL RESEARCH PROJECT (NIRP)
2000   "Informe de trabajo de campo en Italia". Documento Interno. Wageningen University.

NICHOLS, Sandra
2002   "Another Kind of Remittances. Transfer of Agricultural Innovations by Migrants to Their Communities of Origin". Ponencia presentada en el II Colloquium on International Migration: Mexico-California, University of California-Berkeley, 29 de marzo.

OLWIG, Karen Fog y Ninna NYBERG SØRENSEN (eds.)
2002   *Work and Migration: Life and Livelihoods in a Globalizing World*. Londres y Nueva York: Routledge.

PÆRREGAARD, Karsten
2002   "Business as Usual: Livelihoods Strategies and Migration Practice in the Peruvian Diaspora". En Olwig y Sørensen (eds.), pp 126-44.

PELLEGRINO, Adela
2004   "Migration from Latin America to Europe: Trends and Policy Challenges". En *Migration Research Series* 16. International Organization for Migration.

PERALES CASTRO, Crisolfo
1980   "Visión de Huachac". Artículo inédito de los archivos del señor Crisolfo Perales Castro.
1992   "Apuntes sobre Huachac". Artículo inédito del señor Crisolfo Perales, cedido para la presente publicación.

ROMERO, Raúl
1999   "De-esencializando al mestizo andino". En Degregori y Portocarrero (eds.), 2004, pp. 163-81.
2003   *Identidades múltiples: memoria, modernidad y cultura popular en el valle del Mantaro*. Lima: Congreso de la República del Perú.

SECRETARÍA DE COMUNIDADES PERUANAS EN EL EXTERIOR
2001   "Informe sobre situación de peruanos en el exterior". Documento Interno. Lima: Ministerio de Relaciones Exteriores del Perú.
2004   "Situación de los trabajadores peruanos en el exterior". Documento Interno en PowerPoint. Lima: Ministerio de Relaciones Exteriores del Perú.

SMITH, Robert C.
1998   "Los ausentes siempre presentes: comunidad transnacional, tecnología y política de membresía en el contexto de la migración México-Estados Unidos". En Zendejas, Sergio y Pieter de Vries (eds.), *Las disputas por el México rural. Transformaciones de prácticas, identidades y proyectos*. México, D.F.: El Colegio de Michoacán, pp. 201-41.

TAKENAKA, Ayumi
2003   "Peruvian and Japanese-Peruvian Migrants in Japan". Ponencia presentada en Latin American Studies Association Dallas, Texas.

TAMAGNO, Carla
   2002   "You Must Win Their Affection...: Migrants' Social and
             Cultural Practices between Peru and Italy". En Olwig
             y Sørensen (eds.), pp. 106-25.
   2003a   "'Entre acá y allá'. Vidas transnacionales y desarrollo:
             peruanos entre Italia y Perú". Tesis doctoral. Wagenin-
             gen, Holanda: Wageningen University, Department of
             Sociology of Rural Development.
   2003b   "Los peruanos en Milán". En Degregori, Carlos Iván
             (comp.), Comunidades locales y transnacionales: cinco estu-
             dios de caso en el Perú. Lima: Instituto de Estudios Perua-
             nos, pp. 319-98.

VILLARREAL, Magdalena
   1994   "Wielding and Yielding: Power, Subordination, and
             Gender Identity in the Context of a Mexican Develop-
             ment Project". Tesis doctoral. Wageningen, Holanda:
             Wageningen University.

CAPÍTULO 6
Nikkeis y peruanos en Japón[*]

AYUMI TAKENAKA

Introducción

Entre los destinos elegidos por los migrantes peruanos, Japón se destaca
por varias razones. En primer lugar, al revés de lo que ocurre con otros
lugares, la emigración de peruanos a Japón sucedió de manera rápida
en un corto período (aproximadamente entre 1989-1995) bajo contextos
socioeconómicos muy concretos. En consecuencia, la manera en que
ha sido incorporada en la sociedad japonesa y en el mercado de trabajo
es menos diversificada que en otros países, tales como Estados Unidos.
En segundo lugar, es una migración inducida bajo el nombre de lazos
étnicos comunes y esto ha tenido consecuencias significativas para la
adaptación de los peruanos, así como para las relaciones en los distintos
grupos de la sociedad japonesa. Este artículo examina dichas consecuencias.

La función de la etnicidad en la migración internacional

La etnicidad desempeña un marcado y creciente papel al modelar y regular la migración de nuestros días. Aparte de Japón, muchos países,
incluyendo Italia, España, Grecia, Corea y Alemania, han implemen-

* Este texto apareció en inglés en el libro *Global Japan: The Experience of Japans
New Immigrants and Overseas Communities* (2003), editado por Roger Goodman,
Ceri Peach, Ayumi Takenaka y Paul White (Londres: Routledge Curzon). Su
reproducción aquí tiene el permiso expreso de Routledge. La autora agradece
a Renata y Luis Millones por la traducción.

tado una política de migración basada en la descendencia. Por ella, se provee de privilegios a la relación coétnica, que van desde la nacionalización automática hasta el entrenamiento especial en el idioma.[1] Para los países industrializados que experimentan una vasta migración, la política basada en la descendencia es un instrumento efectivo para satisfacer sus necesidades y, al mismo tiempo, incorporar selectivamente la inmigración foránea. Esto sucede así, de manera particular en un país como Japón, donde el sentido de "lazos de sangre" es fundamental para la nacionalidad. Cuando la nueva legislación sobre migración basada en la descendencia fue introducida en 1990, apuntando a los descendientes de japoneses, ni el público nipón ni la comunidad internacional protestó ni debatió en contra de ella. Sucedió así porque era consistente con las leyes de nacionalidad por ascendencia, al igual que el sentimiento divulgado de homogeneidad racial y cultural. Una ley como esta parecía sensata.

Bajo estos presupuestos, comenzó la migración de peruanos, brasileños y otros sudamericanos, quienes entraron al país como nikkeis[2] o descendientes de japoneses. Como tales, se esperaba que se adaptaran de manera más fácil que otros extranjeros y, consecuentemente, se permitió que ingresaran al país y se enrolaran en la vida laboral sin restricciones. La nueva política de migración creaba dos sistemas que diferenciaban entre migrantes calificados o con entrenamiento previo ("legales") y migrantes no calificados o sin entrenamiento ("ilegales"), en un intento por controlar la creciente ola de extranjeros no calificados. En este contexto, los nikkeis se convierten en el único grupo, aparte de un pequeño número de practicantes, a los que se les permitió, legalmente,

---

1. Ministerio de Justicia 1992, Thränhardt 1999. Al contrario de otros países, Japón no otorga automáticamente la nacionalidad. Sin embargo, el proceso de obtener la residencia permanente se hace de manera más fácil para los descendientes de japoneses que para otros extranjeros.

2. Literalmente debe traducirse como descendientes de japoneses que no son ciudadanos japoneses, pero no tiene un significado preciso. De manera común se refiere a "los miembros de la sociedad de migrantes japoneses de ultramar", lo que incluye a la primera generación, nacida en Japón (Fuchigami 1995: 3). El Ministerio de Asuntos Exteriores también distingue nikkeis de "los residentes japoneses de largo plazo en el exterior". Maeyama (1996) no define el término como un concepto legal, sino más bien basado en la etnicidad: "es un concepto nativo o concepto folk" al que le han dado sentido los propios nikkeis.

enrolarse en trabajos no calificados. De esta forma, la etnicidad y la condición legal se convierten en las causas determinantes de la incorporación de los migrantes a Japón[3] y, como veremos más adelante, son factores importantes que explican la manera en que se adaptaron los peruanos.

Si la etnicidad es importante para inducir la inmigración, ¿cómo funciona en la adaptación de los migrantes? ¿Facilitan la adaptación los lazos étnicos?¿Los coétnicos se adaptan mejor que los otros foráneos? No siempre, según los numerosos estudios que han documentado la falta de adaptación de los nikkeis. A pesar de su ascendencia y tratamiento preferencial, los nikkeis son marginados como minoría étnica y esta situación se atribuye a su conducta cultural diferente; después de todo, los nikkeis son latinoamericanos.[4] A pesar de su cultura extranjera, se piensa que los nikkeis son más japoneses que los que no tienen ascendencia japonesa y que se adaptan mejor a Japón no solamente por su mayor proximidad cultural, sino también por la situación legal que los sustenta.[5] En razón de su ascendencia, de los nikkeis migrantes se espera que hablen bien el japonés, que tengan parientes en Japón, estén familiarizados con las costumbres japonesas y, por ende, se sientan como en su hogar. Es así como el argumento cultural ha dominado las discusiones sobre migrantes extranjeros en Japón. En un país donde el mito de la homogeneidad es muy fuerte, el grado de proximidad cultural es medido como una continuidad que fluctúa entre dos polos (cultura japonesa-cultura foránea), lo que hace necesario explicar la adaptabilidad de los extranjeros.

El caso de los peruanos y peruano-nikkeis plantea una paradoja a la presunción anterior. Si bien la distancia social entre los peruano-nikkeis y los japoneses crece porque pertenecen a una cultura diferente (la cultura peruana), también crece la distancia con los otros peruanos, a pesar de compartir el origen y el idioma. Al contrario de lo que se esperaba, los peruanos generalmente logran hablar mejor el japonés, se sienten más satisfechos con la vida en Japón y, en cierta forma, están mejor integrados que aquellos que tienen ascendencia japonesa.

---

3.   Cornelius y Tsuda 2002.

4.   Ver, por ejemplo, Tsuda 1996, Watanabe 1996, NIKKEIS 1994, Kawamura 2000.

5.   Clucas 1995, Fujisaki 1991.

¿Por qué sucede esto? Sostengo que no se relaciona con las diferencias culturales, sino más bien con la manera contradictoria en que los peruanos, con o sin ascendencia japonesa, fueron incorporados y luego clasificados en términos de condición legal y étnica. Si bien la migración peruana comenzó como respuesta directa a la política de inmigración con base étnica, muchos peruanos no nikkeis también ingresaron en el país. Algunos lo hicieron legalmente como esposos o esposas de los nikkeis o de los japoneses, o bajo otras categorías, también legales, como el caso de los estudiantes. Muchos otros entraron como turistas antes de que Japón aboliese al acuerdo que permitía el ingreso sin visa a los peruanos, en 1994, o bien hubo quienes entraron como falsos nikkeis con documentos falsificados. Sobre un estimado de 60.000 peruanos (incluyendo 46.000 que fueron oficialmente registrados en el año 2000), quizá la mitad no tenía ascendencia japonesa,[6] dato basado en las compañías que envían dinero de un país a otro. Esto hace que los peruanos sean un grupo más diverso y se distingan de los otros sudamericanos en términos de antecedentes étnicos y condición legal.[7]

Entre los peruanos de ascendencia japonesa, una gran proporción de ellos es también considerada como "racialmente mestiza", como se aprecia en la encuesta de JICA (1992) a la que un 30% de los peruano-nikkeis respondió que tenía ascendencia mestiza, en contraposición con solo el 10% de los brasileños. Por esta razón, los peruanos llevan consigo una imagen más negativa que otros sudamericanos en Japón, asociada a la ilegalidad y a la "impureza" racial. Al mismo tiempo, todos los migrantes peruanos suelen ser relegados a la escala más baja de ocupaciones y tratados como *dekasasegui*[8] (contrato manual), es decir, trabajadores manuales, sin considerar su ascendencia. En respuesta, aquellos peruanos a los que se les ha dado tratamiento preferencial en razón de su etnicidad procuran distinguirse de los otros peruanos enfatizando sus diferencias culturales. Su razonamiento es el siguiente: "Los peruanos (sin ascendencia japonesa) son taimados y astutos, y

---

6. Masuda y Yanagida 1999.

7. A pesar de que la proporción de brasileños sin ascendencia japonesa es relativamente pequeña, Kawamura (2000: 139) nos reporta que los brasileño-japoneses también tratan con desprecio a los otros brasileños u sudamericanos.

8. Se escribe convencionalmente *dekasegi* en japonés, pero yo uso la manera de deletrear de los peruano-japoneses, que corresponde al español.

por supuesto mucho más en Japón. Vean cómo llegaron a este país ilegalmente, sin vergüenza alguna". A través de esta retórica, la distancia entre peruanos con o sin ascendencia japonesa se ha ensanchado gradualmente, creando distintos patrones de adaptación a lo largo de las coordenadas de ascendencia y condición legal, además de raza.

Las diferencias culturales pueden ser expresadas en una poderosa retórica para explicar las diferencias sociales, pero no debemos confundir lo que Brubaker y Cooper llaman "categorías de práctica" con "categorías de análisis"; o las que se usan de manera común, en la vida diaria, con las categorías que usan los investigadores para analizar cómo y por qué la gente habla acerca de tales categorías. Brubaker y Cooper afirman que "El problema es que [las categorías como] 'nación', 'raza', e 'identidad' son usadas como categorías de análisis con tanta frecuencia como en la práctica cotidiana, en forma refinada explícita o implícita".[9] De tal manera, se afirma o se implica que "naciones", "razas" e "identidades" existen, y que la gente tiene una "nacionalidad", una "raza" y una "identidad".

De la misma forma, muchos estudios han intentado identificar la diferencia cultural entre los nikkeis y los otros peruanos[10] o entender la adaptación de los nikkeis sobre la base de su "cultura distintiva" sin llegar a explicar nada. Por el contrario, aquí me concentro en el proceso por el cual una retórica de diferencia cultural emerge y se cristaliza, al igual como la cultura (como categoría de práctica) da forma a las relaciones sociales. Como nos ilustra el caso de los migrantes peruanos, las "diferencias culturales" surgen de manera que reflejan o expresan diferencias socioeconómicas, en lugar de seguir el camino inverso. La clase o posición social explica la adaptación de los migrantes mejor que la cultura; esto puede ser visto en la manera en que los migrantes son incorporados y clasificados, y sobre todo en su respuesta al mudarse de un contexto a otro y de una posición a la siguiente.[11]

---

9.   Brubaker y Cooper 2000: 6.

10. Morimoto 1992, 1979.

11. Los resultados que presentamos están basados en un año de investigación en Japón. De 1996 a 1997, entrevisté aproximadamente a sesenta migrantes peruanos y a los empleadores, a quienes formularon la política migratoria aquí tratada. Realicé tareas de observación-participante en varios lugares donde los peruanos interactuaban entre ellos y con otros. La información recogida proviene de mis apuntes etnográficos y del análisis documental.

Cómo fueron incorporados los migrantes peruanos en Japón

La política migratoria basada en la etnicidad que llevó a peruanos a Japón estaba justificada en la premisa de que, como nikkeis, se adaptarían mejor, debido a que compartían la misma "sangre".[12] Fue también una manera de justificar la "ayuda", en la actual crisis económica sudamericana, a los parientes "de sangre" lejanos o a los descendientes de japoneses que fueron enviados por el gobierno de Japón a Sudamérica hace más de un siglo. Sin embargo, si se observa detenidamente a qué lazos de sangre se hace referencia, se concluirá que se trata más bien de relaciones sociales antes que de una proximidad cultural.

Ante todo, los lazos de sangre se midieron por el número de generaciones que salieron de Japón. Bajo la nueva política migratoria, la segunda generación de descendientes (*nisei*) fueron declarados elegibles para una visa de tres años de duración, mientras que los descendientes de tercera generación (*sansei*) solo pudieron obtener visas de un año de duración. Posteriores generaciones de descendientes (cuarta y subsiguientes generaciones) no fueron consideradas bajo este sistema. Cada generación, como puede verse, que los alejaba de la madre patria se entendía que tenía menos lazos de sangre. Durante una entrevista, un oficial nos explicaba que

> La sangre japonesa se adelgaza con el transcurrir de las generaciones. El matrimonio internacional se hace cada vez más frecuente con cada generación. Y con el pasar de las generaciones, dejan de ser japoneses. Es así como la tercera generación de nikkeis es menos japonesa [que la primera y la segunda], a pesar de que puedan conservar caras japonesas. Cuando llegamos a la cuarta generación [...] Bueno, ellos prácticamente no tienen nada de japoneses.

La noción fusionada de raza y cultura, simbolizada por la sangre, sirvió para justificar el derecho de los nikkeis a entrar, residir y trabajar en Japón, mientras se negaba este mismo derecho a otros foráneos por la falta de sangre japonesa. Sin embargo, la noción de sangre fue maleable y de relativa medida por la distancia que mediaba entre la persona y el Japón.

---

12. Ministerio de Justicia 1992: 21.

La sangre fue también un símbolo de lazos familiares. Así, la generación tenía importancia como medida de lazos directos con los japoneses; los miembros de la segunda generación, descendientes de japoneses, fueron considerados más cercanos a los japoneses que a la tercera generación. Según un oficial,

> De acuerdo con la costumbre, los lazos familiares se extienden hasta por tres generaciones. La gente vive frecuentemente con sus abuelos y los cuida. Eso justifica admitir hasta la tercera generación de nikkeis.[13]

Concretamente, los lazos familiares fueron medidos por las relaciones directas entre padres e hijos. Siguiendo la legislación de la nacionalidad basada en la ascendencia japonesa, los niños nacidos de un japonés tienen el derecho automático a la nacionalización japonesa, sin importar el lugar del nacimiento. De acuerdo con esto, la segunda generación, como hijos de japoneses, podrían convertirse en ciudadanos japoneses si los padres habían registrado su nacimiento en el consulado japonés inmediatamente después de sucedido. Y lógicamente, la tercera generación de descendientes japoneses podrían convertirse en ciudadanos de Japón si sus padres (nacidos en el extranjero) hubieran adquirido tal nacionalidad.[14] Por tanto, para ser admitidos como familiares que viajan a Japón, los nikkeis deben demostrar sus lazos con los ciudadanos japoneses de varias maneras. Además del documento más importante, que es el koseki (registro familiar japonés), se requieren los certificados de nacimiento, matrimonio o muerte de cada miembro relevante de la familia que constituyen el árbol genealógico de la familia, y cartas de un empleador y un garante, que se espera que sean ciudadanos japoneses.[15] De esta manera, los nikkeis fueron admitidos como "visitantes familiares coétnicos" con toda la legalidad requerida que les permitía trabajar sin ninguna restricción.

---

13. Ibíd.
14. Maeyama 1990.
15. NIKKEIS 1994.

¿Cómo fueron clasificados los peruanos?: etnicidad contra clase

La migración de retorno fue empujada por la etnicidad, pero fundamentalmente era una migración económica. Habiendo sido admitidos como parientes con lazos de sangre, los nikkeis y los peruanos que los acompañaban fueron contratados en labores no calificadas. Dado que los lazos con los japoneses fueron generalmente débiles, los peruanos por encima de su ascendencia familiar dependieron más bien de intermediarios profesionales para conseguir empleo.[16] Es así como ir a Japón significó, en primer lugar, trabajar en fábricas, con la excepción de un puñado de aquellos que fueron a estudiar. Para la mayoría, esta realidad implicaba una pérdida de su condición social, en especial para quienes tenían un título universitario o habían sido empleados profesionales en el Perú. Los peruanos fueron incorporados en trabajos específicos en sectores determinados (manufactura y construcción) a través de agentes laborales bajo un sistema diferente que los trabajadores japoneses. Esto significó que los peruanos, por encima de su ascendencia o condición legal, estuvieran incorporados en el mismo tipo de labor manual como dekasegui nikkeis.

En este proceso, los peruanos fueron clasificados colectivamente como trabajadores dekasegui. La agencia oficial de empleo, especialmente constituida por el gobierno japonés para ayudar a los nikkeis, los trató como obreros manuales. Los panfletos multilingües de la agencia, publicados con el propósito de promover una adaptación fácil de los nikkeis a Japón, automáticamente calificó a los nikkeis como dekasegui, dibujándolos como obreros, vistiendo uniformes casco y botas. Estas publicaciones explicaban en detalle cómo lidiar con maquinaria pesada y cómo copar el trabajo en lugares peligrosos. Los libros japoneses más importantes sobre los nikkeis también los caracterizan como trabajadores "dekasegui", como lo indican sus títulos: *Brazlilian Dekasegui Nikkeijin* (Trabajadores manuales brasileño-nikkeis) de Watanabe (1996), *Dekasegui Nikkei Gaikokujin Rodosha* (Trabajadores manuales extranjeros nikkei) de Fujisaki (1991) y *Dekasegui* (se refiere a los brasileño-japoneses) de Omiya (1997). La condición baja de los trabajadores

---

16. Kajita 1994.

dekasegui fue remarcada por su origen tercermundista y su aislamiento social debido a su limitado manejo del idioma y al hecho de no estar afiliados a ninguna institución japonesa: compañía, familia o vecindad. Al migrar a la tierra de sus ancestros los peruano-nikkeis se convierten en una minoría, como peruanos y como dekasegui, por la posición que ocupan en Japón y por la manera en la que han sido incorporados. Un puñado de estudiantes peruano-japoneses y otros tantos en capacitación (técnico o laboral), invitados a través de becas gubernamentales, fueron tratados de manera diferente, y tuvieron acceso a círculos de otra condición social, en posición privilegiada. Su percepción de Japón y de los japoneses fue generalmente más positiva que en los otros casos.

Mientras que los peruano-japoneses en condición de trabajadores dekasegui fueron rechazados con frecuencia por sus lejanos parientes japoneses, a los estudiantes se los recibió muy bien, tal como ha sido expresado por un peruano-japonés: "La gente te tratará mejor si eres un estudiante de intercambio. Nadie te gritará o te dirá lo que tienes que hacer, como sucede en las fábricas". Al contrario de los obreros contratados que viven día a día, los estudiantes a menudo tienen un ingreso disponible con el que "viven como reyes" y "pueden visitar Disneylandia y todas las otras cosas lindas de Japón". La condición social de estudiantes auspiciados por el gobierno también les garantiza acceso a círculos sociales más altos, tales como oficiales del Estado, colegas becarios, etc., mientras los trabajadores dekasegui interactúan con los limitados círculos de los trabajadores fabriles y los agentes que los contratan. Más que la etnicidad o la ascendencia, la posición de clase da forma a las percepciones y experiencias de los migrantes.

Los migrantes peruanos responden: la cultura explica la diferencia

Las formas contradictorias de incorporación resultaron en acrecentar las distancias entre los japoneses y los peruano-nikkeis en Japón. A pesar de que los peruanos fueron traídos como descendientes, tal factor no incidió en lo que hacían o la forma en que fueron tratados. Los descendientes reales, entonces, quedaron sorprendidos y disgustados en Japón, porque no solo fueron tratados como extranjeros, sino que, además, su ascendencia fue completamente ignorada. Los peruano-niseis dijeron durante una entrevista:

Por supuesto que nos sorprendió que los japoneses nos tratasen como gaijin [foráneos], pero al fin y al cabo eso es lo que somos. Pero lo que realmente nos molestó es que los japoneses no respetan la historia de la emigración japonesa y creen que nosotros somos descendientes de esos migrantes. Para los japoneses, peruano-nikkeis son la misma cosa.

Por encima de sus habilidades, educación, edad y antecedentes étnicos, todos los peruanos fueron automáticamente relegados al más bajo nivel de trabajo, simplemente porque, siendo peruanos, hacían el mismo trabajo por el mismos salario. Otro peruano-japonés dijo:

Es chocante porque en el Perú nosotros, tenemos poca consideración por los peruanos y los discriminamos; pero aquí en Japón, somos discriminados por los japoneses. En el Perú, los nikkeis tratan con desprecio a los peruanos sin parentesco con los japoneses, como gaijin, pero en Japón nosotros los nikkeis recibimos este tratamiento.

Los peruano-japoneses están consternados porque se les ha denegado su identidad, la que han cultivado con tanto aprecio y que la han usado para distinguirse de los otros peruanos.

La separación entre los dos grupos, originada en el Perú, se ha incrementado en Japón a través de los factores de descendencia y situación legal. El diario *Prensa Nikkei* de Lima, que circula en la comunidad peruano-japonesa, divide a los peruanos en Japón en cuatro grupos: los nikkeis reales (o verdaderos), los nikkeis mestizos, los nikkeis chichas (o falsos) y los ilegales.[17] Las diferencias eran marcadas, en parte, debido a las distintas clases sociales de donde proviene cada uno de los grupos. Si comparamos a los peruanos japoneses que pertenecen predominantemente a la clase media con los otros peruanos (que migran a Japón) encontraremos que estas últimos tienden a provenir de escalas socioeconómicas más bajas. También pueden atribuirse estas diferencias a la distinta condición legal en Japón, dado que la mayoría de los que no tienen origen japonés son ilegales (con excepción de los esposos o esposas de los ciudadanos) o, peor aun, son nikkeis falsos, que han ingresado con documentos adulterados. Por esta razón, los peruano-japoneses califican a los otros peruanos como "bambas", "truchas", "nikkeis falsos" o "ilegales", términos referidos a su condición ilegal.

---

17. Prensa Nikkei 1992.

Los peruano-japoneses frecuentemente acusan a los otros peruanos de haber mancillado su imagen y en particular la de los nikkeis.
Uno de ellos afirmó: "No es posible conocer la conducta de los peruanos
aquí en Japón, porque algunos de ellos provienen de clases sociales
muy bajas y son delincuentes". Esta percepción prevalece incluso entre
los mestizos peruano-japoneses que tenían poca conciencia de ser nikkeis en el Perú. Quien se expresó así fue un informante que, habiendo
crecido en la pobreza, dijo que en Lima siempre se sintió excluido por
la comunidad japonesa, pero que al estar en Japón se identificó como
nikkei por primera vez: "Dado que los peruanos en Japón son tan malos,
me sorprende la cantidad de cholos e incluso negritos que se las ingenian
para infiltrarse en Japón". Los periódicos de la comunidad japonesa,
Prensa Nikkei y *Perú Shimpo*, también consideran a los "chichas" como
la peor amenaza para los "verdaderos nikkeis". En un artículo titulado
"falsos nikkeis un problema para nuestra comunidad", *Perú Shimpo* (4
de febrero de 1990) expresó su preocupación sobre cómo los peruanos
(sin ascendencia japonesa), incluyendo "terroristas y criminales", podrían arruinar "lo que nuestra prestigiosa comunidad nikkei ha logrado
a través de años de nuestro esforzado trabajo y honestidad", refiriéndose
a los que habían entrado en Japón como "falsos nikkeis".

Los peruano-japoneses también percibieron que otros peruanos
dañaron su prestigio al ingresar en Japón con documentos falsificados,
usando sin derecho apellidos y kosekis que no les pertenecían. Uno de
los líderes de la comunidad peruano-japonesa se quejó de que, por culpa de ellos (los falsos nikkeis), los japoneses pensaban que los descendientes de japoneses en el Perú no se parecían en nada a los japoneses.
En los oficiales japoneses entrevistados y en los textos académicos prevalece este punto de vista.[18] Es así como se asume que los nikkeis peruanos, comparados con los descendientes de japoneses en otros países
(tal como Brasil y Argentina), mantienen pocos rasgos faciales japoneses. Consecuentemente, muchos de los "nikkeis verdaderos" se quejaron
de que por culpa de los peruanos se hizo difícil obtener o renovar las
visas. De esto se quejó un peruano japonés: "Cuando un oficial ve documentos peruanos, los revisa de manera extrema". De acuerdo con la
Prensa Nikkei (1992), de 854 renovaciones de visa rechazadas, pertene-

---

18.   Por ejemplo, véanse Watanabe 1966 y Ninomiya 1995.

cientes a Sudamérica, el 90% fueron peruanas, debido a la documentación fraudulenta. "Para los oficiales japoneses, nikkeis falsos o
verdaderos son iguales"; para ellos, todos son peruanos. "Y nosotros,
los nikkeis verdaderos, tenemos que sufrir las consecuencias". Precisamente porque fueron puestos en el mismo saco junto con otros peruanos
de baja condición, los nikkeis tratan, concienzudamente, de distinguirse
de ellos.

Mirándolos como conjunto, las relaciones entre los dos grupos
son limitadas. A pesar de que ambos trabajan en las mismas fábricas,
se enrolan frecuentemente en actividades sociales separadas. De acuerdo con una versión, los "peruanos puros" se reúnen en locales *latin
disco* y bares, mientras que los nikkeis van a los museos o miran televisión en sus casas. Los restaurantes peruanos son copados por aquellos
que no tienen ascendencia japonesa, en parte porque son solteros en su
mayoría o no han podido traer a su familia, debido a su situación legal.
Esta separación fue uno de los resultados del esfuerzo consciente des-
plegado por los nikkeis para evitar a los peruanos, porque los asociaban
con problemas, especialmente derivados del alcohol, que se les atri-
buían. También los evitaban por la "vergüenza" adjudicada al ser peruanos. Además de la condición de tercermundistas, se percibía que
había muy pocos atributos positivos que venían del Perú o de los peruanos a Japón. Ocasionalmente, la tensión entre los nikkeis peruanos y
peruanos estallaba al punto de convertirse en peleas callejeras. Estas
peleas fueron comunes en las fiestas peruanas. De acuerdo con un peruano-japonés, las peleas usualmente ocurrían en los baños masculinos
entre las cuatro y seis de la mañana y comenzaban en cualquiera de
dos formas: algún peruano miraba desafiando a un nikkei o un nikkei
maldecía a un peruano aludiendo a su documentos falsos. Un peruano
murió en un *disco club* durante tales peleas.

Para distinguirse de otros peruanos en Japón, los de ascendencia
japonesa enfatizan su identidad nikkei, en lugar de su peruanidad. Lo
contrario ocurre con los brasileño-japoneses, que desarrollan sentimientos nacionalistas en Japón.[19] Los peruano-nikkeis frecuentemente con-
trastan su falta de identidad nacional con el orgullo nacional abiertamente expresado por los brasileños, quienes "siempre hablan acerca

---

19. Tsuda 1996, Ishikawa 2000.

de lo grande que es su país". De acuerdo con un estudio de JICA (1992), el 65% de los peruano-japoneses encuestados respondieron que ellos se identificaban más como nikkeis que como peruanos, mucho más que el 44 y el 41% de brasileños y bolivianos respectivamente. Estos dos últimos, al revés de los peruanos, no tienen población ilegal significativa.

Ascendencia como símbolo de condición social: la emergencia de un nuevo grupo étnico

La emergente comunidad peruano-japonés en Japón fue conscientemente definida como nikkei antes que peruana. En los eventos de magnitud que involucraron a un buen número de asociaciones como la Liga de Fútbol Decasegui (1997), las que se crearon alrededor de esta fecha fueron en su mayoría por nikkeis, cuya participación y liderazgo estuvo limitada a los peruano-nikkeis. Una de estas asociaciones, establecida en 1995, limitó su ingreso a descendientes de japoneses. Su presidente lo explicó así:

> Luego de un largo debate, concluimos que esta es básicamente una aso-
> ciación nikkei. No podemos dejar que cualquiera ingrese en nuestra
> asociación, como criminales o quienes se apropian de nombres ajenos.
> El gobierno japonés discrimina contra los ilegales y los que no son nikkeis;
> por eso, de la misma forma, nosotros seleccionamos nuestros miembros.
> Los peruanos que están en Japón se supone que deben ser nikkeis.
> Entonces, esto no es discriminatorio.

Para seleccionar a sus miembros, la asociación implementó un sistema de garantes. Así, para ser miembro, uno tenía que ser recomendado por garantes o específicamente por dos miembros en ejercicio de la asocia-ción. "De esta manera" —explicó el dirigente— "podemos asegurar la calidad de nuestros miembros y la santidad de nuestra institución. No queremos ser cerrados, pero no queremos problemas". De manera simi-lar, muchas otras asociaciones formadas por los migrantes fueron mayo-ritariamente representadas por nikkeis, en parte por los esfuerzos conscientes de sus líderes para seleccionar la membresía, y también por la segregación más general que existe entre peruano-nikkeis y otros peruanos. Los que no tenían origen japonés han sido reluctantes a to-mar parte en las actividades formales de las comunidades, debido a su condición ilegal. Más bien, se inscriben en otro tipo de actividades, tales como las que organizan las ONG japonesas, agencias de ayuda e instituciones religiosas, que se interesan en ayudar a los migrantes extranjeros que lo necesitan.

En el proceso de distinguirse de los otros peruanos, los nikkeis tratan de recrear la comunidad de descendientes japoneses que funciona en Lima. Sin embargo, el concepto de nikkei tiene un significado en Japón que es diferente en el Perú. En este país es estrictamente racial, pero en Japón se convierte en racial y legal. Si bien el gobierno japonés otorgaba el privilegio de la condición legal a todos los descendientes japoneses (hasta la tercera generación), la definición de nikkei fue ampliada. En el Perú, este término se refiere principalmente a quienes son racialmente "puros" y los peruano-japoneses de clase media. En Japón, comprende legalmente a todos los peruanos que tienen por lo menos un abuelo japonés. También se llamó nikkeis a todos los peruanos en situación legal, mientras que los otros eran denominados simplemente "ilegales". Un peruano que solo tenía un abuelo japonés lo expresó de esta manera:

> No tengo aspecto de japonés ni estoy familiarizado con ninguna de las costumbres japonesas. Nunca escuché el término "nikkei" y en el Perú no me reconocí a mí mismo como nikkei. Solo en Japón descubrí que soy nikkei porque tengo abuelo japonés. Sí, soy nikkei porque para mí es cuestión de sangre.

Sin embargo, después agregó que cuando regrese al Perú dejará de ser nikkei. De la misma forma, los mestizos y peruano-japoneses pobres, que han sido previamente excluidos de las asociaciones nikkei de Lima, descubren en Japón que ellos también eran nikkeis por tener sangre japonesa.

Con los privilegios legales otorgados por esta sangre japonesa, el nikkei adquiere una condición simbólica. Tiene el derecho de estar y trabajar en Japón, por encima de los que no tienen ascendencia nipona. Consecuentemente, el valor de ser nikkei se incrementó. "Pagamos 2.000 dólares por una identidad nikkei", fue el encabezamiento de un artículo en *International Press* (30 de junio de 1996). Los documentos para probar tal identidad eran vendidos y comprados a precios más allá del alcance del promedio de los peruanos. Como el apellido era el símbolo básico de la condición nikkei, su valor también creció. Por eso, los peruano-japoneses de origen mixto casi siempre usaron sus apellidos japoneses en Japón, a manera de reafirmar su calidad de nikkeis; incluso lo hicie--ron con el apellido materno, que en el Perú apenas si se usa. Un peruano con un cuarto de ascendencia japonés, Carlos Kori, se hizo llamar Kori (que es una forma simplificada y modificada de su apellido materno Kuwaori), a pesar de que en el Perú siempre usó su apellido paterno: "De esta forma, la gente reconoce que soy descendiente [y, por tanto, en situación legal] y entonces me tratan mejor, al tener algo de japonés".

Los peruano-nikkeis que mantenían un fuerte sentimiento de ser japoneses en Lima fueron sorprendidos al encontrar la variedad de nikkeis reconocidos como tales en Japón. "En el Perú, yo siempre pensaba que para ser nikkei había que ser hijo de madre y padre japoneses", dijo alguien que tenía este origen. Otro agregó: "Antes de venir a Japón, no supe que había tantos y tan pobres nikkei-mestizos. Además, nunca se sabe si son realmente nikkeis. Es mejor tener cuidado". Perplejo y confuso, el "verdadero nikkei" también habló de la necesidad de proteger sus apellidos y koseki (registro familiar), símbolos de su condición nikkei. "Para nosotros, los verdaderos nikkeis, se trata de nuestros verdaderos nombres; no queremos que se abuse de ellos. A los peruanos no les importa porque han comprado esos nombres".

En respuesta a la confusa y amplificada noción de nikkei, emergió una definición más estricta de la pertenencia al grupo. Descendientes de padres japoneses y peruano-japoneses de clase media que han cultivado el sentimiento japonés en Lima a través de las actividades de la comunidad se llaman ahora "verdaderos nikkeis", "nikkeis legítimos", o "nikkei-nikkeis" para diferenciarse de los mestizos (y pobres) nikkeis en Japón. Sin embargo, mientras los nikkei-nikkeis usan esos términos para distinguirse de los nikkeis sospechosos y proteger el creciente prestigio de su condición, los otros peruanos los califican como un grupo que es distinto racialmente (con ojos rasgados), socialmente cerrados y racistas.

Dado que los nikkei-nikkeis empezaron a tratar con recelo a los que no tenían aspecto japonés, generaron respuestas como la de un descendiente ("un cuarto de japonés") fastidiado de que siempre se pusiera en duda su condición de nikkei: "Como no luzco como japonés, los nikkei-nikkeis siempre asumen que soy ilegal. Me preguntan si soy 'bamba' y cuánto he pagado para comprar un koseki". En cierta ocasión se implementó un examen severo y oficial de la condición de nikkei.

Entre 1993 y 1994, la visa solicitada por los nikkeis se otorgaba luego de una prueba de autenticidad que era validada por la embajada de Japón en Lima. Esta fue una práctica que se implementó solo para los peruanos (no para los brasileños) para combatir el creciente número de falsos nikkeis; sin embargo, no duró mucho porque condujo a una mayor corrupción, debido a la falsificación de los documentos.

Ser parte de la comunidad nikkei termina siendo más estrechamente definida a través del proceso de migración a Japón. Habiendo sido en primer lugar por raza y clase, el término deviene en un concepto derivado de las relaciones sociales: para "nosotros nikkei-nikkeis", es decir, los "legítimos peruano-japoneses es relativamente fácil distinguir un nikkei de un falso nikkei". Dado que en Lima la comunidad peruano-japonesa funciona basándose en las relaciones de parentesco, el informante dijo: "Podemos averiguar, por algunas referencias, si alguien es verdadero nikkei o no lo es". Más aun, un cierto sentido de condición nikkei ha sido cultivado a través de las actividades comunitarias que comparten símbolos culturales usados en Lima y que se convierten en claves indicadoras de la "verdadera condición nikkei". Uno de los nikkei-nikkeis las explicaba así:

> A primera vista, es difícil distinguir un nikkei de quien no lo es. Pero si hablamos acerca de las costumbres nikkeis, como el "sobre" [que contiene dinero como regalo] y *butsudan* [altar budista], quienes no son nikkeis no saben lo que significa. Y tampoco mezclan palabras japonesas en su conversación como lo hacemos nosotros. Los peruanos dicen que tendrían que ir a Okinawa para conseguir los papeles [por ejemplo, los registros familiares], a pesar de que tienen apellidos de Naichi [las islas centrales de Japón], porque así es como nosotros hablamos. Es así como revelan que ni siquiera saben dónde queda Okinawa.

Como el número de nikkeis crece en Japón, algunos de ellos se convierten en más nikkeis que otros. Restaurar una "verdadera identidad nikkei" fue importante para los peruano-japoneses para resolver su propia crisis de identidad y evitar la abrupta caída social en Japón. La condición nikkei, real o falsa, mayor o menor, deviene en una lucha sobre el rango social, una verdadera contienda para adaptarse a la vida japonesa. Un mestizo peruano-japonés, al referirse a los nikkei-nikkeis, dijo:

> Ellos sufren de un complejo de inferioridad, porque son trabajadores sin preparación alguna en Japón y se sienten entre peruanos y japoneses.

Por eso sacan a relucir su condición de nikkeis para sentirse superiores a
los otros peruanos. Es su chivo expiatorio.

También agregó:

> Si usted comete un crimen, no debe ser nikkei; si es demasiado ocioso en
> sus labores, no debe ser nikkei. Todos sospechan de Pepe y de su condi-
> ción de nikkei si no le gusta el trabajo; malos nikkeis como Pepe son fre-
> cuentemente descritos como descendientes malogrados.

Consecuencias de la transformación: adaptación étnica en la tierra de los ancestros

Mientras que los peruano-japoneses trataron de establecer una comunidad como nikkeis, el irónico resultado fue que los peruanos sin
ascendencia japonesa se aislaron mucho menos de la sociedad japonesa. De acuerdo con las estadísticas matrimoniales registradas en la embajada peruana en Tokio, en 1997 fueron estos peruanos quienes se casaron con los nacionales de mayor proporción (75% de 133 matrimonios
que involucraban a peruanos sin apellido japonés), mientras que los
matrimonios de nacionales con peruanos de apellido japonés solo llegaron al 31%: 119 de 182 matrimonios.[20] En mi muestra de 40 peruano-japoneses y 20 peruanos, seguían siendo estos últimos los que tenían
más parejas japonesas. Teniendo en cuenta que entre los peruanos hay
la tendencia a llegar solteros o dejar a sus esposas en el Perú, debido a
la condición legal en Japón, es posible pensar que hayan buscado casarse con nacionales para legalizar sus actividades. Además, estos peruanos logran hablar mejor el idioma japonés, según sus propias observaciones y las de los nacionales entrevistados.[21]

También hay que notar que los peruanos sin lazos de sangre japonesa, especialmente los ilegales, establecen mayor contacto con la vida
nacional a través de las agencias de apoyo, las organizaciones religiosas
y de voluntarios, en comparación con los nikkeis que tienden a interac-

---

20.   No es claro, sin embargo, si aquellos peruanos que ingresaron a Japón con do-
      cumentos falsificados lo hicieron con apellidos propios o ajenos.

21.   Ver, por ejemplo, Igarashi 2000. A pesar de que los aspectos negativos tienden
      a ser enfatizados en el caso de los nikkeis, debido a sus expectativas (asociadas
      a su "sangre"), los descendientes de japoneses no hablan la lengua japonesa.

tuar entre ellos mismos a través de sus propias actividades comunales. Tales organizaciones de ayuda, que han aumentado en los últimos años, son en general dirigidas y operadas por japoneses, y sirven con frecuencia como punto clave para el encuentro de japoneses y extranjeros. Los peruanos sin parentesco en el país se apoyan más en estas organizaciones que los peruano-japoneses, en parte por su mayor necesidad y en parte porque toda otra fuente de actividades está cerrada para ellos. Además, estos peruanos, que generalmente son de origen pobre, se sienten más satisfechos con la vida (y el dinero) que encuentran en Japón que los nikkeis, quienes están sorprendidos y molestos por su descenso en la escala social y el tratamiento de gaijin que reciben.

En consecuencia, los peruanos sin ascendencia japonesa, por encima de sus intenciones, al revés de los nikkeis (o de los nikkei-nikkeis), regresarán con menos frecuencia al Perú y no tratarán de migrar de Japón a otros países, como Estados Unidos, debido también a su condición de ilegales que limita sus desplazamientos internacionales. Se da la paradoja de que los peruanos sin ascendencia japonesa en cierta forma están mejor asentados en el país que los nikkeis, que con frecuencia migran de Japón al Perú y viceversa con una permanente "mentalidad dekasegui", tratando de ganar la mayor cantidad de dinero posible antes de regresar a casa y con falta de voluntad para subir en la escala social dentro de Japón.[22]

En sus estudios comparativos de niveles de satisfacción entre nikkeis y otros foráneos en Japón, Clucas encontró, usando como base las encuestas, que los nikkeis, en promedio, estaban más satisfechos que otros extranjeros, debido a que compartían antecedentes étnicos: "La similitud étnica tiene más importancia en el sentimiento de satisfacción, quizá porque en la vida cotidiana la familiaridad cultural ayuda a aliviar el agotamiento de vivir y trabajar en un país extranjero".[23] Mi información sugiere lo contrario: la supuesta similitud cultural de los descendientes japoneses amplía las distancias sociales con los nacionales en razón de su manera contradictoria de incorporación, y el vacío entre las expectativas y la realidad. El sentido de afinidad basada en un ancestro común lleva a incrementar lo que se espera de unos y otros,

---

22. Mori 1999, Ishikawa 2000.
23. Clucas 1995: 105.

y las diferencias son magnificadas justamente por la similitud.[24] La ruptura de la afinidad étnica refleja la verdadera naturaleza del mito de los ancestros, el cual es imaginado, construido e interpretado de manera local, con frecuencia con visiones positivas e idealizadas. La distancia social entre los peruano-japoneses y los japoneses se ha incrementado precisamente porque las expectativas iniciales eran muy grandes. Para cumplir esto, los peruano-japoneses tuvieron una mayor necesidad de reinterpretar las diferencias culturales que el promedio de los otros peruanos. En consecuencia, la inmigración basada en la descendencia terminó ensanchando las distancias no solo con los japoneses, sino también con los otros peruanos que estaban en Japón.

Conclusiones

Como los nikkeis fueron incorporados de manera contradictoria usando a su vez una categoría ambigua entre japoneses y extranjeros, surgió la necesidad de debatir su significado y sus límites: ¿quién es nikkei? y ¿quién es más nikkei que los demás? Si bien se ha debatido sobre las bases y diferencias culturales, en realidad las divisiones étnicas se ampliaron y recrearon, buscando una pertenencia más estricta: japonés-japonés (o japonés de Japón), nikkei-nikkei (o nikkei auténtico) y peruano-peruano (peruano puro), de acuerdo con la condición socioeconómica y legal. Las diferencias culturales surgen para legitimar lo socioeconómico. En lugar de que los nikkeis fueran juzgados por sus antecedentes culturales, se los calificó por su situación social y económica.

La etnicidad se ha convertido de manera creciente en una herramienta efectiva en muchos países industrializados para inducir la migración y controlarla selectivamente. Sin embargo, mientras se la use como medio de control, no debería ser confundida como categoría de análisis[25] para explicar la adaptación de los migrantes étnicos en la sociedad anfitriona. Los migrantes no tienen simplemente una etnicidad y una cultura, parecida o diferente; dicha cultura y etnicidad están siendo recreadas constantemente, de tal manera que puedan cubrir el vacío que existe entre las expectativas y la realidad, el cambio que trae

---

24. Tsuda 1996.
25. Brubaker 1996, Brubaker y Cooper 2000.

consigo el acto migratorio y las modificaciones en la relación con quienes encuentran en el nuevo país. Así como la cultura fue usada para justificar la política de inmigración basada en la descendencia, también fue usada para entender los sucesos inesperados. Los argumentos culturales que han dominado los estudios de migrantes, en particular de los nikkeis, han exacerbado en Japón las diferencias culturales en lugar de entender la trayectoria de la migración y sus consecuencias.

Bibliografía

BRUBAKER, Rogers
1996 *Nationalism Reframed: Nationhood and the National Question in New Europe.* Nueva York: Cambridge University Press.

BRUBAKER, Rogers y Frederick COOPER
2000 "Beyond Identity". *Theory and Society* 29: 1, pp. 1-47.

CLUCAS, Meika Sha
1995 "Race, Ethnicity, and Life Satisfaction: A Study of Nikkei Workers in Japan". Tesis doctoral. Los Angeles: University of Southern California.

CORNELUIS, Wayne A. y Takeyuki TSUDA
2002 *Labor Market Incorporation of Immigrants in Japan and the United States: A Comparative Analysis.* IZA Discussion Paper 476.

FUCHIGAMI, Eiji
1995 *Nikkeijin Shômei: Nanbei Imin, Nihon he no Dekasegi no Kôzu* [Proving Nikkei: Dekasegi Migration of South American Japanese Immigrants to Japan]. Tokio: Shinhyôron.

FUJISAKI, Yasuo
1991 *Dekasegui Nikkei Gaikokujin Rôdôsha* [Dekasegi Nikkei Migrant Labourers]. Tokio: Akashi Shoten.

IGARASHI, Yasumasa
2000   "'Gaijin' Kategorîwo Meguru 4-rui gata" [4 Types of "Gaijin" Categories and Interpretations]. En *Shakai-gaku Hyôron* [Sociological Studies] 51: 1, pp. 54-70.

ISHIKAWA-KOGA, Eunice A.
2000   "'Dekasegi' Taizaisha to 'Jkmin' no Aida de" [Between "Dekasegi" Migrants and "Residents"]. En Miyajima, Takashi (ed.), *Gaikokujin Shimin to Seiji Sanka* [New Citizens: Foreign Residents and Political Participation]. Tokio: Yûshindo, pp. 130-49.

JAPAN INTERNATIONAL COOPERATION AGENCY (JICA)
1992   *Nikkeijin Hompô Shûro Jittai Chôsa Hôkokusho* [Report on Nikkeijin Labourers in Japan]. Tokio: Japan International Cooperation Agency.

KAJITA, Takamichi
1994   *Gikokujin Rôdôsha to Nihon* [Foreign Migrant Workers and Japan]. NHK Books 698. Tokio: NHK – Corporación Radiotelevisora de Japón.

KAWAMURA, Lili
2000   *Nihon Shakai to Burajiru-jin Imin* [Japanese Society and Brazilian Migrants]. Tokio: Akashi Shoten.

MAEYAMA, Takashi
1996   *Esunishiti to Burajiru Nikkeijin* [Ethnicity and Brazil Nikkeijin]. Tokio: Ochanomizu ShobM.

MASUDA, Yoshio y Toshio YANAGIDA
1999   *Perk: Taiheiyô to Andesu no Kuni* [Peru: A Pacific and Andean Country]. Tokio: Chûo Kôron Shinsha.

MINISTERIO DE JUSTICIA DE JAPÓN
1992   "Shutsunyûkoku Kanri Kihon Keikaku" [Basic Policy on Immigration Control]. Tokio.

MINISTERIO DE TRABAJO DE JAPÓN
1993   Dôdô Yôgo Jiten. Tokio: Nikkan Rôdô Tsûshinsha.

MORI, Koichi
1999   "Burajiru kara no Nikkeijin Dekasegi no 15-nen Kan-
       ryu-gata Ijû" [Circular Migration of Japanese-Brazi-
       lians over the Past 15 Years]. En *Raten Amerika Repoto*
       [Latin America Report] 16: 2, pp. 2-13.

MORIMOTO, Amelia
1979   *Los inmigrantes japoneses en el Perú*. Lima: Taller de Estu-
       dios Andinos.
1992   *Peru no Nihonjin Imin* [Japanese Immigrants in Peru].
       Tokio: Nihon HyMronsha.

NIKKEIS (SANGYO KOYO ANTEI SENTÂ)
1994   *Orientación para trabajar en el Japón: guía para nikkeis*.
       Tokio.

NINOMIYA, Masato (ed.)
1995   *Nikkei Community no Shôrai* [The Future of Nikkei Co-
       mmunities]. Tokio: Burajiru Nihon Bunka Kyokai.

OMIYA, Tomonobu
1997   *Dekasegi: Gyakuryû suru Nikkei Brajirujin* [Dekasegi: Re-
       verse Nikkei Migrants from Brail]. Tokio: Sôshisha.

PRENSA NIKKEI
1992   *Anuario*. Lima: Prensa Nikkei.

THRÄNHARDT, Dietrich
1999   "Closed Doors, Back Doors, Side Doors Japan's Non-
       Immigration Policy in Comparative Perspective". En
       Journal of Comparative Policy Analysis 1: 2, pp. 203-23.

TSUDA, Takeyuki
1996   "Strangers in the Ethnic Homeland: The Migration,
       Ethnic Identity, and Psychological Adaptation of Ja-
       pan's New Immigrant Minority (Japanese-Brazi-
       lians)". Tesis doctoral. Berkeley: University of Califor-
       nia, Berkeley.

WATANABE, Masako (ed.)
1996   *Dekasegui Nikkei Brazirujin* [Dekasegi Nikkei Brazilians]. Tokio: Akashi Shoten.

PARTE III

PERUANOS EN ARGENTINA Y CHILE

Capítulo 7

Callejón sin salida:
estrategias e instituciones de
los peruanos en Argentina

KARSTEN PÆRREGAARD

Introducción

En 1994, el número de migrantes peruanos en Argentina creció súbitamente y en los siguientes seis años este país se convirtió en uno de los destinos más buscados por quienes decidían salir del Perú. El desborde fue desatado por la creciente demanda por mano de obra barata extranjera que se experimentó en Argentina a fines de los años ochenta y principios de los noventa, así como por la crisis económica y política que se abatió sobre los peruanos luego de la introducción del neoliberalismo desenfrenado por el gobierno de Fujimori. Estos factores empujaron a miles de ciudadanos a salir del país luego de perder su trabajo y experimentar el deterioro de sus condiciones de vida. Dado que muchos de ellos provenían de las zonas marginales de Lima u otras ciudades, no contaban con los medios para emigrar a destinos lejanos como Norteamérica, Europa y Japón; empezaron entonces a buscar alternativas y horizontes de más fácil acceso. Consecuentemente, entre 1994 y 2000, Argentina recibió más de cien mil peruanos; y, a pesar de que esta migración casi cesó en el año 2001, cuando el país receptor sufrió una severa crisis económica, la comunidad peruana de Buenos Aires sigue siendo una de las más grandes concentraciones fuera del Perú.

Este capítulo explora la historia de la migración peruana a Argentina con especial interés en quienes salieron del país en la década pasada. En particular, tratamos aquí las estrategias de vida y las redes de migrantes que usan los peruanos recién llegados, y las instituciones sociales y religiosas que han creado en su esfuerzo por adaptarse a la sociedad argentina. Se sugiere que Argentina emerge como un destino importante en la diáspora peruana a partir de 1994 porque a los peruanos les resulta más fácil, más accesible y de menor costo llegar a este país que a otros destinos más remotos. Este capítulo también propone que, si bien previos movimientos migratorios hacia Argentina fueron dominados por hombres de clase media y alta, que viajaban por razones de persecución política o para realizar estudios universitarios, desde la fecha mencionada, Argentina atrae principalmente a mujeres migrantes. Ellas provienen generalmente de la clase trabajadora urbana y migran con el propósito de trabajar un número de años para enviar dinero a sus familiares en el Perú, o ahorrando para volver a emigrar a otros países. Desde entonces, a mediados de los años noventa, Argentina, y luego en 1997 también Chile,[1] ha ofrecido un destino alternativo para los peruanos que por falta de medios no pueden migrar a países más atractivos (Estados Unidos, España, Italia o Japón) o bien para aquellas personas que no tienen parientes ya establecidos en esos lugares.

Este capítulo se divide en tres partes. En primer lugar, ofrece un resumen de la historia de las migraciones en Argentina y su política con respecto a la población que les llega del exterior. En segundo lugar, se discute brevemente el desarrollo de la migración peruana en Buenos Aires, la ciudad que ha recibido el mayor volumen de tal desplazamiento. En tercer lugar, se examina las estrategias de sostenimiento y las prácticas migratorias de un grupo seleccionado, entrevistado durante el trabajo de campo llevado a cabo en Buenos Aires y La Plata en el año 2000.

Historia de la inmigración argentina y las políticas referidas a ello

Muchos países latinoamericanos adoptaron políticas liberales de inmigración luego del período colonial, y la independencia de España y Portugal. Sin embargo, solo Brasil, Argentina, Uruguay, y en menor grado Chile y Cuba reclutaron activamente inmigrantes, en especial de países europeos. Desde mediados hasta finales del siglo XVIII, los gober-

---

1.   Véase Núñez y Stefoni, en este libro.

nantes de esos países vieron a la inmigración como un mecanismo para obtener colonos rurales y mano de obra barata para las plantaciones, pero alrededor de los inicios del siglo XIX se fueron asentando en las áreas urbanas al mismo tiempo que se empleaban en labores de manufactura.[2] Como resultado, Sudamérica experimentó una masiva inmigración, sobre todo de europeos que fueron el preludio de la explosión demográfica continental del siglo XX.[3] La población argentina creció en 3,1% anual,[4] mientras absorbía el 10% de todos los emigrantes europeos a las Américas entre 1830 y 1950.[5] A comienzos del siglo XX, el país tenía uno de los mayores promedios de crecimiento en el Nuevo Mundo.

La "gran política" adoptada por Argentina para atraer migrantes del Viejo Mundo está claramente reflejada en las leyes de migración que aprobaron los cambiantes gobiernos argentinos. La Constitución de 1853 establecía la política de puertas abiertas al favorecer explícitamente a los migrantes europeos y garantizar todos los derechos civiles de los residentes extranjeros. Esta política fue confirmada por la llamada Ley Avellaneda de 1876, que sirvió como marco legal para un masivo proceso de inmigración que tuvo lugar entre 1890 y 1914, y que quedó en pie hasta los años veinte, cuando la Gran Depresión precipitó a Argentina a establecer restricciones en la admisión basadas en consideraciones de empleo.[6] Sin embargo, hacia el final de la Segunda Guerra Mundial, Argentina levantó esas restricciones y abrió las puertas de nuevo para la migración europea. Como resultado, más de medio millón de italianos llegó en el período posbélico.[7]

Hacia 1950, la inmigración de europeos hacia Argentina había perdido su ímpetu y emergía un nuevo patrón migratorio. En lugar de recibir gente del Viejo Mundo, el país experimentó un creciente influjo de trabajadores extranjeros de los países vecinos, principalmente de

2.   Kritz y Gurak 1979: 409-10.

3.   Sarramone 1999.

4.   Bakewell 1977: 413.

5.   Mera 1998: 30.

6.   Mera 1998: 29-31; Plataforma Sudamericana de Derechos Humanos, Democracia y Desarrollo 2000: 117-9.

7.   Balán 1992: 119.

Paraguay, Chile y Bolivia.[8] Esta inmigración fue en general espontánea y descontrolada[9] y coincide, en términos globales, con el flujo de migrantes de argentinos del interior que se mudan del ámbito rural a Buenos Aires y otras ciudades en el mismo período.[10] Entre 1970 y 1980, el movimiento poblacional de los países vecinos decrece, pero comienza a incrementarse de nuevo a fines de los años ochenta. Sin embargo, hacia 1990, Argentina permanece como el único país que todavía sirve como polo de atracción en Sudamérica. Es así como el crecimiento de oferta de trabajo urbano en las ciudades argentinas, particularmente en Buenos Aires metropolitano, combinado con la baja fertilidad doméstica, produce una creciente demanda por la labor de los migrantes durante los años cincuenta, sesenta y setenta. A despecho de las dificultades en la economía argentina, esta demanda continúa en alza a través de los años ochenta atrayendo gran número de trabajadores de extracción obrera y campesina de los países aledaños.[11] Desde 1990, otro grupo nacional se agrega a la lista de los migrantes sudamericanos: los peruanos.[12]

Desde los años cuarenta, las amnistías se habían convertido en una parte integral de la política de migración en Argentina. El gobierno había dictado actas de regularización en 1949, 1958, 1964, 1974, 1984, 1994 y 2004 con la meta explícita de normalizar la situación de aquellos extranjeros que habían llegado violando las políticas establecidas de admisión.[13] Si bien los beneficiarios de estas regularizaciones inicialmente fueron europeos que llegaron durante y después de la Segunda Guerra Mundial, las amnistías posteriores cubrieron de manera explícita a los inmigrantes de los países limítrofes, en particular, Bolivia.[14] Estas amnistías reflejaban las dificultades que los gobernantes argentinos tuvieron que enfrentar cuando buscaron controlar la creciente marea humana de las naciones vecinas por razones políticas e ideológicas y,

---

8.   Balán 1988: 221-3, Mera 1998: 32, Benencia y Karasik 1995: 7-17.

9.   Carrón 1979.

10.   Marshall 1979: 488.

11.   Massey y otros 1998: 198-204.

12.   Pacecca 2000: 3, Bernasconi 1999: 640-1, Torales 1993.

13.   Casaravilla 1999: 84, Balán 1992: 122, Pereyra 1999: 16.

14.   Casaravilla 1999: 50, Grimson 1999: 30-4.

al mismo tiempo, satisfacer la necesidad nacional por mano de obra
barata que proporcionaban los extranjeros, al menos hasta la crisis
económica del año 2001. En consecuencia, las políticas migratorias
han sido notablemente inconsistentes y las oficinas de los distintos gobiernos a menudo implementaron políticas diametralmente opuestas
durante el mismo período administrativo.[15] Como resultado, a lo largo
de la década pasada, Argentina ha continuado atrayendo migrantes
sudamericanos que entraban ilegalmente o que permanecían más allá
de los términos de sus visas, a los que no les quedaba otra esperanza
que esperar que el gobierno les concediera amnistía. Sin embargo, desde
el 2001, la crisis política y económica ha reducido dramáticamente la
demanda de mano de obra y un creciente número de trabajadores indocumentados ha tenido que regresar a su país de origen o volver a migrar
a otros destinos.

En 1963, el gobierno promulgó la nueva Ley de Inmigración (considerada como complementaria a la Ley Avellaneda de 1876) para regular la creciente presencia de inmigrantes indocumentados, y en 1967,
1981 y 1994 se aprobaron tres leyes más para hacer más severo el control sobre los trabajadores extranjeros de los países vecinos.[16] Subse-
cuentemente, el gobierno estableció un acuerdo bilateral con el Perú en
1998, similar al que antes había firmado con Bolivia, Chile y Paraguay,
para controlar el creciente flujo de peruanos en los años noventa.[17] La
actual política migratoria Argentina está basada en la Ley de Migración
del 2004, que todavía ofrece otra amnistía para indocumentados.[18] El
mismo año, el gobierno argentino también firmó un nuevo acuerdo bilateral con el gobierno del Perú, facilitando la migración entre ambos
países.[19]

15. Balán 1992: 124.

16. Mera 1998: 32.

17. Plataforma Sudamericana de Derechos Humanos, Democracia y Desarrollo
    2000: 138-9.

18. Ver http://www.gema.com.ar/inmigracion/marco.html para detalles sobre
    la ley del 2004 (portal visitado en enero del 2005).

19. Ver http://www.gema.com.ar/ley25889.html para obtener detalles sobre los
    tratados bilaterales (portal visitado en enero del 2005).

La inmigración peruana en Argentina

La migración peruana a Argentina puede rastrearse en el tiempo hasta los años treinta, cuando los apristas buscaron refugio en este país. En los cincuenta, sesenta y setenta, las familias limeñas de clase media o de otras ciudades enviaron a sus hijos a Argentina a estudiar medicina, agronomía, arquitectura o derecho a las universidades de La Plata, Rosarios, Mendoza, Bahía Blanca y Córdoba. Como sus connacionales que fueron a España en este mismo período,[20] muchos de los hombres se casaron con mujeres argentinas y se quedaron allí luego de terminar sus estudios. Ángel, de 68 años, natural de Trujillo, recuerda: "Viajé a Argentina en 1959; vine en tren a estudiar arquitectura. Pero nunca regresé debido a que conocí a mi esposa que es argentina". A pesar de que estos migrantes se adaptaron a la sociedad argentina, continúan celebrando juntos eventos como el aniversario de la independencia del Perú (28 de julio), y organizan reuniones sociales y culturales para recordar a su país de origen. Juan, otro peruano, natural de Cerro de Pasco en la sierra central de los Andes, recuerda: "Mi padre me envió a Argentina para estudiar agronomía en 1954, porque era más barato que estudiar en el Perú. En esa época éramos bien recibidos por los argentinos y los peruanos teníamos buena fama".[21]

La composición y características de la migración peruana cambiaron dramáticamente en los inicios de los años noventa,[22] particularmente después de 1994 cuando el país se hizo atractivo para los trabajadores de la clase urbana. Este flujo, que se incrementó a través de los años noventa hasta la crisis del 2001, ha sido dominado por mujeres de las áreas marginales de Lima y las ciudades norteñas como Chimbote, Trujillo y Piura.[23] En efecto, Pacecca estima que en 1998 el número de

---

20. Véase Escrivá, en este libro.

21. En 1980, el número total de peruanos en Argentina era 8.561 (Pacecca 2000: 3).

22. Torales 1993.

23. El papel dominante de las mujeres en la migración peruana a Argentina en los años noventa nos recuerda a otros flujos migratorios en el mismo período. Así, en años recientes, Europa y Estados Unidos han sido testigos de la creciente feminización de los migrantes del Tercer Mundo (Alicea 1997, Hondagneu-Sotelo y Ávila 1997, Pessar 1999, Campani 2000, Anthias y Lazaridis 2000).

peruanos en Argentina fluctuó entre 50.000 y 65.000, de los cuales tres cuartas partes vivían en Buenos Aires. De todos ellos, el 53 % eran mujeres, el 74% eran solteros, el 51% provenía del departamento de Lima, y casi el 50% estaba entre 21 y 30 años de edad.[24] Dos años después, en el 2000, el número fue estimado en 100.000, de los cuales 80.000 se cree que vivían en Buenos Aires. De ellos, el 75%, de acuerdo con un estimado del Consulado Peruano en Buenos Aires, correspondía a trabajadores indocumentados.[25] La mayoría de esos migrantes trabaja como empleadas domésticas para familias argentinas, que necesitan que alguien se encargue de sus hijos pequeños, parientes envejecidos o discapacitados.[26] La respuesta de la sociedad argentina para esta súbita inmigración ha sido dividida. En algunos sectores ha prevalecido la imagen xenofóbica y, por tanto, negativa de los peruanos (que se suma a la de otros inmigrantes latinoamericanos) a quienes se los percibe como invasores, muy en contraste con la percepción convencional de los europeos.[27] Una forma de expresar esta xenofobia era a través de la clasificación racial de los inmigrantes, usando términos como "bolitas" para los bolivianos, "chilotas" para los chilenos, "paraguas" para los paraguayos y "peruchos" para los peruanos.[28] Después de la crisis en el 2001, muchos peruanos en Argentina perdieron sus trabajos y en la actualidad, de manera creciente, están regresando al Perú o migrando a Chile, o a otros países cercanos.

La comunidad peruana en Buenos Aires

Los peruanos en Argentina están concentrados en Buenos Aires donde muchos trabajan como empleadas domésticas, viviendo con sus emplea-

---

24. Pacecca 2000: 7.

25. Entrevista al Consulado Peruano en Buenos Aires, otoño del 2000.

26. De hecho, el reciente flujo migratorio a Argentina (y a otros lugares como España, Italia y Chile) puede ser vistos, como la continuación de un siglo de migración rural-urbana en el Perú, que ha llevado a miles de mujeres jóvenes de la sierra andina a Lima y a otras ciudades de la costa para trabajar como domésticas para las familias de clase media alta (Pærregaard 1997, Chaney 1985, Channey y García Castro 1989, Smith 1973).

27. Oteiza y otros 1996: 1-2.

28. Ob. cit.: 10-2.

dores de clase media alta o clase alta porteña. Durante los días laborales ocupan un espacio en las casas de los suburbios que pertenecen a sus patrones y pasan los fines de semana en el centro de la ciudad, en algún hotel u otros lugares. El Mercado de Abasto en particular es un sitio popular de encuentro para los migrantes que gustan de la cocina peruana en los muchos restaurantes peruanos que se localizan en el área.

A pesar de que los peruanos han formado instituciones de migrantes en varias ciudades argentinas, las más importantes se encuentran en ciertas vecindades de Buenos Aires.[29] En los años setenta, los peruanos que habían estudiado en las universidades de Argentina formaron asociaciones de migrantes tales como Debate Político y Manco Cápac, que sirvieron como foro para refugiados políticos y estudiantes para discutir los problemas sociales y políticos del Perú. Otro grupo creó el Centro Cultural Peruano en 1979 con el interés de ayudar a los migrantes recién llegados para que se pudieran establecer y conseguir trabajo. El actual presidente de la organización nos relata: "Recuerdo que cuando formamos el Centro éramos solo entre dos mil y tres mil peruanos en Buenos Aires, y las únicas actividades que realizábamos eran partidos de fútbol y debates estudiantiles". Poco después se formó el Perú Club Privado por quienes habían radicado y formado familias en Argentina, mientras que las mujeres peruanas que llegaron con sus esposos crearon la Asociación de Damas Peruanas con el propósito de realizar labores caritativas en favor de los migrantes connacionales que necesitaban ayuda. De la misma forma, quienes se habían graduado de médicos en universidades argentinas en los años sesenta y setenta establecieron una asociación profesional llamada Asociación Peruana Argentina de Médicos, que está en Buenos Aires y representa entre dos mil y tres mil médicos peruanos. Aparte de las reuniones anuales que estas instituciones llevan a cabo para sus miembros, en muchas ocasiones se ha organizado un encuentro global para todos los médicos que viven fuera del Perú.

Si bien estas instituciones se dirigen a quienes se encuentran en mejores condiciones de vida y están bien establecidos, en especial quienes llegaron a Argentina en los años sesenta y setenta, otras instituciones han sido formadas en los años ochenta y noventa, con el fin de ayudar a los migrantes recientes. Algunas de ellas se dedican a organizar

---

29. Bernasconi 1999.

competencias de fútbol o eventos culturales; otras se preocupan de la vida religiosa celebrando procesiones a las imágenes sagradas; e incluso hay organizaciones de peruanos preocupadas en movilizar a los migrantes con intereses políticos. Así, en 1999, el Movimiento de Peruanos en el Exterior fue establecido en colaboración con otras comunidades de migrantes en EEUU y Canadá con la meta de promover en ellos su participación en las elecciones para el Congreso del Perú en el año 2001.[30] El mensaje de esta movilización política se explica debido a que los migrantes contribuyen a la economía del país a través del dinero que envían a sus parientes. Esto crea al gobierno peruano la obligación moral para apoyar la lucha contra la discriminación y marginalización que sufren los inmigrantes en sus nuevos países de residencia.[31] El candidato promovido por esta movilización era dueño de la mayor empresa peruana de envío de dinero en Argentina (Argenper).

El Señor de los Milagros en Buenos Aires

La más popular de las instituciones en la comunidad peruana de Buenos Aires es la hermandad en honor al Señor de los Milagros. Fue establecida en 1988 a iniciativa de un grupo de peruanos que llevó a Argentina una imagen fabricada en la iglesia de Las Nazarenas de Lima y está alojada en la iglesia de Nuestra Señora de la Candelaria en Buenos Aires. Otras hermandades similares se formaron más tarde en otros lugares de Argentina. La más importante de las actividades de estas organizaciones es la procesión anual de la imagen del Señor de los Milagros (siempre se prefiere sacar a la imagen traída desde Lima) por las calles de Buenos Aires y otras ciudades. Estas procesiones reúnen usualmente a una multitud de peruanos que considera a esta imagen como el símbolo más importante de identidad nacional. Sin embargo, la lucha por obtener el permiso de las autoridades locales de Buenos Aires u otros lugares es siempre larga y complicada. En 1990, cuando la hermandad pidió a las autoridades de una escuela bonaerense (llamada La República del Perú) el permiso para usar su patio para hacer su homenaje a la imagen,

---

30.	*El Heraldo del Perú*, N.° 3, Buenos Aires, octubre del 2000; y *Gaceta del Perú*, N.° 217, Buenos Aires, octubre del 2000.

31.	Pedro Toledo, uno de los fundadores del movimiento, es hermano del actual presidente del Perú, Alejandro Toledo.

no recibió tal autorización. Marino, que fue presidente de la hermandad, explica:

> Pensamos que las autoridades de la escuela recibirían nuestro pedido con agrado porque el Señor es peruano y el nombre de la escuela es República del Perú. Pero, cuando les mostramos la imagen del Cristo Moreno y les contamos acerca del esclavo africano que la pintó, se sorprendieron mucho. Ellos esperaban la imagen del Inca.

De acuerdo con Marino, el concepto del Perú que tenían en la escuela era demasiado simplista:

> Las autoridades de la escuela estaban preocupadas acerca de la reacción de los alumnos y sus padres cuando vieran a la imagen de Jesús como un africano. No hay que olvidar que los argentinos no están acostumbrados a los negros.

Al año siguiente, a la hermandad le fue permitido celebrar la procesión en una pequeña plaza en el centro de Buenos Aires. Como todavía no tenían dinero suficiente para adquirir una anda para llevar la imagen, usaron una caja de cartón para llevar juguetes. Como el sacerdote estaba con prisa ese día, ordenó a los creyentes regresar a la iglesia en una hora. Marino remarcó:

> ¡Imagínese, el cura nos trató como si fuéramos niños! En esa fecha todavía no sabíamos organizar la procesión. Incluso tuvimos que pedir a las mujeres que nos ayudasen a cargar la imagen. Pero la gente estaba feliz porque llevamos al Señor por las calles.

Los años siguientes, la hermandad consiguió el permiso de la policía para llevar la imagen en las calles alrededor de la iglesia; y, en 1998, luego de que el Señor había sido mudado a la iglesia de la Virgen de la Piedad, a un par de cuadras de la calle principal de la capital, la procesión caminó varias cuadras a través del centro de Buenos Aires. Dice Marino:

> Fue un gran éxito hasta que surgió un nuevo problema: la gente empezó a vender comida y cerveza dejando basura en las calles y creando disturbios. Muchos vecinos se quejaron y el sacerdote nos dijo que no podíamos seguir así. Entonces tuvimos que reorganizar todo el año siguiente.

Esa vez la procesión fue llevada a cabo en la Plaza del Congreso y, en el año 2000, el obispo de Buenos Aires aceptó celebrar la misa en honor al Señor de los Milagros en la Catedral, en la Plaza de Mayo, luego de una procesión de seis horas de caminata desde la iglesia de Nuestra Señora de la Piedad. La procesión fue precedida por una camioneta con un enorme altavoz a través del cual un sacerdote de la iglesia de La Madre de los Migrantes predicaba no solo el mensaje espiritual del Señor de los Milagros y de la Biblia, sino también reclamaba por los derechos civiles y políticos de los migrantes ilegales en Argentina. El Padre gritaba: "¡Viva el Señor de los Milagros! ¡Viva el Señor de los inmigrantes! ¡Viva el Perú!" y agregaba: "¡Esperamos que el Señor ayude a regularizar a todos los inmigrantes de tal forma que puedan conseguir su DNI! [documento nacional de identidad]". Marino comenta: "Hemos recorrido un largo camino; gracias al Señor hemos mejorado nuestra imagen en Argentina".[32] Es claro que los organizadores de la procesión y el sacerdote que los apoya están interpretando al Señor de los Milagros no solo como emblema de la identidad peruana, sino también como símbolo de la marginalidad que sufren los inmigrantes indocumentados en Argentina.

A pesar de que las hermandades representan un símbolo nacional importante para muchos peruanos, dichas instituciones son también objetadas por inmigrantes de diferentes creencias religiosas, clases sociales o experiencias migratorias, y los diferentes o divergentes significados que atribuyen al Señor de los Milagros. Raúl, uno de los fundadores de la primera hermandad en Argentina, narra que, cuando esta institución fue formada en 1988, él y un grupo de migrantes sugirieron que se celebrasen procesiones en uno de los días festivos

---

32.	Mientras hacía trabajo de campo en Buenos Aires en el año 2000, participé en la procesión junto con más de 10.000 peruanos en el último domingo de octubre. De acuerdo con algunos participantes, fue la más grande desde que se formó la hermandad en el año 1988. Luego de la misa, la procesión continuó a la iglesia de San Ignacio donde el párroco recibió la imagen. Un evento de tal magnitud y duración (comenzó al mediodía en la iglesia de la Señora de la Piedad y terminó a las diez de la noche en la iglesia de San Ignacio) solo fue posible porque la hermandad tiene 250 miembros activos, organizados en cuatro cuadrillas de cargadores masculinos (formadas en 1992, 1998 y 1999), y un grupo de sahumadoras y cantadoras.

nacionales de Argentina con la intención de reclutar nuevos seguidores
entre los argentinos u otros que no fueran peruanos:

> Queríamos crear una institución abierta para todos los católicos. Pensa-
> mos que sería mejor para los peruanos no aparecer como algo diferente
> de los argentinos. Después de todo, todos somos católicos. Esta fue tam-
> bién la razón por la que sugerimos que llamásemos a la hermandad por
> su nombre real: Hermandad del Señor de los Milagros.

Sin embargo, la propuesta del cambio de fecha de la procesión fue re-
chazada por una de las cofundadoras de la hermandad, quien acusó a
Raúl y a sus amigos de "argentinizar" al Señor de los Milagros y traicio-
nar la fe en la imagen. La misma mujer también insistió en llamar a la
hermandad Agrupación Cristo Moreno para enfatizar su identidad
nacional y étnica que convergen en la imagen. Finalmente, ambos, dicha
mujer y Raúl, se retiraron de la hermandad y, en 1991, el liderazgo fue
tomado por Marino, quien la trasformó en una institución de migrantes
que realiza actividades sociales y religiosas. Recientemente, tuvo incluso su propio club de fútbol que ganó numerosos trofeos en la liga depor-
tiva organizada por Sport Club Peruano en Buenos Aires. El club se hizo tan popular entre los seguidores de la hermandad (y temido por los
rivales) que Marino decidió disolverlo:

> Tuve que pensar en la reputación de la hermandad. Después de todo, so-
> mos devotos del Señor y no jugadores de fútbol. No es que a mí me mo-
> leste. Pero la gente empezó a quejarse que había borracheras y cosas
> por el estilo por la culpa del equipo.

La organización de los migrantes alrededor de los símbolos religiosos
y las imágenes también sacaron a la luz conflictos ocultos y tensiones
entre las comunidades peruanas en Argentina. Como ya se ha dicho,
las primeras comunidades peruanas en este país se formaron en los
años cincuenta por jóvenes que llegaron a las ciudades de Buenos Aires, La Plata y Rosario para estudiar, pero después decidieron quedarse.
Como la mayoría de ellos se casaron con mujeres de la localidad y consiguieron buenos trabajos como abogados, médicos o veterinarios, se
integraron rápidamente a la sociedad argentina. Muchos de ellos con-
templaron con descontento las nuevas oleadas de peruanos de los años
ochenta y noventa, en tanto provenían de la clase trabajadora que llega-

ba de las zonas marginales de Lima u otras ciudades. Su presencia en el país —sostenían los migrantes antiguos— había cambiado la "imagen tradicional" del peruano que tenían antes los argentinos. Mientras que los pioneros fueron considerados como de condición acomodada y de buena educación, muchos argentinos ahora los despreciaban como pobres e ignorantes. La migración y experiencias de la vida de los recién llegados también difieren radicalmente de sus predecesores. Arribaron en época de crisis para Perú y Argentina, y muchos de ellos viven en los márgenes de la sociedad, formando parte del proletariado emergente de trabajadores indocumentados. Este tipo de experiencias de los migrantes nuevos a menudo causa contiendas o refriegas dentro de las comunidades asentadas en ciudades como Buenos Aires y La Plata, y esencialmente se trata de conflictos de clase. Más aun, en Buenos Aires escuché con frecuencia que los recién llegados se refieren a los que vinieron en los años cincuenta y sesenta como los "profesionales", a quienes también describen como los "sobrados". En contraste, muchos de los antiguos residentes deploran la inmigración reciente por haber cambiado la imagen de los peruanos en Argentina.

En 1997, un grupo de profesionales de la ciudad de La Plata decidió formar una hermandad en honor al Señor de los Milagros.[33] A pesar de que los peruanos en esta ciudad habían creado su primera asociación de migrantes en fecha tan temprana como en los años sesenta, no tenían experiencia previa en formar instituciones religiosas. Por lo tanto, los fundadores se acercaron a las hermandades de Buenos Aires para intercambiar experiencias y explorar las posibilidades de futura cooperación. Sin embargo, el contacto entre los dos grupos se cortó luego de la primera reunión en razón de la mutua desconfianza. Elsa, uno de los miembros de la hermandad de Buenos Aires, me explicó la situación:

> Solo porque son profesionales y han estado más tiempo que nosotros vienen aquí y quieren enseñarnos cómo se hacen las cosas. La única razón por la que quieren formar una hermandad en La Plata ahora es porque están celosos. Si no fuera así, ¿por qué no lo hicieron antes?

---

33. Ha sido reportado que una tercera hermandad del Señor de los Milagros se encuentra en formación en Mendoza. Un miembro de la hermandad de Buenos Aires me dijo que un estudiante peruano, que participó en la procesión en 1999, regresó a su comunidad de origen en Córdoba con la intención de crear una hermandad en esta ciudad.

Hoy día, otro grupo de migrantes recién llegados a La Plata ha formado una segunda hermandad en honor a la Virgen de La Puerta, patrona de Otuzco, muy cerca de Trujillo, en el Norte del Perú. Una imagen de la Virgen ha sido guardada en la catedral de la ciudad de La Plata desde 1999. Para Elsa, este desarrollo muestra que el intento de los profesionales de crear su propia hermandad ha fracasado. Ella nos dice: "Son profesionales pero no saben cómo organizar procesiones". Y agrega: "¡Miren a la Virgen de la Puerta! Solo tiene un par de años y ya es más importante que el Señor de los Milagros y atrae más gente que el Señor. Incluso tienen su imagen en la catedral".

La formación de las hermandades religiosas en Argentina indica un cambio importante en la migración peruana. A diferencia de las organizaciones formadas por los migrantes que llegaron en los años sesenta y setenta, que servían como clubes sociales y exclusivos, y foros intelectuales para estudiantes y refugiados políticos, las hermandades creadas en los años noventa cubrieron un rango más amplio de peruanos, que llegaban desde la clase urbana trabajadora. Sin embargo, en razón de su naturaleza pública e inclusiva, estas instituciones también se convierten en el espacio de conflictos entre los migrantes, similar en sus tensiones a las que dividen a la sociedad peruana en términos económicos y regionales. Esto se demuestra claramente en la desconfianza entre los organizadores de las hermandades de Buenos Aires y La Plata, que llevaron a romper la cooperación entre las dos instituciones. De la misma forma, esto es evidente en el desacuerdo entre los fundadores de las hermandades de Buenos Aires sobre el nombre de la institución, las actividades que intenta generar y la integración de hermandades en la sociedad argentina. En otras palabras, la emergencia de las instituciones religiosas y políticas en los años noventa, no solo refleja el hecho de que la comunidad peruana en Buenos Aires (y en otros lugares) es actualmente la segunda más grande (solo sobrepasada por los bolivianos), sino que también incluye migrantes de la clase media y la clase trabajadora y, por tanto, reproduce crecientemente los mismos conflictos sociales que dividen a los peruanos en su país.

Pero ¿qué clase de estrategias de sostenimiento ha desatado este cambio en la migración peruana en la segunda mitad de los años noventa y qué clase de redes de relaciones da forma a esas migraciones? Además, ¿cómo estas estrategias y redes de relaciones indujeron a los migrantes a formar nuevas instituciones de migrantes, y causar conflictos y divisiones en la comunidad peruana en Argentina?

Estrategias de mantenimiento y prácticas migratorias

Como se mencionó líneas arriba, Argentina (junto con Chile) representa para muchos peruanos un destino que es más accesible que muchos otros que son buscados por la diáspora peruana.[34] No solo es posible alcanzar a este país por vía terrestre; los peruanos, además, pueden entrar y permanecer en Argentina con la visa de turista hasta 90 días. Más aun, y quizá lo más importante, el viaje toma 3 ó 4 días y puede costar 200 ó 400 dólares, lo que resulta barato en comparación con los trámites de migración que hay que hacer para viajar a lugares como Estados Unidos, España e Italia (entre 5.000 y 8.000 dólares). Por lo tanto, migrar a Argentina requiere poco capital y es una opción disponible para muchos peruanos que carecen de recursos o no tienen familiares en otros destinos que los inviten y les presten dinero para viajar. Como resultado, desde 1994, Argentina se ha convertido en un importante receptor de peruanos de la clase trabajadora, y de empobrecidos barrios y tugurios, que migran con la meta de mantener a sus familiares en su hogar o ahorrar dinero para migrar a otros lugares y, en consecuencia, consideran a Argentina como una estadía temporal.

Las siguientes cinco historias de migrantes nos ofrecen evidencias etnográficas de las situaciones que los peruanos deben enfrentar cuando migran a Argentina. Más específicamente, las historias nos ilustran cómo los peruanos usan esta migración como vía de ahorro o de posteriores oportunidades de migrar a otros lugares, o para remitir dinero a sus parientes en el Perú por un cierto período de tiempo. Sin embargo, las historias también nos indican que muchos de estos migrantes terminan quedándose más tiempo del que pensaban, porque fracasan en lograr las metas que los indujeron a emigrar en un primer momento. Para muchos, además, la idea de regresar al Perú y volver a emigrar a otros lugares se presenta muy agobiante. La primera de nuestras historias de migrantes ilumina las muchas preocupaciones e intereses en juego cuando un potencial emigrante peruano finalmente decide ir a Argen-

---

34. Pærregaard 2002, 2003.

tina. Las dos siguientes historias de migrantes documentan lo implícito en el viaje a Argentina y, en particular, la precaria situación de aquellos que trabajan como sirvientes domésticos alojados en la casa de sus patrones, y la vida de los inmigrantes indocumentados; mientras que las últimas dos historias nos dan luces sobre el papel que desempeña Argentina como punto final en la diáspora peruana.

Rosita y sus hermanas

Rosita nació en Huancayo en 1974, localidad situada en la sierra central del Perú, donde pasó su infancia y su juventud con sus padres y cuatro hermanos: tres mujeres y un varón. Su padre trabaja como chofer y mecánico de automóviles y su madre tiene un puesto en uno de los mercados de Huancayo donde vende verduras y hierbas. Hasta 1992, Raúl, el hermano de Rosita, recibía ayuda económica de su familia para estudiar ingeniería en la Universidad Nacional del Centro, mientras que sus cuatro hermanas ayudaban a su madre en el mercado con la esperanza de abrir alguna vez su propio negocio. De hecho, Rosita ya había ahorrado suficiente dinero para invertir en su propia mercadería y establecerse ella misma como vendedora al menudeo. Sin embargo, los dramáticos efectos del *fujishock* en 1990 y los siguientes años de recesión económica en el Perú forzaron a la familia a mirar por nuevas alternativas para ganarse la vida y considerar la posibilidad de salir de Huancayo.

En 1992, Rosita intentó emigrar a EEUU junto con Raúl; pero, como la familia no tenía parientes cercanos fuera del Perú en esa época, los dos hermanos no podían asirse a ninguna red de relaciones familiares o amicales de confianza para que les diesen la asistencia necesaria para migrar. En otras palabras, no había ningún mecanismo que pudiera apoyarlos desde EEUU. En consecuencia, decidieron viajar a ese país por tierra, cruzar la frontera como "mojados" y tratar de encontrar trabajo y lugar para vivir por su propia cuenta. Raúl nos dice:

> Siempre habíamos escuchado de Estados Unidos y pensamos que era más fácil llegar allí que a Europa. Cuando uno no sabe cómo migrar o adónde ir, uno siempre viaja por tierra. Por supuesto no teníamos la menor idea de la forma en que íbamos a sobrevivir en Estados Unidos, pero hubiese sido lo mismo si elegíamos cualquier otro lugar.

Para financiar el viaje, Rosita vendió todas las mercaderías que había guardado en su recientemente adquirido puesto del mercado de Huancayo y usó sus ahorros para pagar 5.000 dólares al agente local de emigración en el Perú, quien a su vez prometió hacer todos los arreglos necesarios para el viaje. Sin embargo, para desconsuelo de la familia, los hermanos nunca llegaron a EEUU. Fueron detenidos por la policía en Panamá y regresaron al Perú luego de perder todo el dinero que Rosita había invertido en el viaje.

A pesar de este fracaso, Rosita estaba determinada a buscar trabajo fuera del país; pero, antes de probar suerte en EEUU, decidió considerar las posibilidades de ir a Europa. Dos de sus primas que estaban trabajando como domésticas en Milán le habían escrito a Rosita alentándola a ir a Italia. Pero, a mediados de 1992, la Unión Europea impuso nuevos requisitos de visa para varios de los países latinoamericanos e hizo más severo el control de sus fronteras, lo que aumentó el costo del viaje al sur de Europa para los peruanos. Como resultado, cuando Rosita decidió emigrar por segunda vez a fines de 1992, no pudo pagar el viaje a Italia y no le quedó más remedio que buscar un destino más cercano. En consecuencia, decidió probar suerte en Argentina. Su plan era pasar unos pocos años en ese país y ahorrar suficiente dinero para ir a Italia después, lo que viene a ser una migración estratégica seguida por miles de otros peruanos que dejaron el país a principios de los años noventa en respuesta a las políticas neoliberales introducidas por el gobierno de Fujimori.

El viaje a Argentina a través de Chile en ómnibus le tomó solamente tres días y le costó unos pocos cientos de dólares. Salvo por los maltratos de la policía argentina de la frontera, a la que Rosita tuvo que sobornar para entrar al país con visa de turista, llegó a Buenos Aires sana y salva. Con la ayuda de otros dos primos que habían llegado poco antes que ella, consiguió rápidamente un trabajo como doméstica en una familia argentina en Buenos Aires. Luego de tres meses, había sobrepasado el tiempo permitido para su visa de turista y se convirtió en una inmigrante indocumentada. A pesar de que el empleo le permitía solicitar a las autoridades argentinas un permiso temporal de trabajo y, por tanto, obtener la condición de inmigrante legal, Rosita se abstuvo de hacerlo. Ella lo explica así: "¿Por qué ir a través de todas esas molestias, lidiar con la burocracia y pagar varios cientos de dólares para solicitar un permiso de residencia cuando yo solo quiero pasar uno o dos años

en este país?". En 1993, regresó al Perú para instar a sus hermanas menores, Casilda y Amanda, que todavía estaban viviendo en Huancayo,
para que se reunieran con ella en Buenos Aires. Al año siguiente, viajó
a Argentina por segunda vez, pero acompañada por Casilda, que encontró empleo como doméstica poco después de su llegada. En 1994,
Amanda siguió a sus dos hermanas que la ayudaron a encontrar trabajo, también como doméstica en otra familia argentina.

Las tres hermanas pasaron los tres años siguientes en Argentina
trabajando como domésticas, enviando parte de sus ganancias a sus
padres en Huancayo y ahorrando lo posible para proseguir los planes
que tenían de migrar a Italia. En 1997, Rosita finalmente decidió viajar
a Europa. Regresó al Perú donde pagó a un agente de viajes de la localidad para arreglar su viaje a Italia. Llegó en primer lugar a Alemania,
en donde entró con visa de turista y continuó en automóvil a Milán.
Con la ayuda de sus primas, las que vivían en esa ciudad, encontró un
trabajo como doméstica en una familia italiana, ganando casi el doble
del salario que ganaba en Argentina. En 1998, se benefició con la amnistía otorgada por el gobierno italiano a todos los inmigrantes indocumentados del país[35] y, un año después, recibió el permiso de residencia permanente. El mismo año, había ahorrado el dinero suficiente
para invitar a Raúl y, en 1999, él viajó a Europa, entrando a Italia como
emigrante indocumentado. Raúl pasó varios meses buscando trabajo,
siendo mantenido por Rosita. Finalmente, consiguió trabajo en una
mecánica pero luego de dos meses se retiró porque el dueño se rehusó
a pagarle su salario. Cuando conocí a Raúl en Milán, en 1999, me
explicó:

> Estaba viviendo con el dinero de Rosita, pero finalmente conseguí traba-
> jo. Estuve muy contento de trabajar como mecánico, pero mi empleador
> no era un hombre bueno. Le estuve reclamando mi salario y siempre te-
> nía una excusa para evitar pagarme. Finalmente, me di cuenta que me
> estaba estafando. Eso sucede cuando se es ilegal. No puedes hacer nada.
> Le dije lo que pensaba de él y salí.

Más de 6 meses después, Raúl encontró trabajo como chofer de un grupo de peruanos que había organizado un negocio de transporte en
Milán.

---

35. Véase Tamagno 2003 y en este libro.

El proyecto de Rosita de reunir a todos su hermanos en Italia nunca se realizó. En 1999, Amanda había ahorrado suficiente dinero para unirse con su hermana en Milán y regresó al Perú desde Argentina para hacer sus preparativos del viaje. Sin embargo, en Huancayo se enamoró de otro peruano emigrante que vivía en Argentina y quien, al igual que Amanda, estaba visitando a su familia en el Perú. La pareja decidió casarse poco después y, debido a que el esposo quiso regresar a Argentina, Amanda decidió viajar con él. Ese mismo año, Casilda conoció a un argentino en Buenos Aires con el que se casó poco después. En consecuencia, ambas hermanas han decidido quedarse en Argentina. En Buenos Aires, Casilda me dijo, "Rosita no se alegró al saber que Amanda y yo cambiamos nuestros planes, y que nos quedamos en Argentina. Pero ¿qué podemos hacer? Ahora estoy embarazada y quiero criar a mi familia aquí". Los cuatro hermanos envían dinero a sus padres que viven con Juana, la mayor de sus hermanas, y su hijo en el Perú. Cuando conocí a Juana en el año 2000, en Huancayo, me dijo: "Es posible que pueda ir a Italia junto con mi madre, pero todavía tengo que ahorrar más dinero".

La historia de Rosita muestra que la migración hacia otros países de América del Sur, a mediados y fines de los años noventa, evolucionó en parte porque los migrantes peruanos encontraron cada vez más difícil entrar en los Estados Unidos, el sur de Europa o Japón. Otra razón fue que Argentina (y posteriormente también Chile) ofrecía una alternativa barata y conveniente con un destino migratorio ya establecido. También es evidente, en el caso de Rosita, que Argentina es considerada como una oportunidad temporal que se utiliza para ahorrar dinero suficiente para poder viajar más adelante al sur de Europa. Sin embargo, dado que los migrantes como Rosita constantemente tienen que ajustarse a las fuerzas económicas y políticas que controlan sus movimientos y sus acciones, a menudo terminan cambiando las estrategias que habían diseñado antes de salir del Perú para tomar ventaja de las oportunidades que emergen durante el curso de su migración.

Marta

Marta es una mujer de 48 años nacida en Lima. Antes de emigrar, vivía en La Perla, un barrio de clase media baja de la provincia del Callao, junto con su hija de 20 años que la ayudaba a llevar su negocio de coser

y vender ropa de mujer. De acuerdo con Marta, ella crió a su hija sin el
apoyo de su esposo que la abandonó muchos años atrás. "No me servía
para nada", nos dice ella. En el año 2000, decidió migrar a Argentina,
donde sus dos cuñadas estaban trabajaban cuidando a dos ancianos
argentinos. Marta vendió las ropas de su tienda en La Perla y empleó
ese dinero para financiar el viaje que la llevó primero a Bolivia y Brasil,
para finalmente llegar a Argentina, donde entró con una visa de turista
sobornando a la policía de frontera. Mientras buscaba un trabajo como
sirvienta "con cama adentro" en Buenos Aires, Marta fue alojada en el
departamento del patrón de una de sus cuñadas. Cuando conocí a
Marta a fines del 2000, estaba todavía buscando trabajo. Para hacer
mayores sus males, se había convertido en inmigrante indocumentada,
al pasar el plazo concedido a su visa de turista, lo que hacía más difíciles
las posibilidades de negociar las condiciones de un nuevo trabajo y del
salario respectivo, y al mismo tiempo la exponía a los abusos de la policía Argentina en Buenos Aires. Marta nos dice: "Cuando la policía
descubre que somos ilegales, eso nos obliga a sobornarlos". Otra de las
muchas preocupaciones de Marta es dónde vivir: "Realmente no sé
qué hacer. Mi cuñada dice que teme que la anciana que ella cuida des-
cubra que yo me quedo aquí. Puede perder su trabajo". Marta está pen-
sando regresar al Perú o tratar de viajar a EEUU donde viven algunos
de sus parientes lejanos. Todavía no se ha decidido. Nos afirma: "Creo
que tengo mejores posibilidades de encontrar trabajo en Estados Unidos.
Pero ¿cómo llego allí? Después de todo es más fácil vivir en Argentina
como ilegal que en Estados Unidos".

La historia de Marta demuestra que, dado que muchos inmigrantes
no encuentran trabajo, permanecen, sin embargo, como indocumentados por períodos largos de tiempo. Más aun, incluso cuando consiguen
trabajo, son reluctantes a gastar su dinero, tan difícilmente ganado, para legalizar su situación, que les constaría más de 400 dólares. En todo
caso, prefieren permanecer como ilegales esperando la oportunidad de
volver a emigrar a otro lugar. Desde la perspectiva de los inmigrantes,
la ilegalidad en Argentina es percibida como una condición inevitable
pero temporal que les permite proseguir sus estrategias de migración a
largo plazo que apuntan hacia otros horizontes.

Maritza

Maritza tiene 40 años, y ha nacido y crecido junto con sus seis hermanos en la barriada de Canto Grande, Lima. Sus padres eran de procedencia rural y se mudaron desde sus tierras de origen (aldeas campesinas en Arequipa y Ayacucho) antes de casarse. Dado que su familia no podía pagar sus estudios, Maritza fue forzada a encontrar trabajo cuando acabó la escuela secundaria y se casó muy joven. Después de que se casaron, ella y su esposo, un policía local, se mudaron a su propia casa en San Juan de Lurigancho, no lejos de donde ella se había criado. Más tarde, Maritza consiguió trabajo en la prisión estatal de la localidad (Lurigancho) y por un tiempo la pareja vivió con relativa comodidad. Sin embargo, la crisis económica de los años noventa forzó a la pareja a cambiar sus planes futuros y en 1993 decidieron que Maritza debería emigrar a Argentina donde una prima lejana había estado viviendo varios años con su esposo.

Maritza entró en Argentina con vista de turista cuyo límite de tiempo autorizado se venció, por lo que permaneció como inmigrante indocumentada. Una de sus hermanas había salido ya del Perú con la ayuda de su prima y había estado viviendo en Argentina durante un par de años. A través de dicha prima y su esposo (que era cocinero y jardinero de una familia rica de Bolivia), Maritza pronto consiguió trabajo como niñera de los hijos de los bolivianos. Luego de lograr el permiso de trabajo con la ayuda de su patrón y convertirse en inmigrante legal, regresó al Perú con todos sus ahorros (1.800 dólares) para ver a su esposo que había prometido ir a Argentina una vez que ella hubiese encontrado trabajo y lugar para vivir. Sin embargo, fue sorprendida porque su esposo había conseguido otra mujer y, en lugar de seguirla a ella a Argentina, quería divorciarse. Ya en el Perú, la hermana de uno de sus cuñados que trabajaba como doméstica en Milán (pero estaba de visita) trató de alentar a Maritza a irse con ella a Italia. Maritza lo recuerda: "Por un momento pensé que podría usar mis ahorros para ir a Italia y trabajar allí. Pero después pensé, no, mejor gasto mi dinero en mi familia y pasarla bien en el Perú. Entonces, no fui".

En efecto, Maritza fue a Argentina por segunda vez a trabajar en la misma familia como había trabajado antes de regresar al Perú. Más tarde, conoció a un argentino con el que quiso casarse. Sin embargo, él la dejó por otra peruana que necesitaba casarse con un ciudadano argentino para obtener el permiso legal de residencia. En su trabajo actual, Maritza gana 700 dólares mensuales como niñera "con cama adentro", y pasa los fines de semana en un departamento que comparte con su hermana y dos primas. Ella dice: "Es un buen sueldo. Mi hermana solamente gana 450 dólares mensuales porque no trabaja como doméstica 'cama adentro'". Pero no está contenta con su forma de vida:

> No me gustan los argentinos. Son muy fríos. Estoy aquí por mi trabajo y porque puedo enviar dinero a mi familia cada mes. Por supuesto, pude haber ido a Italia, pero no me arrepiento de que no lo hiciera. Es más fácil ir al Perú desde aquí. Voy cada año a visitar a mi familia y gasto mis ahorros. Extraño el Perú, pero no tengo ninguna otra razón para regresar allí.

La experiencia de Maritza revela la problemática de los peruanos que migran desde la perspectiva argentina. Por una parte, este país ofrece una fácil y rápida salida de los problemas económicos que los afligen en su afán de alcanzar movilidad social en el Perú, y los provee de la posibilidad de financiar la educación de sus hijos y mejorar su forma de vida. Sin embargo, por otra parte, si bien la mayoría de los peruanos que encuentran trabajo estable en Argentina son mejor pagados que en el Perú, no se sienten contentos con sus nuevas vidas en ese país.

Graciela

Graciela, de 22 años, nació en Morobe, pequeño poblado cerca de Chiclayo, en la costa norteña del Perú. Luego de finalizar la escuela primaria en Morobe, se mudó a Chiclayo donde consiguió trabajo como doméstica, ocupación que mantuvo hasta que se casó a los 20 años. En 1997, ella y su esposo decidieron emigrar debido a la crisis económica del Perú. Graciela primero intentó emigrar al Japón donde uno de sus primos ha estado viviendo desde 1994; pero el agente que contrató para proveerle un koseki (registro familiar que sirve como documento de identidad) falsificado, que le serviría para solicitar la visa de trabajo como descendiente de japonés, se demoró mucho y ella decidió irse a Argentina. Allí trabajaba otra prima como doméstica de una familia argentina. El primo le había dicho a Graciela que su empleador necesitaba otra sirvienta y que estaba dispuesto a prestarle dinero para financiar el viaje de Perú a Buenos Aires. En consecuencia, Graciela viajó a Argentina con visa de turista. No bien llegó empezó a trabajar como empleada doméstica para el empleador de su prima y, luego de tres meses, caducó su visa de turista y se convirtió en una inmigrante indocumentada. Para hacer que Graciela pagara la deuda contraída, su patrón retuvo su salario mensual durante el año siguiente y, además, guardó el pasaporte para que ella no pudiese abandonar su trabajo. Para su sorpresa, el empleador continuó reteniendo su salario incluso cuando finalmente ya había pagado la deuda del pasaje. Graciela nos dice: "El sujeto tomó ventaja de mi situación como ilegal". Entonces, decidió renunciar a su trabajo. Ella recuerda con amargura: "Nunca recibí dinero por mi trabajo y no me devolvió mi pasaporte".

Actualmente, Graciela trabaja como niñera "con cama afuera", y como ayudante de limpieza y recibe su sueldo por horas de trabajo: En 1998, su marido viajó a Argentina con visa de turista, que también caducó, y se convirtió en inmigrante indocumentado. Poco después, fue contratado como agente de transporte para trabajos ocasionales. Al año después de sus llegada, Graciela tuvo su primer bebé, lo cual les daba a ambos el derecho legal de residencia de acuerdo con la Ley de Inmigración de 1994. Trágicamente, el bebé sufrió un accidente y murió en la guardería mientras Graciela y su esposo estaban trabajando. Ella dice: "Imagínese, primero pierdo mi bebé y por eso no consigo residencia ni mi permiso de trabajo. Es decir, soy todavía ilegal. Quiero ir a Italia cuando haya ahorrado para mi viaje".

La historia de Graciela evidencia no solo la precaria situación laboral de los peruanos y el abuso que sufren, sino también las dificultades que deben enfrentar como inmigrantes indocumentados. En contraste con Marta, Graciela tuvo la suerte de recibir ayuda para financiar su viaje y encontrar trabajo inmediatamente después de su llegada. Sin embargo, su empleador explotó su situación de ilegal y le negó el pago de su salario. Con el mismo argumento le retuvo el pasaporte esperando que esto la obligara a seguir trabajando gratis. Finalmente, Graciela decidió renunciar y buscar otras oportunidades de trabajo. Sin embargo, sus infortunios parecen no tener fin. La trágica muerte de su hijo ocurrió cuando ella y su esposo esperaban que se les otorgase trabajo y permiso de residencia en Argentina. Pero, dadas las circunstancias del deterioro económico de este país en la época de mi trabajo de campo, ninguno de los dos tiene demasiadas esperanzas de conseguir trabajo estable y legalizar su presencia. De la misma forma, sus posibilidades de emigrar a Italia o cualquier otro país (con excepción de Chile) son pocas.

Lizet

Lizet, de 28 años, vino de la ciudad de Trujillo, en la costa norteña del Perú, donde estudió para ser profesora luego de graduarse en el colegio secundario. Decidió emigrar antes de terminar sus estudios por la situación económica del Perú. De hecho, ella había recibido varias ofertas de parientes que vivían en diferentes países. Su destino favorito fue Japón, donde uno de sus primos estaba viviendo y donde le habían dicho que los salarios eran más altos que en otros lugares. Además, Lizet estaba convencida de que "en Japón uno vive más tranquilo y mejor organizado que en otras partes del mundo". Sin embargo, cuando se enteró de que otro de sus primos había sido detenido en el aeropuerto de Tokio y deportado por tratar de entrar a Japón con un pasaporte falsificado, Lizet cambió de opinión y entró en contacto con otro pariente que estaba viviendo en Italia. sin embargo, una vez más, Lizet fue forzada a cambiar de planes, esta vez debido a que los costos de viajar ilegalmente eran demasiado altos. Finalmente, ella decidió ir a Argentina. Su madre había estado trabajando en Buenos Aires por un buen número de años y esta era la opción menos cara para Lizet.

En Buenos Aires, fue contratada por tres argentinas para cuidar a su madre, quien era lisiada y necesitaba atención las 24 horas del día. A pesar de que el salario era más alto que el promedio, Lizet no se siente contenta con el trabajo. Ella se queja de que la menor de las tres hermanas la acusa de ser culpable por el deterioro creciente de la salud de su madre. Dice Lizet:

> Es como si ella pensase que es culpa mía que su madre no mejore. Pero ¿cómo puede ser así? Siente cargos de conciencia porque me deja cuidarla. La verdad es que yo sé más acerca de la salud de su madre que ella. Es por eso que ella está celosa y por eso me reprocha todo el tiempo. Pero ¿qué puedo hacer? Prefiero hacerme cargo de los niños, pero en Argentina hay más viejos que niños y la gente paga a otros para que los cuiden.

En 1998, Lizet llevó a sus dos hermanos a Argentina, pero ambos han tenido dificultades para conseguir trabajo y han sido forzados a ganarse la vida lavando carros en las calles del centro de Buenos Aires. Lizet comenta:

> No me puedo quejar a pesar de que no me gusta mi trabajo. Mira a mis hermanos. Es como el Perú, lavando carros en las calles. La única diferencia es que aquí hacen más dinero que allá. Pero solo un poco más. Así es la vida en Argentina. Aquí solo hay trabajo para mujeres. Los hombres deben quedarse en casa.

La historia de Lizet nos da luces sobre la precaria situación social y económica de los migrantes peruanos (tanto mujeres como hombres) en Argentina. De hecho, la situación ha empeorado desde la fecha en que entrevisté a Lizet en el otoño del 2000. El siguiente año, Argentina sufrió su peor crisis económica en varias décadas, lo que forzó a miles de peruanos a migrar a Chile o regresar al Perú. A pesar de que Argentina se está recobrando lentamente, las posibilidades de encontrar trabajo y lograr movilidad social para la población inmigrante luce más desesperada que nunca.

Conclusiones

Muchos peruanos consideran a Argentina, al igual que a Chile, como el más accesible destino para el flujo migratorio de nuestros días. Desde la perspectiva geográfica, el país es más cercano que Estados Unidos, el sur de Europa y Japón; es más fácil tomar un ómnibus, sin la asistencia de intermediarios o caminos delictuosos. Además, los peruanos pueden entrar en el país con visa de turista sin mayores dificultades, y obtener trabajo y residencia legal si consiguen un empleo y su empleador está de acuerdo en respaldarlos con un contrato, y si el inmigrante acepta pagar varios cientos de dólares en el trámite burocrático. Sin embargo, en razón de su debilitada economía, la demanda por mano de obra extranjera ha decrecido considerablemente en los últimos cinco años y hoy día muchos migrantes tienen dificultades para conseguir trabajo, e incluso cuando lo encuentran difícilmente pueden ganar más de 300 ó 400 dólares al mes. Además, muchos migrantes viven y trabajan como indocumentados porque sus empleadores se rehúsan a respaldarlos o porque los propios migrantes prefieren no ir a través de costosos trámites para obtener la legalidad en la estadía y el permiso de trabajar. Muchos empleadores no respaldan a los migrantes, porque tendrían que someterse al escrutinio de la oficina de impuestos para proporcionar tal respaldo, lo que significa que sus balances necesitan estar absolutamente limpios. Mantenerse indocumentados les permite a los migrantes ahorrar dinero que pueden enviar a sus familiares en el Perú, pero también los expone al continuo acoso de la policía argentina.

Desde el año 2001, la crisis económica argentina ha empujado a un voluminoso grupo de migrantes a dirigirse a Chile o regresar al Perú. Sin embargo, un buen número de peruanos siente que no tiene otra opción que quedarse esperando que una nueva y más próspera oportunidad pueda surgir. Finalmente, ellos terminarán adquiriendo la residencia y creando nuevas vidas en Argentina, lo cual es un hecho que puede probarse por el número creciente de instituciones de migrantes. Con suerte, la mayoría de estos migrantes se beneficiará de la amnistía otorgada por la Ley de Inmigración del 2004, y el nuevo acuerdo entre los gobiernos de Argentina y Perú, que facilita la migración entre los dos países. En otras palabras, en lugar de servir como una temporal posibilidad de remitir dinero al Perú o como estación de migración para otros países, Argentina se ha convertido en el destino final para miles de peruanos.

Bibliografía

ALICEA, Marixsa
    1997   "A Chambered Nautilus. The Contradictory Nature of Puerto Rican Women's Role in the Social Construction of a Transnational Community". En *Gender & Society* 11: 5, pp. 597-626.

ANTHIAS, Floya y Gabriella LAZARIDIS
    2000   "Introduction: Women in the Move in Southern Europe". En Anthias, F. y G. Lazaridis (eds.), *Gender and Migration in Southern Europe. Women on the Move*, pp. 1-14. Oxford: Berg.

BAKEWELL, Peter
    1997   *A History of Latin America. Empires and Sequels 1450-1930*. Oxford: Blackwell.

BALÁN, Jorge
1988		"International Migration in Latin America: Trends and Consequences". En: Appleyard, Reginald y Charles Stahl (eds.), *International Migration Today*. Vol. I: *Trends and Prospects*. París: UNESCO – Organización de las Naciones Unidas para la Educación, la Ciencia y la Cultura, y University of Western Australia, pp. 210-63.
1992		"The Role of Migration Policies and Social Networks in the Development of Migration System in the Southern Cone". En Kritz, Lim y Zlotnik (eds.), pp. 115-30.

BENENCIA, Roberto y Grabriela KARASIK
1995		*Inmigración limítrofe: los bolivianos en Buenos Aires*. Buenos Aires: Centro Editor de América Latina.

BERNASCONI, Alicia
1999		"Peruanos en Mendoza: apuntes para un ¿nuevo? modelo migratorio". En *Estudios Migratorios Latinoamericanos* 13/14: 40/41, pp. 639-58.

CAMPANI, Giovanna
2000		"Immigrant Women in Southern Europe: Social Exclusion, Domestic Work, and Prostitution in Italy". En King, Russell; Gabriella Lazaridis; y Charalambos Tsardanidis (eds.), *Eldorado or Fortress? Migration in Southern Europe*. Londres: Macmillan, pp. 145-69.

CARRÓN, Juan
1979		"Shifting Patterns in Migration from Bordering Countries to Argentina: 1914-1970". En *International Migration Review* XIII: 3, pp. 475-87.

CASARAVILLA, Diego
1999		*Los laberintos de la exclusión. Relatos de inmigrantes ilegales en Argentina*. Buenos Aires: Lumen-Humanitas.

CHANEY, Elsa
1985		"Agripina". En Bunster, Ximena y Elsa Chaney (eds.), *Sellers and Servants: Working Women in Lima, Peru*, pp. 11-80. Nueva York: Praeger.

CHANEY, Elsa y Mary GARCÍA CASTRO (eds.)
1989　　Muchachas No More. Household Workers in Latin America and the Caribbean. Filadelfia: Temple University Press.

GRIMSON, Alejandro
1999　　Relatos de la diferencia y la igualdad. Los bolivianos en Buenos Aires. Buenos Aires: Eudeba-Felafacs.

HONDAGNEU-SOTELO, Pierette y Ernestine AVILA
1997　　"'I'm Here, But I'm There'. The Meanings of Latina Transnational Motherhood". En Gender & Society 11: 5, pp. 548-71.

KRITZ, Mary, Lin Lean LIM y Hania ZLOTNIK (eds.)
1992　　International Migration Systems. A Global Approach. Oxford: Clarendon Press.

KRITZ, Mary y Douglas GURAK
1979　　"International Migration Trends in Latin America: Research and Data Survey". En International Migration Review 13: 3, pp. 407-27.

KRITZ, Mary y Hania ZLOTNIK
1992　　"Global Interactions: Migration Systems, Processes, and Policies". En Kritz, Lim y Zlotnik (eds.), pp. 1-16.

MARSHALL, Adriana
1979　　"Immigrant Workers in the Buenos Aires Labor Market". En International Migration Review XIII: 3, pp. 488-501.
1981　　"Structural Trends in the International Labor Migration: The Southern Cone of Latin America". En Kritz, Mary; Charles Keely; y Silvano Tomasi (eds.), Global Trends in Migration. Theory and Research on International Movements, pp. 234-58. Nueva York: Center for Migration Studies

MASSEY, Douglas y otros
1998　　Worlds in Motion. Understanding International Migration at the End of the Millennium. Oxford: Clarendon Press.

MERA, Carolina
1998   *La inmigración coreana en Buenos Aires. Multiculturalismo en el espacio urbano*. Buenos Aires: Eudeba.

OTEIZA, Enrique, Susana NOVICK y Roberto ARUJ
1996   *Política inmigratoria, inmigración real y derechos humanos en la Argentina*. Documento de Trabajo 5. Buenos Aires: Instituto de Investigación Gino Germano.

PACECCA, María Inés
2000   "Working and Living in Buenos Aires. Peruvian Migrants in the Metropolitan Area". Ponencia presentada en el International Sociological Association's (ISA) Meeting in Buenos Aires.

PÆRREGAARD, Karsten
1997   *Linking Separate Worlds. Urban Migrants and Rural Lives in Peru*. Oxford: Berg.
2002   "Business as Usual: Livelihood Strategies and Migration Practice in the Peruvian Diaspora". En Olwig, Karen Fog y Ninna Nyberg Sørensen (eds.), *Work and Migration: Life and Livelihoods in a Globalizing World*. Londres y Nueva York: Routledge, pp. 126-44.
2003   "Migrant Network and Immigration Policy: Shifting Gender and Migration Patterns in the Peruvian Diaspora". En Mutsuo, Yamada (ed.), *Emigración latinoamericana: comparación interregional entre América del Norte, Europa y Japón*. JCAS Symposium Series 19. Osaka: The Japan Center for Area Studies, National Museum of Ethnology, pp. 1-18.

PEREYRA, Brenda
1999   "Más allá de la ciudadanía formal. La inmigración chilena en Buenos Aires". En *Cuadernos para el debate* 4. Programa de Investigaciones Socioculturales en el Mercosur. Buenos Aires: Instituto de Desarrollo Económico y Social.

PESSAR, Patricia
1999   "The Role of Gender, Households, and Social Networks in the Migration Process: A Review and Apprai-

sal". En Hirschman, Charles; Philip Kasinitz; y Josh DeWind (eds.), *The Handbook of International Migration: The American Experience*, pp. 53-70. Nueva York: Russell Sage Foundation.

PLATAFORMA SUDAMERICANA DE DERECHOS HUMANOS, DEMOCRACIA Y DESARROLLO
2000   *Los derechos humanos de los migrantes. Situación de los derechos económicos, sociales y culturales de los migrantes peruanos y bolivianos en Argentina y Chile*. La Paz: CEDAL, CEDLA, CELS, Comisión Chilena de Derechos Humanos.

SARRAMONE, Alberto
1999   *Los abuelos inmigrantes. Historia y sociología de la inmigración argentina*. Buenos Aires: Azul.

SMITH, Margo
1973   "Domestic Service as a Channel of Upward Mobility for the Lower-class Women: The Lima Case". En Pescatello, Ann (ed.), *Female and Male in Latin America. Essays*, pp. 191-208. Pittsburgh: University of Pittsburgh Press

TAMAGNO, Carla
2003   "Los peruanos en Milán". En Degregori, Carlos Iván (comp.), *Comunidades locales y transnacionales: cinco estudios de caso en el Perú*, pp. 319-98. Lima: Instituto de Estudios Peruanos.

TORALES, Ponciano
1993   *Diagnóstico sobre la inmigración reciente de peruanos en la Argentina*. Buenos Aires: Organización Internacional para las Migraciones.

CAPÍTULO 8

Inmigrantes transnacionales: la formación de comunidades y la transformación en ciudadanos*

CAROLINA STEFONI

Introducción

La dinámica y complejidad de los movimientos migratorios a fines del siglo XX y comienzos del XXI ha obligado a los científicos sociales, economistas y políticos a buscar nuevos marcos teóricos que permitan comprender los distintos escenarios que surgen a partir de la salida y llegada de cientos de miles de inmigrantes en el mundo. Sin duda, los tradicionales enfoques que situaban al inmigrante como un colono que abandonaba su tierra de origen junto a su familia para asentarse en un lugar lejano y distinto (por ejemplo, migraciones unidireccionales) han debido retroceder para dar paso a una visión mucho más compleja de lo que encierran estos movimientos.

Esto no quiere decir que las migraciones de hoy sean diametralmente distintas de las migraciones de ayer, sino que el hecho de que se desarrollen en un contexto de creciente globalización termina por transformar los tradicionales patrones de asentamiento y generar nuevas

* Este artículo recoge conclusiones preliminares del proyecto de investigación en curso titulado "Comunidades transnacionales de inmigrantes ¿Espacios de integración social o la globalización de la exclusión?" de Carolina Stefoni y Lorena Núñez, Proyecto FONDECYT 2004, no. 1040126. Algunas de las ideas aquí presentadas forman parte del artículo "Inmigración y ciudadanía: la formación de comunidades peruanas en Santiago y la emergencia de nuevos ciudadanos", publicado en la revista *Política*, no. 43, Universidad de Chile, Instituto de Asuntos Públicos, 2004.

dinámicas de movilidad tales como la migración circular, temporal o
de retorno. Lo que caracteriza a estos movimientos es que no se produce
un cambio definitivo de asentamiento, sino que se tienden a mantener
dos lugares de residencia en forma alternada. La migración temporal
vinculada a la agricultura es un buen ejemplo, así como la migración
de fronteras, donde la persona trabaja de lunes a viernes a un lado de
la frontera y regresa a su hogar durante el fin de semana. Esta realidad
ha servido como argumento de quienes plantean el debilitamiento
inexorable de las fronteras debido a la acción de los flujos transnacionales, sean estos de capital, mano de obra e información, lo que se
traduciría en un debilitamiento del poder del Estado-nación.[1] Sin embargo, esta visión, propia de las corrientes postmodernas, encuentra una
fuerte crítica en trabajos como el de Grimson, quien plantea que, por el
contrario, serán cada vez más las fronteras que nos dividirán, haciendo
referencia a las fronteras económicas, jurídicas, sociales, entre otras.[2]

Las migraciones de fines del siglo XX y principios del XXI son quizá el mejor ejemplo de la complejidad a la que nos enfrentamos, pues
por una parte no solo son el resultado de la globalización, sino que son
precisamente uno de los canales a través de los cuales la globalización
se ha desarrollado;[3] pero, por otra parte, son la evidencia palpable de
la emergencia y reforzamiento de determinadas fronteras entre países.
En otras palabras, los movimientos migratorios contienen en sí mismos
una tensión entre dos fuerzas antagónicas: una que empuja hacia el
debilitamiento de las fronteras (donde se entremezclan culturas, tradiciones, prácticas económicas); y otra que apunta a la consolidación de
muros infranqueables cuyo objetivo es detener el paso de los "extranjeros no deseados" y asegurar la aparente tranquilidad, orden y seguridad de los locales.

Sin embargo, pese a los esfuerzos de los países-Estado por limitar
el ingreso de los inmigrantes, las transformaciones sociales, culturales
y económicas en los países de destino ya están en marcha. El creciente
movimiento de personas entre distintos países genera un tránsito de
mano de obra, estilos de vida, lenguas, cultura, información, y demandas

---

1.   Appadurai 1996.
2.   Grimson 2004.
3.   Appadurai 1996.

por bienes y servicios que antes estaban circunscritos a un territorio particular. Estos flujos se cruzan en espacios físicos y momentos históricos determinados, dando origen a nodos o puntos de encuentro en una red compuesta por elementos culturales, económicos, tecnológicos y sociales. Con el paso del tiempo, estos nodos se irán complejizando como producto de la mayor circulación de personas, lo que permitirá constituir nuevos espacios sociales desde donde se negocien y articulen los nuevos sentidos y significados de las identidades. En estos espacios, el lugar de origen y el de destino se funden en una experiencia simultánea que permite la emergencia de identidades colectivas e individuales que superan el vínculo con el territorio y donde aspectos tales como la comida o la música proveniente de los lugares de origen adquieren un mayor peso en la resignificación de las identidades, pero donde también se incorporan nuevos elementos de la sociedad de destino.

Pensemos, por ejemplo, en lo que sucedía hace diez años con la llegada de los inmigrantes provenientes del Perú que se instalaron en el centro de Santiago a mediados de los años noventa. En ese entonces un reducido número de personas lograba reunirse al costado de la catedral o en algún restaurante chileno a compartir información y experiencias vividas en Santiago, y recordar con cierta nostalgia todo lo que había quedado en el Perú. Hoy en día, el número de compatriotas que se reúnen al costado de la catedral ha aumentado de manera significativa y han florecido nuevos lugares de encuentro. Prueba de ello es la emergencia de una serie de locales peruanos vinculados no solo a la comida, sino también a la venta de productos peruanos, servicios de envío de encomiendas, etc. Las propias viviendas se han transformado en pequeñas comunidades colectivas compuestas casi exclusivamente por peruanos que recrean en forma permanente un sentido de identidad particular. Todo este movimiento de personas ha terminado por transformar parte del centro de Santiago y convertirlo en lo que algunos autores y los propios inmigrantes reconocen como la "Lima chica".[4]

Este capítulo se inscribe dentro de este eje; es decir, busca identificar y comprender el proceso que ha dado origen a la emergencia de una comunidad peruana popular en el corazón de Santiago. ¿Cómo se ha ido conformando alrededor de la Plaza de Armas una comunidad de

---

4.   Luque 2003.

inmigrantes peruanos? ¿Cómo se han negociado los espacios y cómo se ha transformado el territorio? ¿Cuál es la relación de esta comunidad con las autoridades políticas chilenas, tanto en el nivel municipal como en el de las instituciones estatales? ¿En qué medida quienes conforman estas comunidades logran transformarse en ciudadanos?

Si bien muchas de estas preguntas no encuentran aún una respuesta definitiva, constituyen una invitación a reflexionar sobre algunos aspectos de la migración en Chile y de la migración en general. Ello supone asumir una actitud crítica sobre algunos conceptos tradicionales de las ciencias sociales. Identidad y territorio, nuevas ciudadanías, y comunidades transnacionales y transmigrantes son conceptos que nos permiten abordar las múltiples dimensiones de un fenómeno que introduce interesantes transformaciones en el mundo social y político chileno. En este sentido, una de las ideas centrales que intentaré desarrollar en este capítulo es que el mundo popular vinculado a la migración peruana asume en Chile una carácter transnacional en cuanto logra constituirse más allá de un territorio local, estableciendo vínculos concretos y simbólicos con Perú y Chile.

Es necesario señalar que este estudio está centrado en las comunidades de Santiago centro conformadas por inmigrantes económicos que han llegado en su mayoría de ciudades como Trujillo, Chimbote o Chiclayo, y en menor medida Tacna y Lima. Sin embargo, ello no quiere decir que toda la inmigración peruana pueda o deba ser reducida a este tipo de experiencia. Sin duda, la inmigración proveniente del Perú cuenta con una larga historia en Chile, y obedece a distintos contextos políticos y económicos. Es importante diferenciar, por ejemplo, entre la migración de frontera en el norte del país, la migración de personas provenientes de clases acomodadas, la llegada de una migración política o grupos de activistas perseguidos bajo el gobierno de Fujimori y la reciente inmigración económica que llega a Santiago, proveniente en gran medida del norte del Perú. Todas estas experiencias representan en parte la diversidad de la comunidad peruana residente en Chile y, aun cuando la migración económica tampoco puede ser reducida a un solo tipo de migración, el artículo se centra en lo que ocurre con este último grupo.

En la primera parte del capítulo, se elaborará una caracterización de la migración peruana de acuerdo con datos del censo nacional de Chile del 2002. En la segunda parte, se abordará la emergencia en Santiago centro de nuevas comunidades ancladas en una experiencia transnacional a partir de la propuesta de dos marcos teóricos realizados por Thomas Faist (1999), y Alejandro Portes, Luis Guarnizo y Patricia Landolt (2003). Finalmente, en la tercera parte, quisiera plantear algunos elementos que orientan la discusión en torno a la nueva ciudadanía que implica la inmigración y el debate sobre hasta dónde la sociedad chilena respeta y promueve el ejercicio pleno de ciudadanía de este grupo social.

Caracterización de la inmigración peruana en Chile

Como ya se señalaba desde hace algunas décadas, los patrones de movimientos migratorios han experimentado importantes cambios en Chile y América Latina en general. A partir de mediados del siglo XX, la migración proveniente de Europa comenzó a disminuir, mientras que los flujos que llegaban de la región latinoamericana experimentaron un lento pero sistemático incremento. En el Chile de hoy, cerca del 70% de la inmigración total proviene de países de la región, concentrándose fuertemente en cuatro de ellos: Argentina (26%), Perú (21%), Bolivia (6%) y Ecuador (5%).[5]

Pese a que la inmigración argentina es más significativa en términos numéricos (48.176 y 37.860 respectivamente), llama la atención que la migración peruana haya concentrado mayor interés por parte de los medios de prensa, opinión pública, políticos y estudiosos de la materia. Existen al menos tres factores que explican esta situación. Primero, mientras que la inmigración argentina (de acuerdo con los datos del censo de 1992 y 2002) se ha mantenido relativamente estable en la última década, la peruana experimentó un crecimiento del 394% durante el mismo período. Si bien existen otros países de la misma procedencia con importantes incrementos en el número de inmigrantes, como Ecuador (314%) y Colombia (145%), en ambos casos los números absolutos se mantienen bajo las 10.000 personas.[6]

El segundo hecho que explica el mayor interés por la comunidad peruana es su alta concentración en la región metropolitana. La tradicional centralización del país nos ha acostumbrado a pensar que

---

5. Martínez 2003.
6. Instituto Nacional de Estadísticas, datos del censo 2002. Véase http://www.ine.cl/cd2002/migracion.pdf.

aquello que ocurre en Santiago es materia de debate nacional. En efecto, las cifras elaboradas por Martínez sobre la alta concentración de inmigrantes peruanos en la región metropolitana —78% contra un 46% de los inmigrantes argentinos que residirían en la misma región— explica la mayor visibilidad de los primeros.

No obstante, la visibilidad de la migración peruana —y que muchas veces es agrupada sin hacer distinciones con la inmigración ecuatoriana y boliviana— se debe en gran parte a que esta población es construida como un "otro" dentro del territorio nacional. En el imaginario de Chile, este siempre se ha pensado a sí mismo como un país más cercano al tipo europeo que indígena.[7] La negación del origen indio como parte de la nación ha derivado no solo en la exclusión y discriminación de los pueblos originarios, sino en que la cultura dominante con un discurso homogeneizante intente barrer la diversidad de culturas mapuches, aymaras y pehuenches, entre otras. En este sentido, la población indígena chilena ha sido un "otro" invisible, sistemáticamente silenciado en la formación de la nación y la identidad chilena. Representa todo aquello que no queremos ser y, por ende, es ocultado y negado. La inmigración andina nos vuelve a enfrentar con nuestra identidad mestiza y nos recuerda aquello que intentamos eliminar a fuerza de olvido. En otras palabras, nos enfrenta con nosotros mismos, ya que ¿es verdaderamente posible distinguir fenotípicamente un peruano de un chileno? Probablemente es mucho más difícil de lo que imaginamos, más aun cuando gran parte del territorio del norte de Chile fue peruano y boliviano hasta hace solo un siglo atrás. Luego, es posible afirmar que el color de piel, ojos y pelo de peruanos es bastante parecido al de la gran mayoría de los chilenos.

¿Qué sucede entonces? Una vez más buscamos fórmulas para distanciarnos de nuestro origen indígena y acercarnos a nuestro ideal europeo, blanco y desarrollado. Para ello, volvemos a distanciarnos de lo que no queremos ser convirtiéndolo en un nuevo "otro". La diferencia con lo ocurrido con los pueblos indígenas chilenos es que en ese caso la discriminación consistió en invisibilizar al sujeto, negando su existencia, mientras que la discriminación hacia los inmigrantes andinos es hacia un sujeto visible al que se le puede señalar y nombrar, y de ahí

---

7.   Moulian 1997.

que podamos ver *graffitis* en las calles contra los inmigrantes peruanos. Esto se mezcla, además, con sentimientos nacionalistas que incluso han llegado a ser reavivados por candidatos políticos en el norte del país. Asimismo, hay que recordar que en 1997 los efectos de la crisis asiática se dejaron sentir con fuerza en la economía nacional, aumentando los índices de cesantía, por lo que la inmigración andina, en especial la peruana, se convirtió también en el chivo expiatorio para el desempleo.

Jorge Martínez publica datos censales sobre la feminización, composición etaria, mercado laboral y concentración espacial que permiten avanzar en la caracterización del grupo migratorio peruano. Diversos autores han llamado la atención sobre la creciente feminización de la inmigración en el nivel mundial, reconociendo que, si bien no se experimenta de manera homogénea, es posible advertir en términos generales una mayor y más activa participación de las mujeres en el proceso migratorio.[8] Tradicionalmente, las mujeres han sido invisibilizadas por las cifras demográficas en esta materia, asumiendo que solo se trasladaban de un lugar a otro como consecuencia de la reunificación familiar, es decir, detrás de la salida del hombre, fuera este su esposo o padre. Sin embargo, en los últimos años, las investigaciones han evidenciado que hoy las mujeres salen por sí mismas a buscar mejores condiciones de empleo, y en muchos casos incluso son los hombres quienes con posterioridad viajan para reencontrarse con ellas y sus familias.[9] La migración peruana hacia Chile no es la excepción de este fenómeno y las principales causas que lo explican apuntan a la estructura del mercado laboral en el país de llegada.

En la medida en que la fuerza laboral femenina chilena vinculada al servicio doméstico se trasladó hacia otros sectores de la economía, producto de la baja valoración social y reducidos salarios asociados a esta actividad, se generó un mercado laboral disponible que ha comenzado a ser cubierto por mujeres extranjeras, principalmente de países como Perú y, en menor medida, Ecuador o Bolivia.[10] En este sentido, la migración de mujeres hacia Chile se asocia a la estructura del mercado laboral que genera una demanda de mano de obra en trabajos tradi-

---

8.   Hondagneu-Sotelo y Avila 1997; Pessar 1999; Escrivá 1999, 2003.

9.   Lim 1995, Hugo 1993, Jiménez 1998.

10.   Stefoni 2003.

cionalmente realizados por mujeres. En el pasado, el cuidado de los niños y el trabajo doméstico eran realizados por la dueña de casa o algún
familiar cercano; más adelante comenzaron a ser realizados por inmigrantes mujeres provenientes del mundo rural y hoy lo realizan en
gran medida mujeres extranjeras. Esta realidad significa que la salida
de la mujer al mercado laboral no ha contado con una reorganización
del trabajo doméstico en la familia, ni tampoco con la generación de un
sistema social que garantice un mínimo de apoyo a la mujer. Por el contrario, las políticas económicas neoliberales adoptadas en las últimas
décadas por el Estado han buscado la flexibilización del mercado laboral, lo que se traduce en trabajos *part-time*, sin contratos y, por ende, sin
garantías sociales (pre y posnatal, derecho a sala cuna, entre otras).
Ambos hechos han incrementado la demanda por trabajadoras de casa
particular.

A su vez, la emigración de mujeres para buscar oportunidades de
trabajo y el hecho de que debe ausentarse por tiempos demasiado largos,
debiendo dejar a sus hijos al cuidado de terceros, está generando profundas transformaciones en la familia y el caso peruano no es una excepción.[11] Una de las consecuencias visibles es la conformación de familias
transnacionales, es decir, familias nucleares que tienen a una parte de
sus miembros en Chile y otra parte en el Perú. Este nuevo tipo de familia
tiene efectos profundos en el desarrollo de los hijos y de los padres. Lamentablemente, no contamos aún con estudios sobre el caso particular
de Chile; pero, de acuerdo con investigaciones realizadas en diversos
lugares (México, Ecuador, Bolivia, Guatemala, etc.), la separación ma-
dre-hijo dificulta el desarrollo integral del menor, y provoca en la madre
altos niveles de depresión, angustia y enfermedades.[12]

Por otra parte, la discusión sobre el proceso de empoderamiento
que significa esta acción por parte de las mujeres está aún en debate.
Por un lado, la posibilidad de acceder a un salario y estar fuera del área
de control masculino implica ganar importantes espacios de autonomía
y libertad. Sin embargo, por otro lado, la situación de las mujeres puede
llegar a ser aun más crítica que en los lugares de origen, por cuanto
emigrar en muchos casos supone el envío constante de remesas para el

---

11. Hochschild 2000, Weyland 1998.
12. Hochschild 2000.

mantenimiento de la familia, lo que implica que la mujer debe trabajar extensas jornadas laborales e incluso en más de dos empleos para enviar el dinero necesario, con el consecuente y ya mencionado impacto emocional que significa estar lejos de sus hijos. Al respecto, los datos del censo del 2002 señalan que la migración peruana presenta el índice de masculinidad más bajo, en comparación con los otros grupos de inmigrantes. En el caso de los argentinos, hombres y mujeres presentan un equilibro en cuanto a números, mientras que, en los casos ecuatoriano y boliviano, la presencia de mujeres es levemente superior a la de los hombres.

Otro aspecto demográfico interesante de mencionar es el componente etario de la inmigración proveniente del Perú. Según Martínez, cerca del 75% de la inmigración peruana tiene entre 15 y 44 años de edad, mientras que los menores de 15 representan no más del 10% de la población. Esta situación es un indicador de que la población peruana que emigra a Chile viene en busca de trabajo; es una migración joven y en su mayoría llega sin niños.

Finalmente, ya hicimos referencia a la concentración en la región metropolitana de la inmigración peruana. Sin embargo, los datos del censo nos permiten avanzar un poco más allá e identificar cuáles son los lugares en Santiago donde reside la población peruana.

CUADRO 1

Personas nacidas en el Perú por sexo y residencia
en comunas seleccionadas en la provincia de Santiago, 2002

Comunas de residencia	Hombres	Mujeres	Ambos sexos
Santiago	2.933	2.917	5.850
Las Condes	535	2.561	3.096
Recoleta	736	730	1.466
Vitacura	150	1.275	1.425
Estación Central	676	675	1.354
Independencia	646	642	1.288
Providencia	387	857	1.244
Lo Barnechea	147	1.031	1.178
La Florida	498	614	1.112
Peñalolén	426	683	1.109
Otras comunas	3.650	4.967	8.617
Total	10.787	16.952	27.739

Fuente: Proyecto IMLA del Centro Latinoamericano y Caribeño de Demografía (CELADE), en Martínez 2003.

De acuerdo con esta información, se pueden señalar al menos dos aspectos de interés. Primero, existe una distribución heterogénea entre hombres y mujeres en los lugares de residencia de la región metropolitana. En barrios más populares, como Santiago centro, Recoleta, Estación Central e Independencia, el número de hombres y mujeres es bastante similar, lo que nos permite inferir que no existe una composición por género en dichas comunas. Sin embargo, en sectores del barrio alto como Las Condes, Vitacura y Lo Barnechea, las mujeres peruanas superan ampliamente a los hombres. Esto se debe a que muchas de las mujeres que viven en las comunas pertenecientes a los sectores más acomodados de la sociedad chilena lo hacen como trabajadoras de casas particulares "puertas adentro".[13] Un segundo aspecto, que también quisiera enunciar a modo de sugerencia, es que La Florida y Peñalolén, dos comunas nuevas y en el caso de la primera con una alta concentración de habitantes, aparecerían como sectores donde los inmigrantes se trasladan a vivir junto con sus familias una vez que se han establecido de manera más definitiva en Chile. Esto quiere decir que el centro de Santiago, y en especial las viviendas colectivas ubicadas en este sector, podría estar siendo utilizado por aquellos inmigrantes recién llegados, que están en situaciones de mayor precariedad laboral o bien sin sus familias. Una vez que se ha reunido la familia y que se cuenta con un mejor ingreso, se produciría una salida desde el centro de Santiago y un arribo a comunas nuevas de clase media, tales como La Florida y Peñalolén.

Los elementos hasta aquí descritos nos permiten tener una visión sobre algunas de las principales características sociodemográficas de los inmigrantes peruanos en Santiago de Chile. Sin embargo, no dan una visión en profundidad de la forma en que se vive la inmigración, de los significados asociados a este proceso, de la transformación de las identidades individuales y de la generación de nuevas identidades colectivas. Para comprender lo que significa la experiencia migratoria, y la relación entre los inmigrantes y las comunidades de origen y destino me referiré a algunos aspectos que adquiere la migración transnacional en este caso.

---

13.   Véase Núñez y Holper, en este libro.

Formación de comunidades transnacionales en Chile

Aún es temprano para plantear la existencia de un "barrio peruano" en Santiago, al estilo de los barrios chinos como los hay en otras ciudades latinoamericanas. Sin embargo, estamos frente a un proceso que involucra transformaciones en el espacio físico y simbólico en una parte de la ciudad. Lo interesante es que no se trata solo de un repoblamiento de Santiago centro, sino de la emergencia de una comunidad que proviene de sectores populares del Perú y que integra aspectos del mundo popular santiaguino. En este sentido, se puede argumentar que la integración que los migrantes peruanos en Santiago centro hacen del mundo chileno y peruano, y que da forma a los modos, estilos de vida y prácticas cotidianas que realizan va construyendo un carácter transnacional de la migración.

Portes, Guarnizo y Landolt definen y delimitan el concepto de transnacionalismo a ocupaciones y actividades que requieren contactos sociales habituales y sostenidos a través de las fronteras nacionales para su ejecución.[14] La migración transnacional supone la presencia de vínculos entre el inmigrante, la comunidad de origen y la de llegada. Estos vínculos se activan en un determinado momento permitiendo el desarrollo de iniciativas tanto económicas como sociales y culturales que generan un fuerte impacto en las sociedades de salida y destino. Quisiera referirme a dos trabajos de tipo más bien teórico en las ciencias sociales que entregan un marco referencial para el análisis y estudio de estas comunidades. El primer autor es el politólogo Thomas Faist, quien, en virtud de la *naturaleza de los vínculos* que se establecen en el interior de la comunidad, identifica tres tipos de espacios transnacionales. El segundo autor es el sociólogo Alejandro Portes, quien, junto con sus colaboradores Luis Guarnizo y Patricia Landolt, utiliza dos criterios para identificar tipos de transnacionalismos: la naturaleza de la actividad y los actores que llevan a cabo estas actividades. Si bien la tipología propuesta por estos últimos autores ha sido criticada por su rigidez, ayuda a comprender que existe una diversidad en las experiencias migratorias transnacionales.

Thomas Faist señala la importancia de diferenciar los distintos tipos de espacios transnacionales. Plantea que la sola presencia de un

---

14. Portes y otros 2003.

grupo de inmigrantes provenientes de un mismo país no implica la configuración de un espacio ni de una comunidad transnacional.[15] A su vez, señala que existen diferencias sustanciales entre distintos espacios transnacionales. Estas especificaciones nos permitirán entender en el caso de Chile, por ejemplo, la dinámica de las comunidades de inmigrantes peruanos y las diferencias con respecto a las comunidades de inmigrantes ecuatorianos o argentinos en Chile. El autor utiliza los distintos tipos de vínculos que unen a un grupo de inmigrantes determinado y, en virtud de ello, distingue los espacios transnacionales siguientes: grupos de parentesco transnacional, circuitos transnacionales y comunidades transnacionales.

- Los *grupos de parentesco transnacional* corresponden al caso de muchos inmigrantes de primera generación y refugiados. Los lazos que los unen con las comunidades de origen son recíprocos y fuertes, por lo que es frecuente el envío sistemático de remesas a quienes se quedaron atrás. Este mecanismo opera hasta la reunificación familiar y difícilmente subsiste a la muerte de la primera generación.

- Los *circuitos transnacionales* se caracterizan por un flujo constante de bienes, personas e información entre los países emisores y receptores de inmigración. Los lazos que mantienen unidos a los inmigrantes de uno y otro lado de las fronteras son de carácter de intercambio, donde los recursos disponibles en ambas sociedades son aprovechados por los inmigrantes para establecer actividades económicas, negocios, etc.

- Las *comunidades transnacionales* son propias de situaciones en las cuales quienes se mueven y quienes se quedan en determinados lugares están conectados por una densa red de relaciones sociales y simbólicas que se mantienen a través del espacio y del tiempo. El tipo de relaciones en estas comunidades está basado en la solidaridad. Para ello, se requiere que las relaciones que dan vida a los sistemas de parentesco queden superadas o queden en un segundo plano.

---

15.   Faist 1999.

De acuerdo con el autor, es posible (aunque no siempre ocurre) que un grupo de parentesco transnacional pase a constituirse en un circuito o comunidad transnacional; pero una comunidad no podrá convertirse en un circuito o grupo de parentesco. La transformación de a) hacia c) estará dada, de acuerdo con el autor, por la evolución de los lazos que unen al grupo.

Si bien un análisis de redes de este tipo nos permitiría comprender con mayor profundidad ciertas características de la comunidad, tales como su historia o el tipo de intercambio económico que se origina a partir de una densa red de relaciones sociales, no resulta suficiente para explicar el cambio de estatus de la mujer inmigrante. Grieco señala que el análisis de redes tiende a ocultar el hecho de que hombres y mujeres acceden de manera desigual a los recursos o vínculos disponibles en la red social en la comunidad.[16] Luego, si bien la naturaleza de los vínculos planteada por Faist posibilita identificar distintos tipos de transnacionalismos, no da cuenta de otros factores como son la disponibilidad desigual en el acceso a los recursos económicos, sociales, institucionales y culturales que poseen las distintas comunidades en un mismo lugar de llegada. Por ello, la formación de una comunidad transnacional de inmigrantes provenientes del Perú no dependerá tan solo del tipo de vínculo que tengan entre sí, sino del acceso real a las oportunidades que se puedan dar en Chile, así como de los recursos sociales y humanos (capital humano) que posean los propios inmigrantes.

Alejandro Portes utiliza dos criterios para definir una tipología de transnacionalismos. Por una parte, recurre al *tipo de actividad* que se realiza, es decir, si se trata de actividades económicas, políticas o socio-culturales; y, por otra parte, analiza a los *actores* que llevan a cabo estas actividades, es decir, si se trata de grandes empresas, gobiernos e instituciones (desde arriba) o si son más bien actividades realizadas desde un origen popular, es decir, llevadas a cabo por los propios inmigrantes y sus contrapares en los países de origen (desde abajo).[17]

---

16. Grieco y Boyd 1998.

17. La distinción entre los conceptos "desde arriba" y "desde abajo" aparece originalmente en el libro de Luis Guarnizo y Michael Smith, *Transnationalism from Below* (1998).

CUADRO 2

El transnacionalismo y sus tipos

		Sector		
		Económico	Político	Sociocultural
Nivel de institucionalización	Bajo	- Comerciantes informales transnacionales - Pequeños negocios creados por inmigrantes que regresan al país de origen	- Comités cívicos del pueblo de origen creados por los inmigrantes - Alianzas de comités de inmigrantes con partidos políticos del país de origen	- Competencias deportivas transnacionales - Grupos de música folclórica que se presentan en centros de inmigrantes
	Alto	- Migración laboral circular a larga distancia - Inversiones multinacionales en países del Tercer Mundo - Desarrollo del turismo para el mercado extranjero - Agencias de bancos del país de origen en los centros inmigrantes	- Funcionarios consulares y representantes de partidos políticos nacionales en el extranjero - Doble nacionalidad - Inmigrantes elegidos para legislaturas del país de origen	- Sacerdotes del pueblo de origen que visitan y organizan a sus parroquianos en el extranjero - Exposiciones internacionales de arte nacional - Artistas famosos del país de origen que actúan en el extranjero - Actividades culturales organizadas por las embajadas en el extranjero

Fuente: Portes y otros 2003.

A partir de estos dos marcos referenciales, es posible plantear que, en el caso que estamos analizando, la transnacionalidad emerge a partir precisamente del mundo popular. Son los inmigrantes que viven en condiciones de precariedad material, alta vulnerabilidad social y que sufren de discriminación por parte de la sociedad mayor, quienes, utilizando sus propios recursos sociales, económicos y humanos, comienzan a constituir una comunidad, creando comités, organizaciones o clubes deportivos y ensayando distintos tipos de actividades económicas.

¿Hasta qué punto es real que la comunidad mantiene vínculos con la sociedad de llegada y con la de origen? Un estudio realizado por investigadoras de la Facultad Latinoamericana de Ciencias Sociales (FLACSO) en el año 2002 sobre la migración peruana en Santiago centro detectó la constitución de grupos y redes de inmigrantes con presencia de fuertes vínculos que mantienen los miembros de la comunidad con el Perú.[18] Estos lazos se construyen a partir de tres ámbitos específicos: la constitución de la familia, el envío de remesas y el uso de las redes sociales existentes. Respecto al primer punto, en el caso de las familias, el 66% de los entrevistados en ese estudio señaló tener hijos. De ellos, el 80% tiene a sus hijos en el Perú o bien repartidos entre Perú y Chile. Solo en un 20% de los casos, los padres o madres viven con todos sus hijos en Chile. Esta situación plantea el surgimiento de modos de organización familiar distintas de las tradicionales, donde los hijos quedan al cuidado de terceros en el Perú, mientras los padres (padres y madres) deben salir fuera en busca de mejores oportunidades laborales.

La segunda dimensión que da cuenta de la transnacionalidad de la migración peruana en Chile es la periodicidad en el envío de remesas. La premisa que subyace en este enunciado es que el envío de remesas de manera sistemática supone el mantenimiento de un vínculo fuerte con el país de origen. Estudios realizados por el Banco Interamericano de Desarrollo[19] plantean la diversidad en los usos que se les pueden dar a estos recursos. Se reconoce que las remesas pueden ser utilizadas en consumo y gasto familiar directo (vinculados a la comida, vivienda, vestimenta, mejoramiento de la infraestructura, entre otros), en inversión (compra de una casa o establecimiento de un negocio) o bien en mejoramiento de la comunidad, cuestión que ocurre cuando el dinero es enviado, por ejemplo, a los municipios para que se construyan plazas y espacios de recreación. La discusión en torno a la posibilidad de que las remesas se transformen o no en una fuente de desarrollo para los países tiene aún bastante por recorrer.[20]

Volviendo a la comunidad en Santiago centro, el estudio de la FLACSO detectó que el 65% de los encuestados ha enviado remesas seis veces a sus familiares en el Perú durante los últimos seis meses, lo

---

18.   Núñez y Stefoni 2004.

19.   Banco Interamericano de Desarrollo 2001.

20.   Goldring 1999.

que nos indica una sistematicidad en el envío. De este 65%, el 60%
tiene a todos sus hijos en el Perú, y el 35% tiene a sus hijos en Chile y
Perú a la vez, lo que permite argumentar que, en la medida en que los
hijos están en el país de origen, los vínculos son más fuertes y, por ende, el flujo de dinero es sistemático. Ello queda demostrado a su vez por
el hecho de que, del 20% que declara no haber enviado ninguna vez
dinero al Perú, el 60% tiene a todos sus hijos en Chile.

Finalmente, los inmigrantes se valen de las redes sociales establecidas para llegar a Santiago y conseguir trabajo. En el estudio realizado, el 86% señala haber conocido a alguien que vive en Chile antes
de llegar ahí y casi el 85% consiguió su primer trabajo a través de un
amigo o familiar. De acuerdo con estos antecedentes, lo que caracteriza
a la inmigración peruana en Chile es la formación de grupos transnacionales basados en su mayoría en relaciones de parentesco. En este
sentido, estaríamos frente a la presencia de una migración de primera
generación con un alto nivel de relación con la comunidad de origen,
basada en el envío de remesas y en la necesidad de mantener a las familias a uno y otro lado de la frontera.

Por otra parte, se observa la emergencia de una serie de actividades
económicas como restaurantes, centros de llamadas telefónicas, centros
de envíos de dinero y encomiendas, que son manejados por inmigrantes
peruanos. Hay que distinguir entre las razones que mueven a una serie
de personas a abrir estos negocios de las condiciones que posibilitan
llevar a cabo estos proyectos. Dentro de las razones está la demanda
por comida peruana por parte de los propios peruanos. Es necesario
señalar que, si bien existían algunos restaurantes, estos estaban orien-
tados básicamente a sectores de clase alta y la nueva demanda provenía
de trabajadores con pocos recursos. Sin embargo, los vínculos que mantenían los locatarios con las comunidades de origen fueron centrales
en un comienzo, ya que en Chile no existían los condimentos y productos necesarios para elaborar dicha comida (rocoto, maíz peruano, pisco
peruano, etc.) y estos debían ser enviados por familiares o traídos cuando algún conocido viajara. Del mismo modo, los centros de envíos de
remesas requieren una oficina en el Perú encargada de distribuir los
dineros de forma eficiente y segura.

Por ello, en el caso de la inmigración peruana, nos encontramos
con que la experiencia migratoria transnacional es de parentesco, propio
de las primeras generaciones. Sin embargo, en algunos casos puntuales,

es posible identificar un lento paso hacia lo que Faist denomina circuitos transnacionales, donde comienza a tomar cuerpo una serie de intercambios de personas, productos y capitales entre Perú y Chile, más allá de los grupos familiares.

La migración transnacional de parentesco emerge desde abajo con capitales iniciales pequeños, producto de los ahorros que lograron realizar los propios inmigrantes a través de trabajos en construcción, servicio doméstico u otros similares. Los locales de comida peruana en el centro no son resultado de grandes inversiones como podrían ser otros restaurantes más acomodados y con precios más altos, tales como El Otro Sito, Astrid y Gastón o Mare Nostrum, ubicados en el barrio alto (Vitacura, Las Condes, Providencia), sino que son producto de iniciativas de los llamados inmigrantes económicos, quienes en la búsqueda de independencia y nuevas perspectivas laborales se aventuraron con negocios en estos rubros. Para abrir los restaurantes, los dueños tuvieron que recurrir a sus propios contactos y redes, quienes los ayudaron en el proceso de formalización e iniciación de las actividades, pudiendo ser estos contactos chilenos o peruanos.

En un plano distinto, la llegada de inmigrantes del Perú generó nuevas iniciativas de organización o agrupaciones. De acuerdo con información del consulado peruano en Santiago, existen actualmente doce organizaciones formales peruanas que funcionan en Santiago (no se han incluido aquellas organizaciones informales como clubes deportivos de vecinos, debido a la dificultad para reunir la información). Estas organizaciones tienen distinta naturaleza y provienen de varios lugares, pudiendo ser agrupadas en torno a cuatro ejes:

- Organizaciones de promoción de los derechos de los inmigrantes: Asociación de Peruanos Residentes en Santiago (APERS), Asociación de Inmigrantes por la Integración de América Latina y el Caribe (APILA), Asociación Programa Andino para la Dignidad Humana (Pro Andes), Comité de Refugiados Peruanos, Sindicato Asamblea de Trabajadores Migrantes.

- Organizaciones vinculadas a la Iglesia Comunidad Cristiana Santa Rosa de Lima: Hermandad del Señor de los Milagros, Help for the Andes.

- Organizaciones vinculadas a empresarios y elites económicas: Grupo Paracas, Club Peruano, Asociación de Damas Peruanas.

- Organizaciones culturales: Asociación Cultural y Musical "Inti Quilla".

El trabajo del consulado peruano en Santiago ha sido clave en la coordinación de las distintas organizaciones, contrario a las actitudes que han sido documentadas para el caso de otros consulados en Estados Unidos y Europa.[21] En el 2001, el consulado las convocó para constituir un foro abierto de organizaciones peruanas con un doble mandato: el apoyo a los sectores más necesitados de inmigrantes y el mejoramiento de la imagen de la propia comunidad. A instancias de este foro, ha sido posible el desarrollo de actividades tales como la celebración del 28 de Julio en el Parque Bustamante (Día de la Independencia del Perú) y la celebración de la fiesta de Nuestro Señor de Los Milagros. El consulado también ha permitido articular actividades culturales con distintas municipalidades, tales como la Municipalidad de Santiago, Maipú, Ñuñoa, La Pintana y el Bosque. Entre las actividades realizadas, destacan las exposiciones de artesanías, gastronomía y música. Con la Municipalidad de Santiago, en particular, se han desarrollado dos importantes iniciativas: la inauguración de la Plaza de la Amistad y la entrega de un local a la Asociación de Peruanos Residentes en Santiago (APERS). La mayoría de estas iniciativas ha sido posible gracias a la iniciativa de las organizaciones y el apoyo que han recibido por parte del consulado. Sin embargo, las organizaciones también señalan que sus peticiones particulares no son debidamente atendidas por la municipalidad; es decir, hay una evaluación positiva del trabajo realizado por el consulado, pero no así con las municipalidades, en especial con la de Santiago (donde se concentra un gran número de residentes peruanos). Al respecto, cabe mencionar las escasas iniciativas que ha tenido esta municipalidad para mejorar las condiciones de vida de los inmigrantes que viven en la comuna. La ocurrencia de incendios, debido a la alta densidad poblacional en edificios y viviendas colectivas, no ha movilizado recursos tendientes a regularizar esta situación.

---

21. Berg y Tamagno 2004. La gestión del actual cónsul ha sido fundamental en el acercamiento de esta institución a la comunidad de peruanos en Chile.

Un tema que se vislumbra con fuerza, y que es materia de discusión y debate en la mayoría de las organizaciones de migrantes en Chile es la promoción de los derechos humanos, sociales y políticos de los inmigrantes. Si bien el trabajo hasta ahora ha consistido en generar una sensibilización respecto a la vulnerabilidad de los derechos, esta discusión requiere entrar en un diálogo más profundo con las iniciativas gubernamentales y con la sociedad civil en Chile.

¿Hacia la construcción de nuevos ciudadanos?: la escasa relación de la comunidad peruana con los espacios políticos chilenos

Se ha señalado más arriba que los inmigrantes peruanos en Santiago centro tienen una experiencia migratoria basada principalmente en las relaciones de parentesco que mantienen con la comunidad de origen y otra basada en el desarrollo de actividades económicas. En la presente sección, se analizará la dimensión política de estos espacios. Si la transnacionalidad es un modelo alternativo a los tradicionales modelos de integración, ¿es posible pensar que este proceso transforma a su vez las concepciones de ciudadanía? ¿Estamos frente a un nuevo tipo de ciudadanía en Chile? ¿En qué medida los espacios transnacionales permiten la emergencia de organizaciones políticas reivindicativas de los derechos de los inmigrantes en los países que los alojan? Para responder estas preguntas, es necesario señalar brevemente qué entendemos por ciudadanía y cuáles son las distintas tradiciones desde donde se desarrolla la discusión en torno a este concepto.

En la teoría liberal democrática, la ciudadanía ha significado una membresía política que se asumía inclusiva, abierta a todos los que habitaban el territorio y que permitía la cohesión política a través de un sentido de pertenencia compartido. Sin embargo, esta concepción incluye en su propio origen una categoría de exclusión que se ha vuelto aun más visible, debido a la globalización y al incremento del número de inmigrantes y refugiados en el mundo actual. Hoy en día, nos encontramos con grupos humanos que viven en un territorio (y que incluso pueden haber nacido en dicho territorio), pero que no se consideran pertenecientes a la comunidad nacional.[22] El caso más extremo es el de los

---

22. Castles y Davidson 2000.

inmigrantes irregulares que no gozan de ningún derecho civil ni político, pese a estar trabajando o haber nacido en dicho país. Sin embargo,
existe otra situación de violación de derechos que surge cuando, pese a
tener derechos plenos, en la práctica estos no son respetados por la sociedad de acogida.

La discusión sobre ciudadanía en la sociología se ha desarrollado,
por lo tanto, en torno a dos ejes: 1) quiénes son considerados ciudadanos, quiénes no, y cuáles son los derechos y deberes que ello otorga;
y 2) si efectivamente esos derechos y deberes son ejercidos por los sujetos,
y si son respetados por la sociedad receptora. En relación con el primer
eje, todos los países han desarrollado a lo largo de su historia distintas
políticas de naturalización. Sin embargo, este proceso en algunos lugares resulta más difícil que en otros. Al respecto, Castles y Davidson distinguen tres principios generales que dan origen a estas políticas: *ius
sanguinis, ius solis* y *ius domicili*.[23] Chile se rige por el segundo principio,
es decir, pueden optar a la nacionalidad aquellos nacidos dentro del
territorio chileno; sin embargo, últimamente y debido al incremento de
inmigrantes que vienen en busca de trabajo, se ha utilizado el principio
de *ius domicili,* lo que permite entregar a los extranjeros con más de cinco años de residencia una visa de definitiva, que les otorga prácticamente los mismos derechos y obligaciones que cualquier chileno, tales como
derecho al voto y seguridad social, con excepción de realizar el servicio
militar obligatorio y postular a cargos públicos que requieran elecciones
populares.

Lamentablemente y pese a que todos los países cuentan con políticas de naturalización, la sola obtención de esta membresía no asegura
en ningún caso la igualdad de condiciones sociales, económicas, cultu-

---

23. El primero (*ius sanguinis*) se vincula a un modelo étnico de construcción del
    Estado-nación, donde la pertenencia a un Estado se transmite a través de la
    sangre (como son los casos de Alemania, Grecia y España). El segundo (*ius so-
    lis*) se basa en la construcción del Estado-nación a partir de la integración de
    grupos humanos de otros orígenes al Estado en formación. Este es el caso de
    Estados Unidos, Oceanía, América Latina (y Chile en particular) donde basta
    con nacer en el territorio para tener derecho a optar a la nacionalidad. El tercer
    principio (*ius domicili*) permite resolver algunos de los problemas actuales de
    los inmigrantes, pues se basa en la obtención de ciudadanía al demostrar que
    han residido en aquel país por un tiempo predeterminado, sin la necesidad de
    haber nacido en el territorio o tener un vínculo sanguíneo.

rales y políticas para los inmigrantes en la sociedad de llegada. Las desigualdades que enfrentan las minorías de inmigrantes en los países de llegada, en este caso Chile, pese a ser ciudadanos, es el punto desde donde se articula el segundo eje de discusión; es decir, en qué medida los derechos y deberes otorgados se consagran efectivamente.

En el caso de los inmigrantes andinos de origen popular en Chile, el problema surge precisamente en el acceso a los derechos que les corresponden en cuanto residentes, ya sea temporales o definitivos. Es decir, por más que el Estado garantice ciertos derechos, la realidad es que los inmigrantes no tienen acceso al ejercicio pleno de los mismos. Esta situación se debe a una lógica sociocultural de discriminación hacia las minorías y de obstáculos burocráticos que dificultan su obtención.

La primera situación que dificulta el ejercicio pleno de derechos es el proceso de obtención del permiso de residencia, que en nuestro país se encuentra sujeto a un contrato laboral. El extranjero ingresa como turista y deberá conseguir cuanto antes un contrato de trabajo para presentar los papeles y poder optar a la visa temporal. Esta visa deberá ser renovada anualmente y al cabo de dos años podrá optar a la residencia definitiva. El problema surge a raíz de que la visa temporal se encuentra sujeta a un contrato de trabajo específico (un único empleador), por lo que, si el trabajador cambia de empleador, deberá reiniciar el proceso desde cero. Esta situación entrega excesivo poder al empleador sobre el trabajador, por cuanto este último deberá aceptar cualquier condición que el empleador disponga con tal de mantener el trabajo y así acceder a su visa definitiva. En caso contrario, se puede dar la situación de trabajadores que llevan más de siete o diez años en Chile y aún no pueden optar a su residencia definitiva, debido a su alta rotación de trabajos.

El segundo ejemplo ocurre en el proceso de convalidación de títulos profesionales. Actualmente, existe un convenio entre Ecuador y Chile que permite a los doctores ecuatorianos ejercer sin necesidad de convalidar sus títulos en el país. Lamentablemente, esto no es así para el resto de los inmigrantes, en especial para los peruanos, quienes, al igual que inmigrantes provenientes de otros países, deben pasar por un proceso reconocidamente complejo y costoso para convalidar sus títulos. Este procedimiento incluso ha sido señalado como una forma encubierta de discriminación hacia los profesionales extranjeros, debido al costo que tiene el proceso de convalidación y la complejidad de los exámenes.

Una tercera situación que dificulta el pleno ejercicio de la ciudadanía es el acceso desigual al mercado de trabajo, por cuanto se produce una segmentación del mercado del trabajo que termina siendo abiertamente discriminatorio. En el estudio realizado por la FLACSO-Chile, se detectó que el 85% de las mujeres encuestadas trabaja en servicio doméstico,[24] mientras que en el nivel nacional menos del 12% de las mujeres chilenas que forman parte de la fuerza laboral trabajan en este sector. La segmentación laboral también afecta a los hombres, por cuanto la mayoría de los empleos está en la construcción y en el sector informal de la economía (venta en las calles). Esta situación no se condice con el nivel de educación detentado por los inmigrantes, donde, de acuerdo con el estudio realizado, alrededor del 25% tiene estudios universitarios y técnicos completos.

Además, la protección social a los trabajadores en Chile es cada vez más precaria, dejando a los trabajadores en una situación de gran vulnerabilidad frente a enfermedades, crisis económicas y cualquier situación que desestabilice a la familia o al trabajador. Sin embargo esta situación es aun más complicada para los trabajadores inmigrantes, por cuanto requieren un contrato para asegurar los mínimos derechos sociales que los chilenos, lo que dificulta incluso más el proceso de inserción e integración entre ambas comunidades. Estas situaciones se traducen en una consolidación de las condiciones de exclusión y marginalidad en las que se encuentran. En resumen, si bien el Estado chileno consagra una serie de derechos para los inmigrantes una vez que obtienen sus permisos de visas, estos no son debidamente respetados por la sociedad en su conjunto, lo que los relega a una condición de ciudadanía de segunda clase.[25] Las razones de ello tienen que ver con una falta de información profunda por parte de los funcionarios públicos sobre los derechos que poseen los inmigrantes, un desconocimiento de los propios inmigrantes sobre sus derechos y obligaciones, una indiferencia por parte de la institucionalidad por promover el conocimiento de dichos derechos y una actitud discriminatoria por un sector de la población chilena.

---

24. Núñez y Stefoni 2004.

25. Es importante enfatizar en este sentido que, para los inmigrantes irregulares, no existe ningún derecho, lo que significa para ellos una total indefensión y vulnerabilidad social.

Otro aspecto interesante de analizar es la escasa participación política de las comunidades de inmigrantes peruanos en el sistema chileno.[26] Si bien todos aquellos que cuentan con su residencia definitiva pueden ejercer el derecho a voto para elegir a las autoridades locales de gobierno, son escasas las personas que efectivamente cumplen este derecho. Una de las principales razones es la completa desinformación sobre esta materia. Los inmigrantes (con residencia) desconocen su derecho a votar en el sistema de elecciones municipales y parlamentarias (tanto para diputados como senadores). Ello contrasta con la alta participación de los inmigrantes en las elecciones peruanas, debido principalmente a que, si no lo hacen, deberán pagar una cuando ingresen nuevamente en el Perú. La nula participación de la comunidad de inmigrantes en las elecciones en Chile se traduce en una precaria participación en los derechos políticos consagrados por la Constitución. Por otra parte, si los inmigrantes peruanos ejercieran su voto, podrían constituirse en un grupo con mayor presión política, al menos en el gobierno local, lo que permitiría canalizar con más fuerza sus demandas.

Reflexiones finales

Si bien Chile no es un foco de atracción de inmigrantes latinoamericanos, en los últimos tiempos se ha incrementado el número de extranjeros provenientes de países como Perú, Ecuador, Colombia y Bolivia. En este contexto, han surgido voces que se hacen eco de lo que los medios de prensa, en forma irresponsable, han denominado una *invasión de inmigrantes,* una "trope" utilizada en muchos contextos urbanos en Latinoamérica para referirse a los procesos de urbanización desde los años cincuenta; fue utilizada también en el Perú para explicar la explosión de la gran Lima.[27]

La inmigración desde Perú a Chile no es nueva. La triple frontera en la región andina, compuesta por el norte de Chile, el sur del Perú y el suroeste de Bolivia, ha experimentado durante décadas el cruce de los límites político-geográficos por parte de las poblaciones en una y otra dirección. Lo nuevo que ocurre a partir de mediados de los años

---

26. Si bien no contamos con cifras oficiales, en las entrevistas se señala el desconocimiento de sus derechos políticos y la no participación en las elecciones.

27. Matos Mar 1997.

noventa en Chile es que comienza a cambiar el origen y el destino de esta población. Hoy se trata de una inmigración joven, con una fuerte presencia de mujeres que provienen del norte del Perú y que llegan por primera vez a Santiago.

Los nuevos inmigrantes llegan gracias al apoyo de parientes cercanos o de la familia extendida que, una vez instalados, en Santiago comienzan a "jalar" a sobrinos, hermanas, cuñados, ahijados, entre otros. Otra característica propia de esta experiencia es el fuerte vínculo que se mantiene con el lugar de origen. Ello se debe precisamente a que, al ser personas jóvenes las que emigran, dejan en el Perú a sus familias. Cuando son mujeres las que salen en busca de trabajo, los hijos quedan en el Perú al cuidado habitualmente de abuelas, padres, tías o hermanas mayores. Esta división que afecta al núcleo de la familia determina que el/la inmigrante mantenga un vínculo permanente con el lugar de origen. La presencia de estos vínculos entre Chile y Perú, así como el tipo de redes descrito nos permiten hablar de la formación de grupos con lazos transnacionales basados en su mayoría en relaciones de parentesco. Estos grupos se han ido concentrando en distintos lugares de Santiago, siendo el centro uno de los que tiene mayor congregación de personas. Alrededor de estas comunidades ha emergido una serie de negocios vinculados a la comida, centros de llamadas, bazares donde se venden productos peruanos, centros de envío de dinero y centros de baile. Si bien estos lugares surgieron para satisfacer la demanda de los propios compatriotas, actualmente atienden a un público mucho más amplio. Es el caso de diversos restaurantes que buscan precisamente expandir la clientela a oficinistas santiaguinos y al público extranjero que transita por el centro. Los centros de llamadas telefónicas también ofrecen tarifas rebajadas no solo para el Perú, sino para Ecuador, Argentina o Cuba en un intento por captar clientes que necesitan llamar a distintos países.

El asentamiento de estas comunidades transforma sutilmente las calles de Santiago, generando muchas veces temor y rechazo por parte de los vecinos más conservadores (es importante recordar que Santiago centro tiene una población con un promedio de edad mayor que el resto de las comunas). Existe también otro tipo de transformaciones, quizá menos visibles para los transeúntes, pero con una trascendencia igualmente importante. Los chilenos estábamos acostumbrados a pensar que los ciudadanos de este país eran básicamente los mismos chilenos que residían en el interior de sus fronteras; no obstante, la presencia de residentes con visas temporales o definitivas implica la presencia de nuevos ciudadanos provenientes de otros países, con otras historias y otras culturas. Pero ¿logran ejercer con plenitud su ciudadanía? Desde el punto de vista legal, una vez que obtienen su residencia temporal o definitiva, reciben las mismas atribuciones que cualquier chileno; sin embargo, el problema que enfrentan para llevar a cabo un pleno ejercicio de ciudadanía está fuera de los marcos legales. El problema surge a partir de la desigualdad en el acceso a las oportunidades que poseen estos grupos. Las condiciones de pobreza, la precariedad en el empleo y las dificultades para acceder a la vivienda generan un sistema de exclusión que, si bien no es estructural en un primer momento, sí se transforma con el correr de los años en un sistema discriminatorio.

En este sentido, los lazos transnacionales que mantienen los migrantes peruanos con sus familiares en los lugares de origen pueden verse también como una reacción a la discriminación que sufre la comunidad, puesto que, al no verse favorecida la integración de la comunidad con la sociedad mayor, deben buscar en el vínculo con el Perú (sea este real o simbólico) modos alternativos de supervivencia.

Bibliografía

APPADURAI, Arjun
1996   *Modernity at Large. Cultural Dimensions of Globalization.* Minneapolis: University of Minnesota Press.

BANCO INTERAMERICANO DE DESARROLLO – FONDO MULTILATERAL DE INVERSIONES
2001   "Estudio comparativo de las remesas de América Latina y el Caribe". En http://www.iadb.org/mif/v2/spanish/files/comparativeremit.

BERG, Ulla Dalum y Carla TAMAGNO
2004   "El Quinto Suyo: conceptualizando la 'diáspora' peruana desde arriba y desde abajo". Ponencia presentada para el XL Aniversario del Instituto de Estudios Peruanos. Lima, julio.

CANALES, Alejandro
2000   "Comunidades de inmigrantes". Ponencia presentada
          en "La migración internacional y el desarrollo en las
          Américas", Simposio sobre Migración Internacional
          en las Américas. San José, Costa Rica, setiembre.

CASTLES, Stephen y Alastair DAVIDSON
2000   Citizenship and Migration. Globalization and the Politics
          of Belonging. Londres y Nueva York: Routledge.

DOMENACH, Ervé y Michel PICOUET
1995   Las migraciones. Córdoba: Universidad Nacional de
          Córdoba.

ESCRIVÁ, Ángeles
1999   "Mujeres peruanas en el servicio doméstico de Barcelo-
          na: trayectorias sociolaborales". Tesis doctoral. Barce-
          lona: Universidad Autónoma de Barcelona, Departa-
          mento de Sociología.
2003   "Inmigrantes peruanas en España. Conquistando el
          espacio laboral extradoméstico". En Revista Internacio-
          nal de Sociología 36, pp. 59-83 (http://www. avantine.
          com/iesa/control/upfiles/angelesescriba portada.
          pdf).

FAIST, Thomas
1999   "Transnationalization in International Migration:
          Implications for the Study of Citizenship and Culture".
          En http://www.transcomm.ox.ac.uk/working_
          papers. htm.

GOLDRING, Luin
1999   "Desarrollo, migradólares y la participación 'ciudada-
          na' de los norteños en Zacatecas". En Impacto de la mi-
          gración y las remesas en el crecimiento económico regional.
          México, D.F.: Senado de la República.

GRIECO, Elizabeth M. y Monica BOYD
1998   "Women and Migration: Incorporating Gender into In-
          ternational Migration Theory". Working Paper, Centre
          for the Study of Population, Florida State University

(http://www.fsu.edu/~popctr/papers/floridastate/
98-139.pdf).

GRIMSON, Alejandro
    2004   La nación en sus límites: contrabandistas y exiliados en la
            frontera Argentina-Brasil. Barcelona: Gedisa.

GUARNIZO, Luis Eduardo
    2003   "The Economics of Transnational Living". En Interna-
            tional Migration Review 37: 3.

GUARNIZO, Luis Eduardo y Michael PETER SMITH (eds.)
    1998   Transnationalism from Below. Comparative Urban and
            Community Research. New Brunswick: Transaction
            Publishers.

HOCHSCHILD, Arlie Russell
    2000   "Las cadenas mundiales de afecto y asistencia y la
            plusvalía emocional". En: Hutton, William y Anthony
            Giddens (eds.), En el límite: la vida en el capitalismo
            global. Barcelona: Tusquet.

HONDAGNEU-SOTELO, Pierette y Ernestine AVILA
    1997   "'I'm Here, But I'm There'. The Meanings of Latina
            Transnational Motherhood". En Gender & Society 11: 5,
            pp. 548-71.

HUGO, Graeme
    1993   "Migration as a Survival Strategy: The Family Dimen-
            sion of Migration". Ponencia presentada en la Reunión
            del Grupo de Expertos sobre Distribución de la Pobla-
            ción y Migración (Expert Group Meeting on Population
            Distribution and Migration). Fondo de Población de
            las Naciones Unidas, Santa Cruz, Bolivia.

JIMÉNEZ JULIÀ, Eva
    1998   "Una revisión crítica de las teorías migratorias desde
            la perspectiva de género". En Papers de Demografía 139.
            Centre d'Estudis Demogràfics (http://www.ced.uab.
            es/PDFs/PapersPDF/Text139.pdf).

LIM, Lin Lean
1995   "The Status of Women and International Migration".
En División de Población de las Naciones Unidas, *International Migration Policies and the Status of Female Migrants; Proceedings*. Nueva York: Naciones Unidas, pp. 29-55.

LUQUE, José
2003   "Transnacionalismo político. Identidad nacional y enclave étnico. El caso de los inmigrantes peruanos en Santiago de Chile". Ponencia presentada en el II Congreso Latinoamericano de Ciencia Política. Asociación Latinoamericana de Ciencia Política (ALACIP), Ciudad de México, 29 de setiembre-1 de octubre.

MARTÍNEZ, Jorge
2003   *El encanto de los datos. Sociodemografía de la inmigración en Chile según el censo de 2002*. Serie Población y Desarrollo 49. Santiago de Chile: Comisión Económica para América Latina y el Caribe, Centro Latinoamericano y Caribeño de Demografía (CEPAL-CELADE).

MATOS MAR, José
1997   *Las barriadas de Lima 1957*. Lima: Instituto de Estudios Peruanos.

MINISTERIO DE ECONOMÍA E INSTITUTO NACIONAL DE ESTADÍSTICAS
1982   Censo de población, Santiago de Chile.
1992   Censo de población, Santiago de Chile.

MOULIAN, Tomás
1997   *Chile actual: anatomía de un mito*. Santiago de Chile: Lom-Arcis.

NÚÑEZ, Lorena y Carolina STEFONI
2004   "Migrantes andinos en Chile: ¿transnacionales o sobrevivientes?". En *Los nuevos escenarios (inter)nacionales. Chile 2003-2004*. Santiago de Chile: Facultad Latinoamericana de Ciencias Sociales-Chile, pp. 267-87.

PESSAR, Patricia
1999   "The Role of Gender, Households, and Social Networks in the Migration Process: A Review and Appraisal". En Hirschman, Charles; Philip Kasinitz; y Josh DeWind (eds.), *The Handbook of International Migration: The American Experience*. Nueva York: Russell Sage Foundation, pp. 53-70.

PORTES, Alejandro; Luis GUARNIZO; y Patricia LANDOLT
2003   *La globalización desde abajo: transnacionalismo inmigrante y desarrollo. La experiencia de Estados unidos y América Latina*. Facultad Latinoamericana de Ciencias Sociales-México, Facultad Latinoamericana de Ciencias Sociales-Secretaría General.

STEFONI, Carolina
2003   *Inmigración peruana en Chile. Una oportunidad a la integración*. Santiago de Chile: Editorial Universitaria y Facultad Latinoamericana de Ciencias Sociales-Chile.

WEYLAND, Karin
1998   "El impacto cultural y económico de la migración hacia Nueva York de la mujer dominicana trabajadora: ¿transculturación o estrategia económica?". En *Estudios Sociales* 31: 112. Santo Domingo, abril-junio.

CAPÍTULO 9

"En el Perú, nadie se muere de hambre": pérdida de peso y prácticas de alimentación entre trabajadoras domésticas peruanas en Chile

LORENA NÚÑEZ Y DANY HOLPER

Introducción

La migración peruana a Chile creció significativamente durante la década pasada. La prosperidad económica de los años noventa y la reciente instalada democracia atrajo la primera ola migratoria al país, entre los que se encontraban profesionales de Ecuador, Perú y Cuba, quienes ingresaron a sectores específicos del mercado laboral chileno, particularmente el sector de salud.[1] Durante la segunda mitad de los años noventa, Chile fue testigo de la llegada de una segunda ola de migrantes, grupo que en su mayoría estaba compuesto por obreros quienes encontraron trabajo en los segmentos más bajos del mercado laboral: el sector de construcción y de servicio doméstico. De acuerdo con el censo del año 2002, la comunidad peruana en Chile conforma la segunda mayor comunidad de inmigrantes en Chile con un total de 39.084 personas, mientras que la comunidad argentina, la más numerosa de extranjeros en el país, alcanza un total de 50.448 personas.[2]

---

1. El reconocimiento de la los títulos profesionales en Chile fue posible debido a acuerdos bilaterales vigentes en la actualidad y que fueron suscritos por los distintos gobiernos durante el siglo XIX. De acuerdo con las estadísticas del Ministerio de Salud, más del 50% del personal profesional que trabaja en la atención primaria de salud (doctores, enfermeras, matronas, tecnólogos, médicos) son extranjeros provenientes de distintos países latinoamericanos.

2. El total de población extranjera en Chile alcanza a 195.320 personas, cercano al 2% del total de la población chilena (censo 2002).

Una gran proporción de migrantes peruanos en Chile proviene de la zona de la costa norte del Perú, principalmente las ciudades de Trujillo y Chimbote, región que experimenta en la actualidad una fuerte crisis económica y altos índices de desempleo, debido a una deprimida industria pesquera, al estancamiento de la industria metalúrgica y al proceso de privatización de las empresas estatales. Chile se transformó en un importante y nuevo destino migratorio para los migrantes peruanos cuando otros destinos migratorios, como los Estados Unidos, pusieron en marcha reformas inmigratorias haciendo más difícil su acceso, o como en el caso de Argentina que atravesaba la crisis económica del 2001. Una misma lengua, la proximidad geográfica y cultural, y el relativo bajo costo que involucra este movimiento migratorio hizo de Chile un objetivo alcanzable para un número de población peruana de diferentes sectores. A pesar de sus capacidades y educación, los migrantes peruanos tienen limitado acceso a oportunidades laborales en el mercado de trabajo chileno y a menudo reciben solo el salario mínimo o incluso un salario aun más bajo. La mayoría experimenta un descenso en su estatus económico y social. Las mujeres solo encuentran trabajo en el sector doméstico, muchas de ellas como empleadas "puertas adentro". El presente trabajo trata sobre estas mujeres.

En este capítulo, examinaremos las prácticas de alimentación entre las trabajadoras domésticas peruanas en Santiago de Chile. Dichas prácticas operan aquí como lente a través del cual es posible mirar relaciones de poder más amplias en el mercado laboral y en la sociedad chilena en general. Analizaremos cómo estas "prácticas alimenticias", entendidas como la preparación de la comida, su consumo y la conversación en torno a los platos, comidas y alimentos, son vividas por estas trabajadoras como "liberadoras" o "problemáticas". Planteamos que estas prácticas alimenticias constituyen un dominio social crítico respecto a la percepción de uno mismo, y de las nociones de salud y enfermedad que circulan entre los migrantes peruanos en Chile y en particular entre las mujeres trabajadoras domésticas.

Si bien inicialmente no nos enfocamos en el tema de la alimentación, al poco tiempo de comenzar nuestras observaciones en esta comunidad de migrantes se hizo evidente el grado en que la vida social allí se estructuraba alrededor de la comida.[3] Parecía, además, que la preocupación por el bienestar general, la salud y en particular por la enfermedad se expresaba en el lenguaje de la comida, a través de las conversaciones y el recuerdo de las comidas, del cocinar y del compartir comida tradicional peruana. Nos pareció que la comida era una pieza central alrededor de la cual las vidas colectivas de los migrantes se articulaban y, como tal, mostró ser un camino en el tema de la migración y la salud que estábamos investigando.

El capítulo se estructura en dos partes y cada una analiza las prácticas alimenticias en un escenario diferente. El primero de ellos es el hogar de los empleadores y el segundo, un recinto de vivienda colectiva habitado por migrantes donde las trabajadoras domésticas "puertas adentro" pasan su día libre.[4] En la primera parte de este capítulo, pondremos atención a los diálogos que rodean las prácticas alimenticias de las empleadas domésticas peruanas en los hogares chilenos, ilustrando cómo estas mujeres vinculan el acceso a la comida con nociones de salud, enfermedad y más generalmente con las de bienestar. En la segunda parte de este capítulo, exploraremos las relaciones sociales que se dan entre trabajadores migrantes que habitan colectivamente un deteriorado recinto de Santiago centro. Este recinto es el escenario social para los encuentros semanales de las empleadas domésticas "puertas adentro". Aquí ellas cocinan "su propia y buena comida pe-

---

3. Nuestro análisis de la relación entre comida, migración e identidad ha sido elaborada a partir de la lectura de los siguientes autores: Counihan y Van Esterik 1997, Döring y otros 2003, Lin 2003 y Riccio 2002.

4. Los dos escenarios analizados corresponden originalmente a dos estudios llevados a cabo por Dany Holper y Lorena Núñez en forma separada bajo la supervisión de la profesora Annemieke Richters en el contexto del programa de investigación "Cultura, salud y enfermedad" del Centro Médico de la Universidad de Leiden (LUMC) de los Países Bajos. El trabajo de campo fue desarrollado en dos fases. La información relativa a las trabajadoras domésticas fue recogida en el 2001 a través de entrevistas a mujeres desempleadas en búsqueda de trabajo en una agencia de empleos no gubernamental en Santiago, lo que fue parte de la tesis de grado de medicina de Dany Holper. La observación etnográfica fue desarrollada un año más tarde como parte del trabajo de campo de Lorena Núñez y que está incluido en su proyecto de tesis de doctorado. Las autoras agradecen el apoyo de la doctora Annemieke Richters y su supervisión, así como el financiamiento otorgado por WOTRO (Fundación Neerlandesa para el Avance de la Investigación en los Trópicos).

ruana" fuera de la mirada de los empleadores chilenos. En ese sentido, este recinto sirve como un espacio social en el que los migrantes peruanos son libres no solo para cocinar su propia comida, sino también para recuperar el sentido del control sobre sus propias vidas a través de la interacción social con otros compatriotas.

En el primer escenario (el lugar de trabajo), las prácticas de alimentación se vuelven un dominio crítico de interacción en el que las trabajadoras domésticas confrontan las relaciones sociales entre empleador-sirviente, incluyendo las de clase social, pero también en el que las jerarquías sociales se refuerzan y reproducen. Mostramos cómo el acceso a la comida se torna un tema central para las empleadas domésticas peruanas, quienes no solo explican la negación del acceso a la comida como causa de la enfermedad y el malestar, sino también como un acto de violencia simbólica que limita su autonomía en la reproducción de sus propios cuerpos, lo que resulta en la pérdida de peso y de su persona. Las trabajadoras domésticas peruanas perciben el control de la comida por parte de sus empleadores como sinónimo de la limitación a su propia autonomía.

En el segundo escenario, las prácticas de alimentación, la compra de ingredientes y su preparación, el compartir la comida y la conversación en torno a la comida peruana constituyen una estrategia central de las empleadas domésticas para recobrar el control sobre su autonomía personal y sobre la reproducción social de sus propios cuerpos. Ello permite a estas trabajadoras construir dos espacios sociales separados: uno de pertenencia (el recinto de vivienda colectiva) y otro de no pertenencia (el hogar de los empleadores). Uno está asociado a la autonomía personal del propio espacio y al derecho a la reproducción social y cultural, a producir y comer "buena comida"; mientras que el otro está asociado al abuso y la falta de control sobre la propia vida, y el consumo forzado de una "mala comida". En un nivel más general, planteamos que las categorías de "buena" y "mala" comida constituyen marcas de diferenciación social y cultural a través de las cuales los peruanos se distinguen a sí mismos de los chilenos.

Los hogares chilenos: el lugar de trabajo de las mujeres peruanas

Contrariamente a lo que la descripción de "nana" puede sugerir, las mujeres peruanas designadas con este término no trabajan solamente de nanas, al cuidado de los niños o los mayores. Ser una nana "puertas adentro" en un hogar chileno de clase media o media alta en Santiago significa que ella hace esencialmente todo lo que se necesita hacer en la casa: cuidar a los niños, comprar, cocinar, servir, limpiar, lavar, planchar, ocuparse del jardín, cuidar a los animales domésticos, cortar leña y a veces incluso trabajar para la familia extendida sin recibir pago extra.[5]

El hogar del empleador es también el espacio donde la nana "puertas adentro" pasa la mayor parte de su tiempo libre. Las horas de trabajo acordadas usualmente fluctúan entre las 12 y 17 horas al día, pero el cuidado de los mayores o los enfermos a menudo significa estar 24 horas al día a su servicio. Usualmente, las nanas tienen los domingos como su único día libre. A muchas de las mujeres no les está permitido descansar durante el día. Muchos de los alimentos les están restringidos, además del movimiento fuera de la casa. En ocasiones, el empleador también restringe sus llamadas telefónicas a sus amigos y/o familiares durante las horas de trabajo. Esto las mantiene muy aisladas y a menudo experimentan su trabajo y lugar de vivienda como una prisión. Sus sueldos suelen encontrarse bajo el mínimo legal; las horas extras no son pagadas; los beneficios sociales suelen ser inexistentes o los salarios no son pagados si la nana es despedida durante el período de prueba, hechos que nos fueran relatados en las entrevistas que realizamos en nuestra investigación. A continuación, intentaremos mostrar cómo el malestar diario experimentado por las personas que trabajan como domésticas "puertas adentro" en casas extranjeras aparecen visibles en las historias que ellas cuentan.[6]

---

5. La situación de las empleadas domésticas peruanas en Chile responde a tendencias globales del servicio doméstico en países del Primer Mundo que ha sido analizado por Castles 1998, Lutz 2001, Williams 2001, Anderson 2002, entre otros.

6. Estos hallazgos se basan en la información recogida durante cinco meses de trabajo de campo en Santiago de Chile, en particular en el análisis de contenido de las narraciones de 19 entrevistas semiestructuradas de mujeres peruanas

Pérdida de peso y control de la comida

Uno de los temas centrales surgidos durante el inicio de nuestro trabajo de campo desarrollado en el 2001 sobre problemas de salud en las trabajadoras domésticas peruanas en Santiago fue la pérdida de peso. De hecho, la pérdida de peso, especialmente en los primeros meses después de la llegada a Chile, parece ser una regla más que una excepción. En nuestras conversaciones con las mujeres, algunas, orgullosas, nos mostraban fotos de antes, mientras aún trabajan en sus casas en el Perú. Una diferencia obvia entre la versión de antes y después de la persona en frente de nosotras era la considerable pérdida de peso que había tenido lugar durante este período. Solo 3 de las 52 mujeres entrevistadas declararon haber subido de peso y solo unas pocas no percibieron ningún cambio en su peso. Generalmente, la pérdida de peso no era mencionada como un problema en sí mismo, pero era revelado cuando hablaban de los malos tratos que recibían en la casa de sus empleadores o el hecho de sentirse mal en general. La pérdida de peso era a menudo considerable con un promedio de 5 kilos. No eran excepcionales los casos de pérdida de peso extrema de 10 a 19 kilos en pocos meses. La cantidad de kilos perdidos parecía casi inversamente correlacionada con el bienestar; así, al encontrar a alguien que presentaba una pérdida de 10 kilos o más, podíamos tener la certeza de estar frente a un caso de maltrato severo. La pérdida de peso era generalmente visto por las nanas como un impedimento para hacer su trabajo adecuadamente. Señalaban que, como resultado de su pérdida de peso, sentían debilidad, se cansaban rápidamente y se sentían mareadas. Sentían náuseas, tenían dolores de cabeza, dolores de estómago y algunas mencionaban anemia como consecuencia de la pérdida de peso.

En la ciencia médica, la pérdida de peso es vista a menudo como el resultado de un desbalance entre la ingesta de alimento y la actividad física. En este caso, la vigilancia sobre la actividad de la nana en relación con la comida, incluyendo la ingesta de alimentos, es una de las principales razones para la pérdida de peso. Como fuera demostrado por Kathya Araujo, María Claudia Legui y Loreto Ossandón, es una práctica muy frecuente el que se restrinja y regule la cantidad de comida mediante to-

---

que habían estado trabajando como nanas "puertas adentro" o encargadas del cuidado de ancianos durante ese tiempo.

da clase de reglas implícitas y explícitas.[7] En efecto, la desigual distribución de poder puede moldear el cuerpo físico.[8] La siguiente anécdota contada por una de nuestras informantes ilustra este punto:

> Vivian: Vea usted, la comida es muy poca.
> Dany: He escuchado muchas veces que los jefes están chequeando.
> Vivian: Sí, sí. Ellos se fijan en lo que la nana hace. El otro día, algo me pasó que no me gustó. Yo estaba en la cocina [...] Las comidas son tan pequeñas que para mí es molesto. Yo tenía tanta hambre que me cociné una pasta [...]. Luego pienso que empezaron a poner atención en mí, me vieron, lo sintieron, aunque las puertas estaban cerradas. Me sentí terrible, terriblemente avergonzada cuando la señora entró, que nunca me voy a olvidar. Ella me dijo: "¡Qué lindo que te estás alimentando!". Pero lo dijo seriamente. No lo dijo de una manera que yo pudiera pensar que era una broma, no. O que quizás yo estaba con hambre y necesitaba comer. No lo entendí de esa manera [...]. Se lo puedo asegurar; no pude continuar comiendo, así es que boté todo a la basura. Me atacaron los nervios [...]. Me quedé en la cocina, completamente avergonzada, no le dije nada a ella, me quedé muda, y su esposo entró después. Se paró ahí mirándome [...] "Ay, Viviana, estás comiendo", algo como: "¡Qué sorpresa!" para ellos estar comiendo. Me sentí tan mal, me dolió la cabeza, me dolió el cuerpo y me dije a mí misma: "Nunca más voy a volver a cocinar nada [para mí] enfrente de esta gente tan presumida". Pero realmente no me gustó, no me gustó la manera en que ellos toman control [...]. Pensé, ellos están controlando mi comida pero qué se creen? ¿Cómo puedo satisfacerme con un poquito de ensalada?

El fragmento de esta entrevista muestra cómo la nana experimenta un ojo observador omnipresente que vigila sus actos aun cuando las puertas están cerradas, reminiscencia de la idea del panóptico,[9] la prisión imaginaria perfecta donde todos pueden ser permanentemente controlados. Viviana siente que ha violado una regla no escrita sobre el consumo de comida en el hogar, lo que le causa gran vergüenza cuando es "descubierta", por lo que decide que nunca va a volver a comer comida que no le es permitida. Ella decide refrenarse e internaliza el control externo. Este tipo de comentarios, o incluso estrategias explícitas de los

---

7. Araujo y otros 2000: 39.
8. Lock 1993, Csordas 1994.
9. Foucault 1979.

empleadores como el marcar la comida en el refrigerador con el fin de poder constatar rápidamente si algo falta, es una manera en la que el empleador logra controlar la ingesta de alimentos de la nana. Esto, a su vez, lleva a una forma de autorrepresión como ha sido demostrado por la decisión que tomó Viviana. La idea de ser observadas mientras comen es experimentada por las nanas como inconfortable y como una forma de prevenir que puedan "desgastar" su hambre.

De acuerdo con la mayoría de los empleadores, la práctica de restringir y controlar la comida es motivada por un discurso sobre la necesidad de ahorrar dinero, lo que es legitimado por los empleadores con planteamientos tales como "la gente pobre no puede comer lo mismo que los ricos" (empleadora de Mirioli). En un caso extremo, una mujer fue forzada a comer de la misma comida que el perro de su empleador, del mismo pote, lo cual por supuesto es extremadamente denigrante para cualquier ser humano. El ejercicio de restringir la comida refuerza la distinción entre la trabajadora y la familia.

Depresión y nervios

Además de la restricción de alimentos, el nerviosismo, la preocupación constante y la depresión —la que puede ser experimentada en ocasiones como "enfermedad del corazón"— frena el apetito y causa la baja de peso. Usualmente, durante los primeros meses, las trabajadoras domésticas de nuestro estudio habían tenido un período duro de adaptación a sus nuevas vidas. Extrañaban a sus hijos, sus familias y sus hogares. La soledad es un tema central y relevante para ellas. Se sentían deprimidas y la pérdida de peso con posterioridad a su llegada se atribuía a menudo a esa depresión. La experiencia de Dina ilustra bien este punto:

> Cuando llegué la primera vez, creo que me enfermé del corazón. Fue por pena, y quizás por el trabajo, porque a veces no hacía las cosas bien. La señora se volvía loca, ella me levantaba la voz, me gritaba, así es que uno empieza a comer mal. Perdí bastante peso. Me sentí terrible, me iba a mi pieza en la noche y lloraba, lloraba y lloraba.

La soledad y el aislamiento, extrañar a la familia y el hogar, la falta de comunicación y el sentimiento de ser ignorada en la casa del empleador pueden originar depresión y "enfermar del corazón". El enfermar del corazón y la depresión es explicado por las nanas como la tristeza que se manifiesta físicamente como un dolor constante en el pecho. La depresión y el enfermar del corazón pueden ser concebidos como la manifestación física de la disrupción y fragmentación del cuerpo social. Consecuentemente, la depresión en ese caso se refiere a un proceso de pérdida del ser social, anclado en los roles y relaciones familiares de las mujeres (por ejemplo, ser madre y dueña de casa en el Perú), así como en el estatus social previo.

El nuevo contexto social priva a la nana de su identidad, de su dignidad como madre, la separa de su mundo y, por lo tanto, de su ser social. Los limitados contactos con sus compatriotas peruanas trabajadoras domésticas agregan un sentimiento de aislamiento y de no pertenencia,[10] el que pude resultar finalmente en la muerte social de la persona. Adriana perdió 10 kilos "por la depresión", como ella declaró, y porque se sentía "demasiado tensa para comer":

> Me sentía terrible en la casa de esa gente francesa. No había respeto. No había comunicación. Uno se siente triste [...] todos necesitamos comunicación. Ahí realmente me sentía como muerta en vida, así es como me sentía. No había nadie en la pieza, ni siquiera una radio o televisión. Ahí uno empieza a llorar porque se acuerda de sus propios hijos.

Los "nervios" son también mencionados con relación a la pérdida de peso.[11] Algunas nanas hablaban del corazón que palpitaba golpeadamente y de sensaciones de desesperación. Reportaron sudoración, presión o dolor en el pecho y extrañas sensaciones de electricidad que corrían a través del cuerpo. La relación de poder asimétrica entre la nana y su jefe es experimentada por la nana como causante de su sufrimiento de los nervios. La superioridad de la señora, quien constantemente controla y critica a la nana, y las impredecibles y a veces imposibles demandas hechas por los empleadores a la nana, la hacen sufrir de los nervios. Reprimendas, humillaciones, acusaciones e insultos, agregan un constante estado de temor y nervios que, en ocasiones, pueden desen-

---

10. Núñez 2001.

11. Ver Davis 1989.

cadenar una crisis en la persona.[12] Verónica trabaja como nana "puertas adentro" en un hogar de clase media de Santiago, quien nos habla de su experiencia de nervios:

> Bueno, me sentía bajo presión, angustiada, angustiada. Cualquier cosa que hacía mal, la persona [la empleadora] estaba parada ahí. Yo le tenía terror. Si cometía un error me llamaba. Y me sentía [...] me deprimía, o bien me estaba quebrantando, me decaía. Me sentía humillada. Era una cosa [...] una presión que ellos me humillaban, y me sentía estúpida, torpe. Sentía que yo no valía nada y por eso estaba colapsando.. Y finalmente ella incluso me reprendió y me ofendió enfrente de las visitas. Se alteró conmigo enfrente de esa gente, y eso me hizo sentir terrible. Y cuando entré a la cocina a hacer algo, las cosas se me caían de la bandeja. Yo temblaba, temblaba, tenía un temblor en mi cuerpo, en mis manos, y me deprimí [...]. Pero tuve que seguir aun cuando me humillaba más. Por eso es que me decaía más y perdí peso.

Verónica estaba efectivamente muy delgada cuando la entrevistamos en Santiago en el año 2001. Había perdido seis kilos desde su llegada del Perú por las preocupaciones y los maltratos y porque, como ella dijo, estaba bajo demasiada presión (de tiempo). Junto con las demás, Verónica se quejaba de que ella no podía comer a sus "horas habituales" y, cuando finalmente llegaba su turno de almorzar, avanzada la tarde, su hambre se había calmado. Esto es experimentado por otras nanas como, por ejemplo, Pilar en el siguiente relato:

> No tenía horas fijas para dormir, no tenía nada de tiempo para mí misma, ni siquiera para descansar. Aprendí a tomar desayuno de pie, incluso perdí peso, perdí peso porque no comía. Bueno y no comía porque no tenía tiempo.

Comida, identidad cultural y forma del cuerpo

La comida puede ser concebida como una construcción cultural que condensa ideas sobre qué comida es saludable y cuál no lo es, y qué es

---

12. Nuestro análisis de los efectos psicológicos de distintas formas de violencia contra las mujeres se basa en la lectura de los siguientes autores: Herman 2001, Sackett y Saunders 1999, y Mills 1985.

visto como sabroso y qué no lo es.[13] Las nanas peruanas se quejan frecuentemente acerca de la falta de lo que ellas consideran una comida buena y saludable. A menudo, consideran que los chilenos están siguiendo una dieta consistente en "ensalada y una pequeña porción de carne". Todo lo que los chilenos comen es visto como *light*, lo que "no puede ser sano". "¿Qué es un pedazo de pan blanco con mantequilla y una taza de té por desayuno?", preguntaba una de las nanas, implicando que ello difícilmente correspondía a una comida. Las nanas consideran que lo que es alimento debe ser fortificante y rico, como la leche y los huevos, casi ausente en la dieta chilena. La comida chilena es vista como menos sabrosa y condimentada, y esto disminuye su apetito. Extensos relatos sobre famosos platos peruanos, tales como el ají de gallina, el ceviche o la papa a la huancaína, son frecuentes. No poder comer la propia comida es como no estar en el lugar propio. Las palabras de Felícita ilustran este tema del hogar y la pertenencia con relación al consumo de alimentos. Ella perdió 19 kilos en pocos meses:

> En Perú estaba acostumbrada a tomar leche, a comer [...] comida. Pero es todo lo contrario acá. Tú no comes nada más que comida chatarra. En Perú es lo opuesto: un rico caldo de gallina, un sabroso ceviche. En Perú comemos pescado fresco, camote, mucha yuca, pero acá no conocen la yuca. Perdí mi apetito, porque ¿qué podía hacer? No había [...] No podía tomar, no podía comer como comía cuando estaba en casa.

La pérdida de peso es percibida como negativa y a menudo está seguida de esfuerzos para recuperar lo perdido. Esto es contrario a los ideales de belleza que los medios de comunicación occidentales presentan, en los que la gente (especialmente las mujeres) pierden peso para mostrar que pueden alcanzar esos patrones dominantes. Las nanas peruanas en Chile consideran sus cuerpos delgados como indeseables y no sanos, de allí que reaccionen en forma negativa ante su pérdida de peso.[14] Así lo manifiesta Gisela: "Me sentía tan mal. Perdí un montón de peso. Yo era como un pequeño gusano, y lo recuperé porque no quiero estar tan delgada, quiero volver a mi peso normal".

---

13. Veenis 1995.
14. Nichter y Nichter 1991.

La forma del cuerpo y la ingesta de alimentos que debe ser mantenida para conservar un cuerpo deseable son un indicador potente de una buena salud. Entre las nanas que entrevistamos para este estudio, "robusto" es sinónimo de "sano", mientras que "perder peso" es visto como un idioma del malestar.[15] Muchas nanas tienen preocupaciones serias sobre su salud y toman iniciativas para recobrar lo que ellas ven como cuerpos no sanos. Una mujer expresaba:

> Me compraba mi propia leche, mis huevos, para cuidarme; compré vitaminas, vitamina C, y como que volvimos a nuestras raíces. Compré alimentos como *quaker*, quinua, que los peruanos comemos. Así es que compraba esas cosas y el domingo cuando nosotras [ella y sus amigas peruanas] nos juntábamos, tratábamos de comer bien.

Esta búsqueda de comer bien sucede a menudo en el recinto de los migrantes, donde las trabajadoras domésticas se reúnen los domingos para cocinar juntas y pasar su día libre. Además, este espacio las provee de un lugar a salvo, en el cual la rabia, la frustración y la tristeza pueden ser expresadas abiertamente, en contraste con la casa de los empleadores en la que cualquier expresión de emoción es prohibida. En ese sentido, y que es lo que presentamos a continuación, la comunidad peruana que se formó en el recinto de habitación colectiva opera como un espacio de pertenencia. Este es un refugio donde no solo los cuerpos son alimentados y cuidados, sino también donde la cultura peruana es reafirmada y las identidades quebrantadas son reconstruidas.

El edificio de Calle Bandera

A solo cuatro cuadras de la Plaza de Armas en el centro de Santiago, en el segundo piso de un deteriorado edificio ubicado en Calle Bandera, Felícita, Verónica, Hortensia y muchas otras mujeres se encuentran cada domingo a cocinar y pasar tiempo juntas.

Los migrantes comenzaron a habitar este edificio a partir de 1998 y hasta el 2003, año en el que el lugar fue desocupado y clausurado.[16]

---

15. Kirmayer y otros 1998: 239.

16. Este tipo de arreglos de vivienda se ha extendido notablemente en los últimos años con el aumento en el número de migrantes en el país y muestra ser un ne-

Con veinte habitaciones en total, todo el piso era habitado por aproximadamente cincuenta personas, número que aumentaba dramáticamente los fines de semanas con residentes temporales, amigos y conocidos que llegaban de visita. En camas improvisadas o apretados en las camas disponibles, los residentes recibían a cualquiera que necesitara un techo temporal.[17] La mayoría de los habitantes venía de las ciudades peruanas de Chimbote, Trujillo, Barranca y Lima.

En el recinto, las cañerías filtraban agua constantemente y los cortes de electricidad eran frecuentes por la sobrecarga del sistema eléctrico. Todo ello representaba una amenaza permanente a las vidas de los migrantes y a menudo dañaba sus aparatos eléctricos. Las débiles divisiones hechas de material ligero hacían de paredes para las pequeñas habitaciones. Las instalaciones colectivas consistían solo en dos baños, dos duchas de agua fría y dos pequeñas áreas de cocina; sin embargo, para sus habitantes, la estratégica ubicación del edificio en el centro de la ciudad compensaba su deteriorado estado.

Un hogar lejos del hogar

Muchos de sus habitantes consideraban el recinto de Calle Bandera como un hogar lejos de sus hogares. Este era esencialmente un espacio físico y social en donde los códigos culturales eran compartidos. En

---

gocio rentable para los dueños de las propiedades, quienes cobran altas rentas por hospedaje en edificios deteriorados. En este recinto, la renta mensual por una habitación no mayor de 18 m² era de aproximadamente 65 dólares y la de una habitación más pequeña, de 12 m² aproximadamente, era de 45 dóla-res. La electricidad y el agua eran pagados separadamente.

17.   La investigadora arrendó un cuarto en la vivienda y vivió allí varios días a la semana por un período de cuatro meses (desde setiembre hasta diciembre del año 2002). La observación participante realizada implicó integrarse a las actividades normales y rutinas de los migrantes en el lugar, incluyendo actividades como comprar, cocinar, compartir comidas, salidas a bailar; así como las actividades más significativas, como cumpleaños, bautizos y las llamadas a casa. Los migrantes estaban informados del estudio y de acuerdo con la presencia de la investigadora en el lugar. En marzo del 2003, las autoridades forzaron a los dueños del edificio a cerrar el lugar, debido a las pobres e inseguras condiciones en las cuales se encontraba el recinto. Sin embargo, después de ello, muchos de sus residentes se trasladaron a vivir a otras habitaciones en edificios del sector y continuaron viviendo bajo condiciones similares.

este lugar, la identidad cultural peruana era producida y celebrada, y el bienestar de los migrantes mantenido a través de interacciones significativas y prácticas culturalmente diferenciadas. Gran parte de las vidas de sus habitantes —fuera de sus lugares de trabajo— transcurría en este recinto. Allí se reunían, descansaban, conversaban, dormían, comían, se emparejaban, intercambiaban información sobre trabajos, oportunidades, y compartían estrategias para lidiar con el "desconocido y ajeno sistema chileno". A menudo, los migrantes hablaban sobre este lugar como uno donde pasaban el tiempo más significativo lejos del Perú, porque solo otro migrante puede realmente entender la tristeza y soledad de estar lejos de casa, especialmente en las fechas importantes como Navidad o el Día de la madre, así como estar ausente de casa durante el cumpleaños, la muerte o una enfermedad prolongada de sus seres queridos.

Los hombres se reunían en el recinto los fines de semana a "ahogar en alcohol" las penas y nostalgia de estar lejos de casa, en ocasiones perturbando el precario balance de sus relaciones de pareja y de vecinos. En este sentido, el recinto de viviendas funcionaba como un espacio social en el cual las relaciones opresivas de sus empleos eran temporalmente suspendidas. Ello no implicaba que las relaciones internas de la comunidad no fueran conflictivas; de hecho, el lugar no estaba nunca libre de robos ni de ruidosas y violentas peleas entre parejas y vecinos. Más de una vez debieron llamar a la policía con el fin de parar interacciones violentas.

Cocina y dinámica de las relaciones en el recinto

Mujeres y hombres casados vivían juntos en este recinto, estableciendo relaciones de convivencia temporales para ayudarse a soportar la distancia y soledad de estar lejos de sus esposos/as e hijos en el Perú. Estas convivencias coexistían a menudo con una "intención" de lealtad y prioridad con el "compromiso principal"[18] de cada uno en el Perú. En la vivienda colectiva, las relaciones entre hombres y mujeres por lo general comenzaban y se consolidaban cuando una mujer empezaba cocinar para un hombre, reproduciendo roles de género tradicionales

---

18. Término usado con referencia a un matrimonio socialmente reconocido y aceptado, independientemente de su estatus legal.

propios de su comunidad de origen. Sin embargo, estos arreglos solían cambiar debido a la participación de las mujeres en el mercado de trabajo —de lunes a sábado—, con poco tiempo libre para atender a un nuevo hombre en sus vidas. Esto causaba tensiones en la división tradicional del trabajo, de manera que los hombres se veían eventualmente forzados a cocinar. Alimentarse unos a otros entre las parejas era visto gradualmente como una obligación mutua y como consecuencia de la redistribución de los roles de género.

El compartir la comida tiene entre los migrantes una estrecha asociación a la familia, pero muchos de ellos habían dejado a su familia entera o a varios de sus miembros en el Perú. La ausencia de los miembros de la familia o la preocupación por su bienestar se hacía sentir con frecuencia los domingos, cuando se reunían a comer una buena comida, de forma que esta a veces no se disfrutaba del todo. Rocío lo señalaba en una de nuestras conversaciones: "A veces estoy comiendo un buen plato y pienso: ¿qué estará comiendo mi mamita en su casa? Y ya no lo disfruto más".

La preparación de la comida y el compartirla formaba parte sustancial de las prácticas y rituales realizados por la comunidad en el recinto, corroborando el sentido de pertenencia al colectivo, especialmente al encontrarse lejos de sus familias. La comida era un elemento central entre los diferentes elementos usados por los migrantes para transformar este inhospitable lugar en un hogar.[19] Los migrantes disfrutaban allí de la libertad de cocinar y comer a "su propia manera peruana". A través del compartir el alimento se construían y confirmaban nuevas relaciones sociales, mientras que otras relaciones, como la división tradicional genérica del trabajo, se transformaban. La comida ayudaba a crear y representar el mundo social que esencialmente significaba el bienestar; además, contribuía a restaurar la habilidad de los miembros de la comunidad para actuar en el ajeno mundo de afuera.

El alimento que ayuda a sanar

Los migrantes se quejan de tener que comer comida congelada o que ha sido cocinada tiempo atrás y después almacenada por días. Se lamentan de que el consumo de comida en Chile está restringido a espacios cerra-

---

19. La música era otro elemento central, pero no será tratado en extenso aquí.

dos, a diferencia de la venta de comida fresca en la calle tan extendida en el Perú. Ellos también critican el hecho de que la gente en Chile come muy poco y muy rápido, a menudo comida chatarra, insípida y sin sabor. Señalan que los productos del mar disponibles para el consumo en los mercados chilenos no son frescos; tienen la opinión de que los pescados son congelados y transportados a las ciudades varios días después de ser sacados del mar. No interesa debatir aquí la veracidad de estos planteamientos; más bien, interesa detenerse en lo que parece estar en forma subyacente, esto es, las diferentes ideas y principios acerca de lo que se considera comidas buenas y saludables.

Elementos como la sociabilidad a través de la comida, el tiempo y el espacio destinados a su consumo, la abundancia de esta, y lo fresco y natural son características de una comida considerada como buena y saludable para la mayaría de los migrantes. La temperatura es otro de los elementos centrales, sobre el que nos detendremos a continuación. Una buena comida, según muchos de nuestros entrevistados, es una caliente y recientemente cocinada. Nunca debe ser comida del día después, no solo debido a la pérdida de sus cualidades nutricionales, sino también porque es percibido potencialmente como dañino para la salud de la persona.[20] El recalentar la comida puede causar su fermentación, proceso que continuaría en el estómago y provocaría la enfermedad. Además, una combinación equivocada en la temperatura de las comidas puede alterar en general su calidad. De acuerdo con percepciones populares entre los migrantes, comer algo frío después de comer algo caliente puede tener efectos negativos ya sea en el estómago o en la garganta.

Las cualidades de frío y caliente se extienden a los procesos físicos, incluidos el embarazo y la menstruación, así como a los estados emocionales. Por ejemplo, durante una crisis nerviosa, se considera que el cuerpo está en un estado caliente. Durante este episodio, el cuerpo de la persona afectada acumula calor, el que debe ser expulsado. Se dice generalmente que la persona necesita "desfogar" ya sea arrojando objetos, quebrándolos, llorando o gritando. Después de calmarse, un compatriota migrante le dará a la persona afectada agua fría y jugo de limón.

---

20. Como fuera observado, no importaba de cuán poco dinero dispusieran los migrantes ni cuán incierta fuera la comida del próximo día, nunca guardaban comida para el siguiente día. Los restos de comida eran siempre eliminados.

Hortensia es una mujer de 42 años, trabajadora doméstica que pasa los fines de semana, desde el sábado en la tarde hasta el domingo en la noche, en la pieza que comparte con sus parientes en el edificio. Un sábado que llamaba a su casa en el Perú recibió la noticia de que su madre estaba seriamente enferma y Hortensia comenzó a temblar. Su hermana y sobrina que la habían acompañado a hacer la llamada la trajeron de regreso al cuarto, donde ella tuvo finalmente un ataque de nervios. Hortensia lloraba. Pronto le dieron de beber agua fría y jugo de limón. El tratamiento y el apoyo emocional de sus familiares la ayudaron a sentirse mejor. La elección del alimento dado a Hortensia, en este caso un líquido frío, no es arbitraria. La infusión fría ayuda al cuerpo bajo un ataque nervioso a recuperar su balance. Ciertamente, las elecciones de comida de los migrantes son indicativas del conocimiento sobre salud, que es usado cada vez que una persona reconoce en otra señales de enfermedad. La comida tiene un efecto curativo si es consumida de la manera adecuada.

Comida e identidad cultural

Aun cuando la comida era una práctica central en la vivienda colectiva, el hablar de ella parecía a veces aun más importante que lo que realmente se comía o cocinaba. Más aun, la posibilidad de cocinar comida tradicional peruana estaba limitada a menudo a la factibilidad de encontrar los ingredientes necesarios en Santiago y a la disposición de recursos económicos para adquirirlos. A pesar de ello, para los migrantes, comer comida "realmente peruana" en Chile parecía casi imposible. Cada vez que un ingrediente chileno era usado —a diferencia de los auténticos ingredientes peruanos—, los migrantes comentaban que "los platos peruanos cocinados con ingredientes chilenos nunca saben igual".

La extensión y frecuencia con la que la gente se embarcaba en conversaciones relacionadas con la comida y el carácter vívido de sus descripciones nos llevó a pensar que se hacía referencia a algo más cuando se hablaba de la comida, algo que la trascendía, pero que al mismo tiempo estaba íntimamente ligado al cuerpo, a uno mismo y a la identidad. Fue interesante constatar que, mientras se hablaba de comida, los antagonismos regionales, y las jerarquías de clase y de género comunes en el Perú dejaban de ser relevantes. Mujeres y hombres participaban igualitariamente en la discusión, como lo hacían los peruanos de la sierra y de la costa. Cada uno participaba comentando libremente, usando su propia experiencia culinaria y preferencias subjetivas así como el recuerdo de los platos, recetas o frutas que solían comer y cocinar en sus casas en el Perú. Cada elemento era celebrado e incluido sin oposición. Era como si todos se sintieran convocados a traer sus propios recuerdos y experiencias a la conversación y eso formara parte de un repertorio común de prácticas de alimentación. Además, los relatos de la variedad, el tamaño, la forma, el color, el sabor y el valor nutricional de los alimentos producidos en el Perú eran presentados como prueba de la abundancia de su tierra natal, los dones de la naturaleza peruana y la diversidad de sus zonas ecológicas. Los migrantes también solían comentar que en el Perú solo con un poco de dinero se podía comprar un pescado grande y fresco: "Los pescados son tan deliciosos, frescos... como si recién hubieran saltado fuera del mar". Los comentarios sobre la comida chilena llevaban inevitablemente a la indisputable conclusión sobre la superioridad de la cocina peruana y los productos alimenticios: "Yo no he comido nunca acá un pescado como los pescados del norte del Perú, mira, ve", decía Kena, una de las mujeres del recinto. La dinámica de las conversaciones relativas a la comida también revela cómo los sentimientos de identidad nacional son canalizados en un territorio extranjero. Es así como las memorias compartidas de la cocina se ligaban a los sentimientos de nostalgia de estar de regreso físicamente en el Perú.

Las conversaciones sobre comida siempre ocurrían mientras se compartía un plato con otros compatriotas migrantes o mientras se compraban los alimentos. En contraste, las conversaciones con nosotras las investigadoras (ciudadanas chilena y holandesa respectivamente) tomaban a menudo otro tono. Tendían a ser más descriptivas del tamaño, color y sabor de los vegetales y frutas, y de la calidad de la carne usada en el Perú, dado que se asumía implícitamente que las investigadoras no conocían estos productos.

Recordar, rememorar y apreciar la comida peruana y los recursos naturales del Perú permite a los migrantes fortalecer su identidad cultural común y reconciliarse con un país que los ha expulsado, pero que, más importante aun, les permite sanarse de sus difíciles experiencias como trabajadores en Chile. A través del énfasis puesto en lo que el medio ambiente natural peruano les otorga, los migrantes peruanos en

Chile reconocen la pertenencia a un país que, a pesar de todos sus problemas (desempleo, corrupción, inestabilidad política y violencia), se mantiene generoso con su gente y puede sostener a su población. Como a menudo señalaba Daniel, un residente del lugar, quien era pescador en Chimbote: "En el Perú, nadie se muere de hambre". Al contrario, la percepción de la dureza de la sociedad chilena es expresada a través de descripciones del pequeño tamaño de la los productos naturales chilenos, su falta de color y sabor. En las conversaciones sobre comida, Chile es construido como un país que les da trabajo, pero que no los alimenta adecuadamente (o no puede hacerlo).

Conclusiones

En este artículo, hemos analizado dos espacios sociales diferentes y centrales en la vida cotidiana de las trabajadoras domésticas en Chile. A través del análisis de cómo la manufactura y el consumo de comida se perciben como "problemáticos" o "liberadores" de acuerdo con los contextos sociales, hemos discutido las narraciones de las mujeres peruanas que trabajan "puertas adentro" en hogares de clase media chilena. Hemos comparado esas narraciones con las experiencias vividas por las trabajadoras en su tiempo libre en la vivienda colectiva de los migrantes, experiencias de las cuales las investigadoras hemos sido testigos.

No obstante, es solo con propósitos analíticos que hemos distinguido entre estos dos espacios como ubicados en dos extremos opuestos. Estos dos escenarios están lejos de ser "puros" o absolutos. Más aun, algunos de los dominios de interacción se superponen entre los dos de forma que cada uno posee la potencialidad de volverse su opuesto. Los conflictos sí pueden tomar lugar en los espacios de la vivienda colectiva como de hecho a menudo ocurría en el recinto que estudiamos. De la misma manera, la casa de los empleadores donde las nanas trabajan y viven puede ser un lugar pacífico en el que ellas se encuentran apoyadas y comprendidas.

La pérdida de peso fue tomada como un punto de partida para comprender el malestar diario de las nanas "puertas adentro". Como hemos demostrado, la pérdida de peso ocurre en el microcontexto político del hogar en el cual el empleador ejerce control sobre la vida y el cuerpo de la nana. A través de un control explícito en la ingesta de alimentación, los movimientos, la comunicación con el mundo de fuera, y trabajando bajo constante presión de tiempo, la autoestima de la nana se ve generalmente reducida. En efecto, hemos planteado que la pérdida de peso encarna la degradación temporal de uno mismo. El control de la comida, por lo tanto, actúa como marcador de las jerarquías en el hogar.

Durante los fines de semana, cuando las mujeres trabajadoras domésticas se juntan con otros migrantes en sus piezas arrendadas, su autoestima puede ser reparada y su peso recuperado. Aquí ellas son escuchadas, apoyadas y alentadas por otras mujeres con experiencias similares, y estas conversaciones, por lo general, ocurren alrededor de la preparación y consumo de alimentos propios del lugar de origen. Efectivamente, las primeras observaciones realizadas en el recinto de vivienda nos llevaron a interpretar que la vida colectiva de los migrantes estaba estructurada alrededor de la comida. Hemos explorado que las actividades tales como la conversación, el cocinar y el comer comida tradicional pueden ser vistas como un medio a través del cual los migrantes comunican una experiencia compartida en la sociedad chilena: la de exclusión social y discriminación.

También hemos discutido cómo las prácticas subyacentes a las preferencias culinarias de los migrantes muestran trazos de una concepción coherente de salud que incluye estrategias de cómo prevenir y tratar las enfermedades. Hemos planteado que, lejos de ser arbitrarios, estos principios muestran una lógica intrínseca y conforman recursos culturales que pueden ser utilizados por los migrantes en situaciones de tensión relacionadas con sus experiencias en el mercado laboral chileno o con las que resultan del hecho de estar lejos de sus hogares en el Perú. En este contexto, el cocinar comida tradicional peruana es usado para mantener la salud y el bienestar. Por su parte, la conversación alrededor de la comida actúa como metáfora de la conexión de los migrantes con su patria. Asimismo, fue demostrado que, cuando se aprecia la cocina regional o nacional peruana, los migrantes se reconcilian con la patria que dejaron atrás.

Examinar la condición en la cual el alimento es preparado ofrece la oportunidad de observar el contexto social y político más amplio en el que los sujetos se posicionan como seres humanos, como mujeres y como trabajadoras. En situaciones en las que el bienestar de los migrantes se ve amenazado, tener el control de las condiciones en las cuales la comida es cocinada se vuelve de vital importancia. Esto revela una dimensión más amplia de la preparación y el consumo de la comida en la producción de un ser autónomo. Tal control permite a los migrantes usar la comida como medio para alcanzar cohesión cultural, y mantener su bienestar psicológico y físico.

Bibliografía

ANDERSON, Bridget
 2002 *Doing the Dirty Work: the Global Politics of Domestic Labour.* Londres: Zed Books.

ARAUJO, Kathya; María Claudia LEGUI; y Loreto OSSANDÓN
 2000 *Migrantes Andinas en Chile: el caso de la migración peruana.* Santiago de Chile: Fundación Instituto de la Mujer.

CASTLES, Stephen y Mark MILLER
 1998 *The Age of Migration.* Basingstoke: Macmillan.

COUNIHAN, Carole y Penny VAN ESTERIK (eds.)
 1997 *Food and Culture. A Reader.* Londres y Nueva York: Routledge.

CSORDAS, Thomas (ed.)
 1994 *Embodiment and Experience. The Existential Ground of Culture and Self.* Cambridge: Cambridge University Press.

DAVIS, Donna y Setha LOW (eds.)
 1989 *Gender, Health, and Illness: The Case of Nerves.* Nueva York: Hemisphere.

DÖRING, Tobias; Markus HEIDE; y Susanne MÜHLEISEN (eds.)
 2003 *Eating Culture. The Poetics and Politics of Food.* Heidelberg: Winter.

FOUCAULT, Michel
 1979 *Discipline and Punish: The Birth of the Clinic.* Harmendsworth: Penguin.

HERMAN, Judith
  2001   *Trauma en Herstel. De gevolgen van geweld: van mishandeling thuis tot politiek geweld.* Ámsterdam: Wereldbibliotheek.

HOCHSCHILD, Arlie Russell
  1983   *The Managed Heart: the Commercialization of Human Feeling.* Berkeley: University of California Press.

KIRMAYER, Laurence J., Trang DAO, Thi HONG y A. P. SMITH
  1998   "Somatization and Psychologization. Understanding Cultural Idioms of Distress". En Okpaku, Samuel (ed.), *Methods in Transcultural Clinical Psychiatry.* Washington, pp 233-65. D.C.: American Psychiatric Press.

LIN PANG, Ching
  2003   "Beyond Authenticity: Reinterpreting Chinese Immigrant Food in Belgium". En Döring, Heide y Mühleisen (eds.).

LOCK, Margaret
  1993   "Cultivating the Body: Anthropology and Epistemologies of Bodily Practice and Knowledge". En *Annual Review of Anthropology* 22, pp. 133-55.

LUTZ, Helma
  2001   "Ketens van Zorg: de nieuwe dienstmeisjes in de mondiale migratie". En *Tijdschrift voor Genderstudies* 3: 1, pp. 20-34.

MILLS, Trudy
  1985   "The Assault on the Self: Stages in Coping with Battering Husbands". En *Qualitative Sociology* 8: 2, pp. 103-23.

NICHTER, Mark y Mimi NICHTER
  1991   "Hype and Weight". En *Medical Anthropology* 13: 3, pp. 249-84.

NÚÑEZ, Lorena
  2001   "Peruvian Migrants in Chile". En Salman Ton y Annelies Zoomers (eds.), *Transnational Identities. A Concept*

Explored: The Andes and Beyond. Vol. II. Antropologische Bijdragen 16. Ámsterdam: Centro de Estudios y Documentación para América Latina.

RICCIO, Bruno
    2002   "Toubab and Vu Cumpra. Italian Perceptions of Senegalese Transmigrants and the Senegalese Afro-Muslim Critique of Italian Society". En Grillo, Ralph y Jeff Pratt (eds.), *The Politics of Recognizing Difference. Multiculturalism Italian-style*. Aldershot y Burlington: Asghate, pp. 175-96.

SACKETT, Leslie A. y Daniel G. SAUNDERS
    1999   "The Impact of Different Forms of Psychological Abuse on Battered Women". En *Violence and Victims* 14: 1, pp. 105-17.

VEENIS, Milena
    1995   *Kartoffeln, Kuchen und Asado. Over de verborgen keuken van Duitsers in Argentinie*. Ámsterdam: Het Spinhuis.

WILLIAMS, Fiona
    2001   "Trends in Women's Employment, Domestic Service and Female Migration in Europe: An Uncomfortable Ménage à Trois". Ponencia presentada en el coloquio "Solidarity between the Sexes and the Generations: Transformations in Europe", Royal Netherlands Academy of Arts and Sciences, Ámsterdam, junio.

SOBRE LOS AUTORES

ULLA D. BERG
Obtuvo su grado de magíster en Antropología en la Universidad de
Copenhague en el año 2001 y es candidata al doctorado en Antropología de la Universidad de Nueva York (NYU). Actualmente está escri-
biendo su tesis sobre prácticas comunicativas en el contexto de la migración peruana a los Estados Unidos. Sus trabajos aparecen en *Perú:
el legado de la historia* (2001) y en diversas revistas internacionales como
Latino Studies. Dirigió y produjo el documental *Esperando milagros* (2003)
sobre la hermandad del Señor de los Milagros en Nueva York. Es investigadora afiliada al área de Antropología del Instituto de Estudios Peruanos.

ÁNGELES ESCRIVÁ
Completó su doctorado sobre la migración de trabajadoras domésticas
entre el norte del Perú y España en 1999 en la Universidad Autónoma
de Barcelona. Actualmente es profesora ayudante de Sociología en la
Universidad de Huelva e investigadora vinculada al Instituto de Estudios Sociales de Andalucía del Consejo Superior de Investigaciones
Científicas (IESA-CSIC) de Córdoba. Sus artículos sobre las carreras
sociolaborales de las mujeres peruanas en España han sido publicados
en revistas como *New Community* (1997), *Papers* (2000) y *Revista Internacional de Sociología* (2003). También es coeditora, con Natalia Ribas, del
libro *Migración y desarrollo. Estudios sobre remesas y otras prácticas transnacionales en España* (2004).

PAUL H. GELLES
Es Profesor Asociado de Antropología de la Universidad de California, Riverside y ha realizado numerosos estudios sobre distintos aspectos de la sociedad andina. Es autor de varios artículos y del libro *Agua y poder en la sierra peruana: la historia y la política cultural del riego, rito y desarrollo* (2002). También es cotraductor, con Gabriela Martínez, de *Andean Lives: Gregorio Condori Mamani and Asunta Quispe Huamán* (1996) y coproductor, con Wilton Martínez, del documental *Transnational Fiesta: 1992* (1993).

DANY HOLPER
Es graduada en Medicina y en Antropología Médica en la Universidad de Leiden y de Ámsterdam en Holanda. En el año 2002 concluyó su tesis sobre enfermedad y salud entre las trabajadoras domésticas peruanas en Santiago de Chile. Actualmente se desempeña como médico en un hospital de Holanda.

LORENA NÚÑEZ
Es candidata al doctorado en el Programa de Salud, Enfermedad y Cultura del Centro Médico de la Universidad de Leiden en Holanda. Su investigación de doctorado trata sobre los migrantes peruanos en Santiago de Chile, y se enfoca en las prácticas y las experiencias de salud y enfermedad entre diferentes grupos de migrantes, incluyendo a las trabajadoras domésticas. Ha enseñado Antropología Médica en la Universidad de Chile y en la Universidad Diego Portales (Santiago de Chile).

KARSTEN PÆRREGAARD
Es Profesor Asociado del Instituto de Antropología de la Universidad de Copenhague. Su investigación se centra en los procesos migratorios en el Perú y la migración transnacional de peruanos a los Estados Unidos, España, Japón y Argentina. Entre sus publicaciones destacan *Linking Separate Worlds. Urban Migrants and Rural Lives in Peru* (1997) y "Business as Usual: Livelihood Strategies and Migration Practice in the Peruvian Diaspora" (2002). Actualmente está finalizando el manuscrito de su nuevo libro *Peruvians Dispersed. A Global Ethnography of Migration.*

CAROLINA STEFONI

Es socióloga de la Universidad Católica de Chile y magíster en Estudios Culturales de la Universidad de Birmingham, Inglaterra. Actualmente trabaja como investigadora en la Facultad Latinoamericana de Ciencias Sociales, FLACSO-Chile, donde es coordinadora del Programa de Migraciones. Ha escrito el libro *Inmigración peruana en Chile. Una oportunidad a la integración* y diversos artículos en revistas nacionales e internacionales.

AYUMI TAKENAKA

Obtuvo su doctorado en la Universidad de Columbia (Nueva York) en el año 2000 y actualmente es Profesora Asistente de Sociología en Bryn Mawr College en los Estados Unidos. Sus investigaciones actuales tratan sobre la migración internacional, las identidades étnicas y la movilidad social de inmigrantes en Japón, Estados Unidos e Inglaterra. Sus trabajos han sido publicados en revistas internacionales como *American Behavioral Scientist* y *Journal of Ethnic and Migration Studies*.

CARLA TAMAGNO

Obtuvo su maestría en la Pontificia Universidad Católica del Perú en 1998 y se doctoró en el Departamento de Sociología Rural de la Universidad de Wageningen (Holanda) en el 2003. Actualmente trabaja como coordinadora de la región andina del proyecto TRANSFAMDINAS de la Universidad de Barcelona, un proyecto de investigación sobre los peruanos y ecuatorianos en España. Es autora de varios artículos sobre la migración transnacional peruana en libros como *Work and Migration: Life and Livelihoods in a Globalizing World* (2002) y *Comunidades locales y transnacionales* (2003), y en revistas internacionales como *CEDLA Cuadernos* (2002). Es investigadora afiliada del Instituto de Estudios Peruanos.

Diagramado en
el *Instituto de Estudios Peruanos* por:
Rossy Castro Mori
Corrección de pruebas:
Carla Almanza
Impreso en los talleres gráficos de
Tarea Asociación Gráfica Educativa
Pje. María Auxiliadora 155 - Breña
Lima - Perú
Teléfono: 424-8104 / 332-3229
E-mail: tareagrafica@terra.com.pe